— Оживает, — прошептала Люся, глядя на Петрова, который, сделав глубокий вдох, втянул внутрь трепетные ноздри.

Дрожа всем телом, Настя прыгнула в кровать.
— Алло! — закричала трубка голосом Люси.

**ДЕТЕКТИВ**

ЕСЛИ К ЗАГАДКЕ ДОБАВИТЬ ЛЮБОВЬ И ВСЕ ЭТО
ОБИЛЬНО ПРИСЫПАТЬ ЮМОРОМ, А ЗАТЕМ
ХОРОШО ПЕРЕМЕШАТЬ, ТО ПОЛУЧАТСЯ

# ШОУ-ДЕТЕКТИВЫ
# ГАЛИНЫ КУЛИКОВОЙ

# ГАЛИНА КУЛИКОВА

# СИНДРОМ БОДЛИВОЙ КОРОВЫ

В оформлении обложки и форзаца
использованы рисунки
автора

Москва ЭКСМО 2004

УДК 882
ББК 84(2Рос-Рус)6-4
К 93

Оформление серии художника *С. Курбатова*

*Серия основана в 2003 г.*

**Куликова Г. М.**

К 93    Синдром бодливой коровы: Повесть. — М.: Изд-во
Эксмо, 2004. — 352 с. (Серия «ШОУ-детектив»).

ISBN 5-699-04154-0

С некоторых пор Настя Шестакова уверена, что господь бог
живет в ее телефонном аппарате. Стоит ей только сказать в телефонную трубку о том, какого типа мужчина ей нравится, как он тут же
возникает на пороге Настиного дома. Поскольку сама Настя не
считает себя красавицей, внезапное нашествие кавалеров кажется ей
чертовски подозрительным. И всех их что-то уж слишком интересует
то, чем в последнее время занята Настя, — а она, ни много, ни мало,
пытается узнать подробности самоубийства своей соседки по даче
Любочки Мерлужиной. «Не самоубийство это, уважаемые граждане!» —
с упорством бодливой коровы не перестанет твердить Настя...

УДК 882
ББК 84(2Рос-Рус)6-4

# 1

Макар Мерлужин опустил веки и тут же почувствовал, что его руки пристегивают к подлокотникам.

— Не надо! — жалобно попросил он, но на его слова, естественно, не обратили внимания.

— Зрачки, — тихо напомнил кто-то, и Макару приказали:

— Откройте глаза.

Он открыл, сморгнув внезапно набежавшую слезу, потому что свет в комнате, несомненно, стал ярче. К его лицу поднесли крошечный фонарик и навели луч сначала в левый, затем в правый зрачок.

— Можно начинать, — кивнул мужчина, которого Макар никогда раньше не видел.

По иронии судьбы, мужчина был похож на ученого и внешностью, и повадками. За стеклами очков, плотно сидящих на костистом носу, прятались две колючки. На кармане белой рубашки с закатанными рукавами Макар увидел аккуратно вышитые буковки — «КЛС».

— Вы имеете представление о том, чем конкретно располагает ваша жена?

Это был первый, самый простой вопрос. Следующие посыпались, словно горох из дырявого мешка. Вопросы были разные — умные, никчемные, а порой совершенно дикие.

— Как зовут вашу любовницу?

— Давно ли вы скрываете доходы?

— Ваше руководство в курсе, что вы принимаете клиентов в обход фирмы?

— Вы знакомили жену с коллегами?

— Вы когда-нибудь садились за руль в нетрезвом состоянии?

Макара прошиб пот. Пот струился не только по спине, он образовывался под челкой и стекал по лицу, застревая в ресницах и скапливаясь над верхней губой.

— Где находится ваш загородный дом? Как быстрее туда проехать? Где от него ключи?

Нетрудно было догадаться, что эти типы собираются к нему на дачу. Он мельком взглянул на правую руку, плотно прижатую к подлокотнику. Тускло блеснул циферблат часов — стрелки показывали половину четвертого утра. «Любочка не осталась там на ночь, — подумал Макар. — Она сейчас у тетки в Москве. Почему они не спрашивают о ней? Почему?»

\* \* \*

Настя Шестакова лежала без сна на прохладных льняных простынях и размышляла о превратностях судьбы. В ее распоряжении целый дом, и не с кем, совершенно не с кем предаться в нем разврату!

Накануне вечером она позорно бежала с дня рождения подруги Люси. Все потому, что Люсин муж пригласил на вечеринку приятеля-хирурга, который одно время подбивал к Насте клинья. Очень приличный с виду, хирург был помешан на стерильности и протирал дверные ручки проспиртованными салфетками, которые повсюду носил с собой. Он мог испортить любой романтический ужин, завершив его генеральной уборкой кухни.

Крепко выпив, этот тип поймал Настю в коридоре и попытался поцеловать ее стерильным ртом, признавшись, что делает это лишь потому, что в квартире, кроме нее, нет свободных женщин, а у него романтическое настроение. Настя предпочла бегство бесконечным

препирательствам и отправилась на дачу, куда переехала в начале июня, едва на город упала экстремальная жара.

На днях Настю уволили из банка, в котором она проработала больше двух лет. Она прекрасно знала, чьи это происки, но поделать, ясно, ничего не могла. И вот — пожалуйста! Недели не прошло, а у нее уже бессонница, как у пенсионерки. Она хотела было начать считать слонов, воображая их во всех зоологических подробностях, но как раз в этот самый момент на улице послышалось тихое урчание мотора. Что-то прошелестело мимо окон и остановилось. Совершенно точно — остановилось. Настя нашарила рукой часики и поднесла к глазам. Всего пять утра!

Выскользнув из-под простыни, она подкралась к распахнутому настежь окну и выглянула наружу. Возле особняка Мерлужиных стоял чистенький микроавтобус, похожий на коллекционную игрушку. На его боку крупными буквами было написано: «КЛС». На шоферском месте сидел мужчина в бело-синем комбинезоне и кепке и нервно барабанил пальцами по рулю.

«Интересно, что это за посетители к Макару?» — подумала Настя, ни чуточки не обеспокоившись. Макар — довольно успешный адвокат, к нему может явиться кто угодно и когда угодно.

Из автобуса тем временем выбрались трое мужчин в таких же бело-синих комбинезонах и кепках, как у шофера. Не обменявшись ни словом, они открыли калитку и гуськом направились к дому. «Может быть, у Макара случилась неприятность с отоплением или канализацией? — предположила Настя. — И он вызвал какую-нибудь фирму на помощь? Что такое «КЛС»? Команда ликвидации стихийных бедствий? А где, в таком случае, сам Макар? Или, на худой конец, Любочка?» Странно, что хозяев нигде не видно.

Настя сбегала в чулан, нашла там старый бинокль и

встала так, чтобы ее не было заметно снаружи. Еще не поднеся бинокля к глазам, а только кинув взгляд на окна Мерлужиных, она кожей почувствовала, что у соседей происходит нечто из ряда вон выходящее.

Люди в комбинезонах сгруппировались на втором этаже — там, где обитала хозяйка. Они скользили за стеклами бесшумными тенями и делали то, что посторонним людям делать совсем не положено, — они обыскивали Любочкину спальню. Один из мужчин занимался платяным шкафом, второй обшаривал стеллаж с книгами. Тот, который просматривал бумаги на письменном столе, выбирал некоторые из них и засовывал в сумку на поясе.

Действовали они спокойно, даже чересчур спокойно. И очень тщательно. Настя навела бинокль на одного из них и некоторое время наблюдала за тем, как он перебирает вещи в ящиках комода. Вот он достал коробку с бумажными салфетками и осторожно вскрыл ее. Вытряхнул содержимое на ровную поверхность и принялся проверять каждую салфетку в отдельности. Затем то же самое проделал со стопкой носовых платков, перетряхнув их все по одному и сложив в точности так, как прежде. Действовал он в тонких резиновых перчатках. Их можно было вообще не заметить, не будь они желтоватого оттенка.

«Господи, что они там ищут? — подумала Настя, чувствуя, как страх бабочкой бьется и щекочет у нее в горле. — Деньги? Драгоценности? Какой-нибудь компромат на адвоката Мерлужина? Наверное, это никакие не спасатели, совсем даже наоборот». Нервничая, Настя принялась водить биноклем по сторонам быстрее, чем нужно. Перед ее глазами запрыгали фрагменты интерьера, в которые то и дело вползали чьи-то руки, лоб или глаза.

Она не знала, что делать. Если позвонить в милицию, ее услышит шофер, который нервно прохаживает-

ся по дороге — ведь окна у нее распахнуты настежь. За-крыть их сейчас тоже нельзя — сразу же привлечешь к себе внимание. Настя осталась стоять за занавеской. Старалась при этом не дышать. Все, что она могла, — попытаться запомнить лица предполагаемых преступ-ников.

Внезапно один из «комбинезонов», проверявший стопку книг на подоконнике, резко поднял голову и ус-тавился прямо в Настино окно. Потом щелкнул пальца-ми и что-то сказал одному из своих, мотнув головой в сторону ее дома.

— Господи! — прошептала Настя, вжавшись в сте-ну. — Они меня заметили!

На самом деле «комбинезону» показалось, будто в распахнутом окне что-то блеснуло.

— Пойди погляди, что там, — приказал он напарни-ку, и тот быстро побежал вниз. На нем были теннисные туфли — мягкие и бесшумные. Настя не слышала его шагов, и когда осмелилась выглянуть из-за занавески еще раз, с ужасом увидела, что этот тип уже на ее газоне.

Отступив в глубь комнаты, она нашарила рукой те-лефон, и в этот момент телефон начал звонить. Это бы-ло так неожиданно, что Настя мгновенно схватила трубку, и первый же звонок захлебнулся на вдохе. Дро-жа всем телом, она прыгнула в кровать, подмяв под се-бя аппарат, и накрылась простыней до самых ушей.

— Алло! — закричала ей в живот трубка голосом Люси. — Настька, если это ты, то готовься к смерти!

Настю от этих слов мгновенно обдало могильным холодом. Краем глаза она заметила, как в окне появи-лась чья-то макушка. Прикидываться спящей — дохлый номер. Этот тип наверняка слышал шум и вряд ли ку-пится на невинно закрытые глазки и трепещущие рес-нички. Надо сделать так, чтобы он поверил: она ничего не видела!

Обняв двумя руками подушку, Настя горячо зашептала:

— Да, милый, да! Иди ко мне! Иди сюда! Да, молодец!

Она извивалась под простыней, словно ящерица, которой прищемили не хвост, а голову, и исторгала из себя сладострастные вопли. Наконец мотор снова заурчал, шум его приблизился, потом стал удаляться. Настя рывком отбросила простыню, спрыгнула на пол и убедилась, что микроавтобус исчез. Перекрестившись, она поднесла телефонную трубку к уху и сказала:

— Алло!

— Ты что, завела собаку? — с подозрением спросила Люся.

— С чего ты взяла?

— А кто сейчас рычал и скулил?

— Это я.

— По-моему, ты вообще сошла с ума! — заявила Люся. — Убежала с дня рождения! Как ты могла? Мы думали, ты напилась и упала с балкона. Полночи лазили с фонарями по палисадникам. Петька споткнулся о забор и сломал ногу! Мы только что из травмпункта. Татьяна поехала домой, обзванивает больницы. Она неколебимо уверена, что ты пьяная вышла на шоссе и тебя сбила машина.

— А почему вы мне не позвонили? — удивилась Настя.

— Не прикидывайся овцой! — рассердилась Люся. — Дома тебя точно нет!

— Конечно, меня нет дома, я на даче, — возмутилась Настя. — Ты так наклюкалась, что даже не понимаешь, куда звонишь?

— Как я могла наклюкаться, когда утром мама привезет детей?

— Утро уже наступило, — напомнила Настя. — А по-

скольку я всю ночь не спала, то как раз собираюсь лечь. Я тебе потом перезвоню.

Разъединившись, Настя продолжала держать телефонную трубку на весу. Обращаться в милицию или нет? А вдруг в микроавтобусе приезжали не бандиты? Мало ли какие у Макара дела с этими типами? Наверное, сначала надо спросить у него, а потом уже гнать волну.

Настя упала на кровать и через пять минут уже спала без задних ног. Разбудил ее все тот же телефон. Звонки были прерывистые и требовательные: так обычно накаляет обстановку межгород. Настя вскочила и поспешила схватить трубку, уверенная, что звонит мама.

Под Рождество Настина мама ни с того ни с сего взяла да и встретила мужчину своей мечты. Мужчиной ее мечты оказался финн по имени Эйно. Мама уверяла, что он не только богат, но еще умен и добр. Непонятно, как она это определила, ведь тот почти не говорил по-русски. Свадьбу сыграли три месяца назад. Счастливые молодожены отправились в просторную северную страну, а Настя осталась в Москве, хотя ее отважно звали с собой.

«Не представляю себе, что я могу делать в Финляндии, — отбивалась она. — Чтобы адаптироваться на новом месте, нужно выучить язык. Пока я буду его учить, пристращусь к пиву и растолстею так, что потеряю всякую социальную активность».

— Алло, дорогая, ну, как ты там? — спросила мама, которая звонила не реже, чем раз в неделю, чтобы держать руку на пульсе.

— Меня вытурили из банка, — уныло сообщила Настя. — Вернее, сократили. Придется бегать по конторам, искать новую работу.

— О! — воскликнула огорченная мама. Потом помолчала и добавила: — Я вот что подумала. Бери-ка ты мою машину и начинай ею пользоваться. Тем более что у тебя есть доверенность. В самом деле: чего ей пылиться в гараже?

— Мамочка, ты же знаешь, как я вожу машину. Меня обгоняют даже велосипедисты, и всегда с матом.

Настя решила не признаваться, что уже перегнала машину на дачу и собиралась пользоваться ею без разрешения.

— Ладно-ладно, — сказала мама, — не прибедняйся. Ключ в письменном столе, в шкатулке с лошадью. Кстати, дорогая, я так скучаю по своим цветам! Ты ухаживаешь за клумбой?

— Конечно! — с жаром соврала Настя.

Положив трубку, она высунулась в окно и тоскливо посмотрела на цветы, загубленные сорняками. После завтрака твердо решила выйти на субботник. Поскольку завтрак сопровождался чтением интересной книги, он затянулся до самого обеда. Так что цветам пришлось ждать ее довольно долго. Но в конце концов Настя все же выполола сорняки и испытала такой прилив трудового энтузиазма, что решила заодно обложить клумбу камушками и полить газон.

В разгар ее бешеной активности к своему особняку подкатил Макар Мерлужин. Невысокий и плотный, в свои сорок лет он имел отличную деловую репутацию и потрясающие перспективы. У него были добродушные щеки, наверняка вводившие в заблуждение клиентов, и донжуанская ямка на подбородке. Макар являлся счастливым обладателем стандартного набора материальных благ и был женат на очаровательной и бестолковой девице Любочке, которая исполняла роль жены совершенно не так, как ему хотелось.

— Макар! — крикнула Настя через забор, когда он вылез из автомобиля. — Мне надо тебе кое-что сказать!

Макар помахал рукой и подпрыгивающей походкой подтянулся к калитке. Взялся за нее руками, но не вошел.

— Что такое? — спросил он, бегая глазами по сторонам и явно думая о чем-то постороннем.

— Рано утром у тебя здесь шарили какие-то люди, — осторожно сообщила Настя. — Какая-то фирма. Называется «КЛС». По крайней мере, так было написано на их микроавтобусе.

Макар отступил на два шага и вытянул вперед ладони:

— Все нормально, все нормально, — пробормотал он. — Это по делу. Ничего. Не беспокойся.

— Хорошо, не буду, — пожала плечами Настя. — А где Любочка?

— Она в Москве у тетки. Сегодня там ночевала и еще на завтра останется. У нее в последнее время что-то с нервами. Наверное, очередная депрессия.

— Послушай, Макар, а что значит «КЛС»?

— Это... Это просто сокращение такое, — нервно сказал Макар и, быстро распрощавшись, метнулся к своему дому.

— Ладно, — пробормотала Настя вслед его спине, — я ничего не поняла, но мне и ни к чему.

Возвратившись домой, она привела себя в порядок и, встав перед зеркалом, сказала вслух:

— Пока я снова не осела в какой-нибудь бухгалтерии, надо пожить красиво!

Она решила тотчас же вывести «Тойоту» из гаража, поехать в город и заказать легкий ужин в каком-нибудь недорогом ресторанчике. А почему бы и нет, черт побери?

Настя села в прекрасный белый автомобиль и медленно выехала на дорогу. Потом открыла окно и выставила наружу локоть. Так делали ослепительные женщины в старых фильмах. Они вели себя непринужденно и покоряли сердца всех мужчин, которые имели несчастье обратить на них взор.

Несмотря на потрясающую машину, Настя хорошо

понимала, что особо рассчитывать не на что. В ее внешности не было ничего выдающегося, и мужчины проходили мимо нее, как мимо пустого места. На арене брачных игр она была даже не статисточкой, ибо статисточка обладает хотя бы игривым суффиксом, а просто статисткой. Без всяких умильных хвостиков и глупых ожиданий получить главную роль.

Жених Коля Шишкин, который бросил Настю полгода назад, прямо в день ее двадцатидевятилетия, безжалостно заявил, что нормальным парням нравятся яркие женщины, которые зажигают мужской глаз и веселят сердце. А из таких, как Настя, состоит толпа.

Подруга Люся уверяла, будто Настя сама виновата в том, что мужчины ее недооценивают. «Ты с детства видела в телевизоре свою потрясающе красивую мать и выпестовала в себе кучу комплексов, — разорялась она. — Вместо того чтобы расцвести, ты свернулась, как кислое молоко. Если поставить нас с тобой рядом и сравнить, ты, пожалуй, дашь мне сто очков вперед. Начни думать о себе лучше, и мужчины тотчас же отреагируют».

Настя очень надеялась, что Люся не врет, и честно старалась думать о себе лучше. Однако мужчины по-прежнему вели себя с ней чертовски нелюбезно.

Вот и сейчас шоу продолжалось по одному и тому же сценарию. Водителем Настя была неопытным, поэтому, как обычно, ехала со скоростью божьей коровки. Какой-то тип на «жигуленке», обгоняя ее, притормозил и злобно крикнул в открытое окно:

— Ну ты, свистушка, на похороны, что ли, едешь?

Вместо ответа Настя достала темные очки и водрузила их на нос, чтобы никто не мог заметить выражения ее глаз. Потом вспомнила, что подруга Люся советовала ей никому не давать спуску и, в свою очередь, высунувшись в окно, звонко крикнула вслед обидчику:

— Езжай, езжай, помет козлиный!

Потом спрятала голову и тут же испугалась, что обозванный гражданин ее услышал и может сделать какую-нибудь пакость. Она вцепилась в руль так, что побелели костяшки пальцев, и некоторое время пребывала в страшном напряжении.

Когда впереди показалась стоянка, Настя решила остановиться и купить в киоске бутылочку минералки. А заодно размять ноги, не слишком привычные к педалям.

На стоянке было многолюдно, но, направляясь к киоску, она чувствовала себя чертовски одинокой и совсем-совсем никому не нужной. Получив в руки бутылку «Нарзана», Настя развернулась и уже сделала первый шаг в обратную сторону, как вдруг... из стоявшего неподалеку новенького «Вольво» вылез молодой человек сногсшибательной наружности. Вероятно, он ехал в Москву прямиком с конкурса «Мистер Вселенная» с первым призом в «бардачке». Ярко-голубой джинсовый костюм идеально совпадал с цветом глаз. Налетевший ветер взъерошил его светлые волосы и тут же стих, сраженный неземным великолепием.

Мистер Вселенная посмотрел на идущую навстречу Настю и широко улыбнулся. От этой улыбки птицы на деревьях перестали петь, а у грузовика, выруливающего со стоянки, заглох мотор.

— Простите, э-э-э... — сказал Мистер Вселенная, заступая Насте дорогу. — Девушка, милая, вы на колесах?

Настя сглотнула и уставилась на него, чувствуя себя Золушкой, которая по дурости попалась на глаза принцу уже после того, как часы пробили двенадцать.

— Вы ведь из Подмосковья едете? — не дожидаясь ответа, продолжал красавец. — Подбросьте меня до какого-нибудь очага цивилизации. Машина заглохла, а мне чертовски некогда, опаздываю к гостям.

Заметив, что Настя вообще никак не реагирует на его слова, он с энтузиазмом добавил:

— Я вам заплачу!

Она тут же представила, как этот потрясающий мужик усядется по правую руку от нее и попытается завести непринужденный разговор. Она точно перепутает педали. А если он еще хоть раз улыбнется, они окажутся в кювете, не проехав и пары километров.

— Ну, так что? Подвезете? — не отставал Мистер Вселенная, глядя на нее с веселым нетерпением.

— Я плохо вожу машину, — выдавила из себя Настя голосом человека, страдающего несварением желудка.

— Отлично, поедем медленно. По дороге я дам вам пару полезных рекомендаций, касающихся правил уличного движения. — Он прищурил один сапфировый глаз. — Неужели откажете?

Настя отвела взгляд и постаралась взять себя в руки. В конце концов, этому типу нужен всего лишь шофер, так что нечего особо напрягаться.

— Ладно, подвезу, — ворчливо согласилась она, обходя его и направляясь к машине.

— Слава богу! А я уж думал, что вы собираетесь послать меня подальше.

Краем глаза Настя увидела, что, тронувшись с места, Мистер Вселенная незаметно поднял левую руку с двумя растопыренными пальцами. Как будто заказывал два пива в баре. Она быстро окинула взглядом стоянку, но ничего особенного не заметила. Ими явно никто не интересовался. Если это был знак, то какой? И кому конкретно он предназначался?

«Надеюсь, я сейчас не совершаю самую большую ошибку в своей жизни, — подумала Настя, пристегиваясь ремнем безопасности. — И мое бренное тело не найдут дальнобойщики в придорожной канаве на исходе лета». Тут же она вспомнила слова подруги Люси, которая со знанием дела заявляла: «В жизни каждой жен-

щины, дорогая, хоть один раз да встречается потрясающий блондин». Может быть, сегодня как раз такой случай?

— Меня зовут Иван, — представился Мистер Вселенная, делая вид, что езда зигзагами по оживленной трассе — самое обычное дело. — А вас, прекрасная незнакомка?

«Интересно, что во мне прекрасного? Волосы взъерошены, темные очки на глазах и довольно посредственные ноги. Наверное, когда он назвал меня девушкой, то посчитал, что делает комплимент. Зуб даю, он лет на пять меня моложе», — подумала Настя, испытывая странное раздражение против этого типа. С каждым километром это раздражение только усиливалось. Попутчик был слишком красивым, слишком галантным, слишком внимательным. Каким-то до ужаса ненастоящим.

«Потрясающий тип флиртует со мной, — продолжала накручивать она себя. — Но ведь это не какое-нибудь кино, в котором Кларк Гейбл влюбляется в простушку и делает ее самой счастливой женщиной на земле. Со мной такого произойти не может по определению. Тогда чего он ко мне прицепился?»

Иван и в самом деле проявлял к ней живейший интерес и ловил каждое слово, слетавшее с ее языка. Когда въехали в Москву, Настя остановилась у первого же попавшегося метро и повернулась к своему спутнику:

— Ну, вот вы и на месте. Здесь легко поймать такси.

— Хм, — сказал Иван, потревожив указательным пальцем идеальную нижнюю губу. — Вы куда сейчас направляетесь?

— По делам, — нелюбезно ответила она, мгновенно ощетинившись.

— А что, если прежде, чем разъехаться, мы поужинаем вместе? — спросил Иван. — Конечно, мне неловко, что за рулем вы, а не я...

— Ничего-ничего, — тут же откликнулась Настя, почувствовав внезапный азарт.

Если он хотел ее убить и выкинуть из машины, то сделал бы это по дороге, вынудив остановиться в безлюдном месте. Так что же ему надо на самом деле?

— Я согласна, — заявила она и решительным жестом сняла очки. — Давайте поужинаем вместе.

Встретившись с ее вызывающим взглядом, Иван моргнул от неожиданности. И тут же расцвел, словно холеный голландский тюльпан.

— Только мне надо позвонить, — вскинулся он. — Чтобы ребята забрали мою машину со стоянки. Подождите минуточку, ладно?

Он выскользнул на улицу и, повернувшись спиной к дверце, достал сотовый телефон. Настя протянула палец к кнопке и опустила окно с его стороны. Если он покушается на ее «Тойоту», то позвонит сообщникам и скажет что-нибудь типа: «Птичка в клетке». Однако ничего подобного не случилось. Иван сначала позвонил насчет машины, а потом домой.

— Мам, это ты? — спросил он, приглаживая свободной рукой волосы на затылке. — Знаешь, ты извини, но я к ужину не успею. Да, я знаю, что гости. Ну, мам! Позови Саньку.

Настя прикусила губу и еще ниже опустила окно.

— Санька! — произнес Иван через некоторое время. — Я к ужину не буду. Вообще не знаю, когда буду. Да, с девушкой, а тебе завидно? Я ведь тебя прикрываю, крысенок ты эдакий. Как-нибудь задобри мать. Ну, не знаю, придумай что-нибудь. Скажи, деловая встреча, важная. Скажи, что я в отчаянии, но поделать ничего не могу.

Настя подняла окно и, опустив зеркальце, с недоверием погляделась в него. Она была все та же: тот же слегка курносый нос, те же среднестатистические губы, серые глаза с узким желтым обручем вокруг зрачка,

средней длины волосы самого обычного русого цвета. «Может быть, во мне есть какой-то скрытый шарм? — с сомнением подумала она. — Что-нибудь взрывоопасное, о чем я до сих пор не догадывалась?»

Как бы то ни было, но через несколько минут Иван снова оказался на соседнем сиденье и, потирая руки, заявил:

— Знаю один потрясающий ресторанчик. Там французская кухня и и-зу-мительная музыка.

Настя готова была лечь костьми, но выяснить, что привлекло к ней мужчину, из-за улыбки которого вполне могла бы начаться какая-нибудь женская война. Приняв решение идти до конца, она немного расслабилась и стала вести себя более адекватно.

Однако в том самом французском ресторанчике, куда они приехали, Настю ждала неожиданность. Неожиданность имела вид Любочки Мерлужиной в трехсотдолларовом платье, которым она хвасталась перед Настей пару дней назад. Под руку она держала видного мужчину с надменной физиономией и наглыми маленькими усами. Мужчина смотрел на нее покровительственно. Впрочем, Любочке легко было покровительствовать. В ее фигуре доминировали изгибы и округлости, а на лице — налитые сладким вишневым соком губы. Довершали соблазнительный облик в меру наивные глаза.

Судя по всему, парочка уже поужинала и двигалась к выходу из ресторана. Когда дамы столкнулись нос к носу, Любочка Мерлужина открыла рот и мгновенно пошла красными пятнами. Настя тоже открыла рот, но никак не могла решить — поздороваться или сделать вид, что она внезапно ослепла.

— Ой, — сказала наконец Любочка неестественно громким голосом. — Забыла попудрить нос. Можно мне в дамскую комнату?

Она подняла глаза на своего спутника, но тот нахмурился и, отрицательно покачав головой, наклонился к ней и что-то тихо произнес.

Любочка выразительно посмотрела на Настю и направилась к большому зеркалу, висящему в холле. Повинуясь ее немому призыву, та улыбнулась Мистеру Вселенная и отправилась следом. Любочка встретила ее шипением.

— Ты что тут делаешь?

— То же, что и ты, — удивилась Настя. — Ужинаю с мужчиной.

— Со мной не мужчина, — заявила Любочка и тут же поправилась: — То есть не совсем мужчина. То есть он, конечно, мужчина, но меня он интересует совсем в другом качестве.

— Макар сказал, что у тебя депрессия, — не удержалась от укола Настя.

— Макар дурак, он ничего не понимает. Я полна решимости обновить наш брак.

— Ну да, понимаю, — неуверенно сказала Настя. — В любом случае я рада, что у тебя все тип-топ.

— Только ты Макару ничего не говори, — предостерегла Любочка, возбужденно блестя глазами. — Ты же знаешь, он — словно порох.

— Знаю, знаю, — отмахнулась Настя.

— Ой, все время забываю! — неожиданно громко воскликнула Любочка и полезла в сумочку. — Я ведь давно обещала тебе контрамарку в Ленком.

Вероятно, это был своего рода подкуп. Потому что контрамарку она обещала Насте еще в прошлом году, а тут вдруг вспомнила о ней так кстати!

— Позвонишь по этому телефону, попросишь Лену Семенову, — тараторила Любочка, рисуя в блокноте завитушки. — Скажешь, что от меня. А она скажет, что делать дальше.

Любочка оторвала исписанный листок и сунула Насте в руки.

— Подождешь, пока я подкрашу губы? — спросила она.

Настя спрятала листок и вздохнула:

— Знаешь, мне надо возвращаться. Не то из парня, с которым я пришла, женщины сделают муравьиную кучу.

Она была недалека от истины. Иван спокойно стоял у стены в холле, а рядом с ним уже роилось несколько ярко окрашенных самочек, призывно вращая попками. Любочкин кавалер обретался возле большого фикуса и ожесточенно копался в карманах пиджака. Проходя мимо, Настя наклонилась поправить ремешок на туфле, и в этот момент усатый обронил визитную карточку. Она невольно протянула руку и, подобрав визитку, выпрямилась, лишь мельком обратив внимание на то, что карточка светло-голубого цвета, а в правом верхнем углу крупно набрано какое-то слово.

— Благодарю, — буркнул усатый и выхватил карточку у Насти из рук. Она повела плечом и быстро отошла.

В расчете сохранить трезвую голову, Настя за ужином не пила спиртного и, несмотря на светские разговоры, была собранна, словно диверсант в стане врага.

— Не хочу с вами расставаться, — заявил Иван, когда они вышли наконец из ресторана и остановились перед «Тойотой». — Может быть... Может быть, продолжим этот чудесный вечер? Заедем ко мне? У меня там вечеринка, видите ли. Думаю, веселье еще в полном разгаре, потанцуем немного. Выпьем по чашечке кофе, я познакомлю вас со своими...

Настя дрогнула. Обаяние Ивана было сокрушительным, словно сибирская река, пошедшая в разлив. Тем более что он весь вечер упорно концентрировал его на одной-единственной женщине.

Итак, сначала они поехали к нему домой и застали в квартире кучу подвыпивших гостей, которым Иван представил Настю как «очень хорошую знакомую». Мать

Ивана, невысокая блондинка, одетая в кремовое платье, была похожа на розу, тронутую увяданием. Она встретила спутницу своего старшего сына на удивление тепло и даже показала ей семейный альбом.

Ее младший сын еще не вышел из школьного возраста и был озабочен только тем, как бы незаметно выскользнуть на балкон и выкурить сигаретку. Ивану и Насте он постоянно мешал, потому что именно на балконе они пытались найти уединение для серии поцелуев, в процессе которых Настя потеряла сережку. Правда, она лишь мимолетно пожалела о ней.

В конце концов Иван сел за руль «Тойоты» и взял курс на ее дачу. Они единогласно решили, что лучше продолжить пить вино, оставшись наедине.

# 2

Любочка Мерлужина стояла у окна и пристально смотрела на луну, которая уставилась на нее огромным круглым зрачком. Полнолуние всегда вызывало у нее тревогу, а сейчас ее даже озноб пробрал — таким все казалось вокруг торжественным и страшным. Она оторвалась от созерцания ночного пейзажа и включила торшер. Половина второго ночи — пора начинать готовиться.

Любочка сходила на кухню и принесла оттуда большое керамическое блюдо и длинную свечу в стакане, которая осталась еще с Нового года. Потом извлекла из секретера коробку с почтовым набором и достала из нее лист бумаги, украшенный узорами. Опустилась на стул и, нацелив ручку на самый верх страницы, сосредоточенно закрыла глаза. Сидела так минуты две, потом вышла из ступора и принялась быстро писать. Каждую но-

вую мысль — с нового абзаца. Получился почти целый лист убористого текста.

Едва она закончила, как во входную дверь кто-то тихо поскребся. Словно любовник. Но это не любовник, нет! К любовникам она никогда не относилась с таким пиететом.

Любочка улыбнулась и, с грохотом отодвинув стул, полетела к двери.

— Слава богу, что ты уже здесь! Одной как-то неуютно, — сказала она и нервно хихикнула: — Я чувствую себя язычницей.

Она повела гостя в комнату и показала рукой на стол:

— Уже все приготовила.

— И написала?

— И написала.

— Ну, давай сюда.

Он протянул красивую руку и пошевелил пальцами, ласково ее торопя. Любочка поспешно подала лист.

— Так что, начнем? — спросила она, стесняясь, что он читает так внимательно.

— Начнем. Только нам потребуется вода. Много воды. Хорошо бы набрать полную ванну. Надеюсь, у вас не отключили горячую воду?

Любочка заливисто рассмеялась:

— К счастью, нет. Мы уже пережили это стихийное бедствие в середине мая. Подожди, я сейчас.

Она побежала в ванную и завозилась там. Вскоре послышался характерный шум — она пустила воду.

Гость полез в карман и достал оттуда тонкие резиновые перчатки. Внутри они были присыпаны тальком, так что руки мягко скользнули в них. Пришелец несколько раз сжал и разжал пальцы, а потом сцепил их за спиной. Как всегда в такие минуты, он почувствовал прилив возбуждения. Даже воздух вокруг неуловимо изменился, насытившись его адреналином.

— Я зажгу свечу? — спросила Любочка, стремительно входя в комнату. Руки у нее были в капельках воды.

— Не надо, — мягко ответил тот. — Не надо ничего жечь. Мы поступим с тобой по-другому...

\* \* \*

Поздним утром Настя открыла глаза и уставилась в потолок. Потом осторожно повернула голову и посмотрела на мирно спящего рядом Ивана. Он лежал на спине, закинув руку за голову. Не храпел, не пускал слюни и вообще выглядел до такой степени привлекательно, как будто изображал сон перед телекамерой.

Настя тихо выскользнула из постели и, прокравшись в большую комнату, плотно прикрыла за собой дверь. Подняла телефонную трубку и набрала Люсин номер.

— Это я, — сообщила она и, услышав, что близнецы орут в два горла, быстро добавила: — Я на минутку.

— Подожди, я спрячусь в ванной! — крикнула Люся, и через минуту ее голос снова зазвучал в трубке: — Что там у тебя случилось?

— Понимаешь, я встретила мужчину...

Люся мгновенно навострила уши.

— Мужчину? — переспросила она. — А ты убедилась, что он не аферист?

— Да, — почти шепотом ответила Настя. — Он не аферист. Он познакомил меня со своей мамой.

На том конце провода Люся громко булькнула.

— Тебе тоже кажется это странным? — быстро спросила Настя. — Такая оперативность, я имею в виду?

— А как он выглядит? — вопросом на вопрос ответила та.

— Как совместная греза тысячи француженок.

— И где он сейчас?

— Спит в моей постели.

— В твоей по...

— Послушай меня, — зашептала Настя, не давая развернуться Люсиной фантазии. — Он так хорош собой, что при взгляде на него становится не по себе.

— А зачем ты на него смотришь? Не думаю, что ты затащила его в постель только для того, чтобы на него смотреть.

— В том-то все и дело, что я не затаскивала его в постель! Это он проявил инициативу.

— Ну? — неуверенно спросила Люся. — И что?

— Это не кажется тебе подозрительным?

— А что тут подозрительного?

— Инициатива и подозрительна. Как ты не понимаешь? — возмутилась Настя. — Даже простой, как валенок, Шишкин убежал от меня! А тут совершенно роскошный мужик... Так что ты мне посоветуешь?

— А что ты хочешь, чтобы я тебе посоветовала? — на всякий случай спросила умная Люся.

— Мне кажется, что я никогда не смогу ему доверять, — с тоской заявила Настя. — Все время буду думать, что он меня для чего-то использует. Ты сама всегда говорила — нужно остерегаться красивых блондинов. Выдвигала всякие умные теории, мучила меня зарубежной статистикой...

— Странно, что он блондин, — перебила ее Люся. — Тебе ведь всегда нравились жгучие брюнеты. С карими глазами и солдатскими стрижками.

— Ага, и с родинкой на щеке, — с издевкой подтвердила Настя.

— Может быть, у тебя резко поменялся вкус?

— Исключено. Я по-прежнему без ума от брюнетов.

— Так чего ты хочешь? — нетерпеливо поинтересовалась Люся.

— Хочу, чтобы этот тип испарился, — призналась Настя. — Знаю, это звучит несколько странно из уст такой девушки, как я...

— Какая ты девушка? Тебе уже скоро тридцать

лет, — напомнила наглая Люся. — И если мужик тебе не нравится, гони его в шею — неважно, красивый он или нет.

— Думаешь? — оживилась Настя. — Может быть, правда порвать с ним, и все? Вот утром позавтракаем, и я с ним порву.

— Ага, когда он уедет, так об этом и не догадавшись, — саркастически заметила Люся. — А потом ты перестанешь отвечать на телефонные звонки, опасаясь объяснений, и до тебя будет не добраться даже самым близким друзьям.

Близнецы заорали так, что стало слышно даже в ванной. Люся быстро свернула разговор, пообещав позвонить попозже.

Настя решила, что стоит напрячься и приготовить завтрак. Она не хотела ударить в грязь лицом, потому потратила на это дело кучу времени. После чего прокралась к спальне, приоткрыла дверь и заглянула в щелку.

Кровать была пуста, а на подушке лежала записка: «Случайно услышал, что ты говорила обо мне по телефону. Не волнуйся, больше не увидимся. Иван». Вероятно, он вышел через черный ход и короткой тропинкой отправился на станцию.

— Вот тебе и раз, — вслух произнесла Настя, пытаясь вспомнить, что конкретно она сообщила подруге о своем новом знакомом. — Ничего себе приключение!

Она сама съела приготовленный завтрак и снова позвонила Люсе. Близнецы все еще орали.

— Это опять ты? — удивилась та. — Что случилось?

— Мой друг уехал, а я, понимаешь, не знаю, чем заняться, — призналась Настя, неожиданно постеснявшись сказать про бегство Ивана.

— Просмотри объявления об устройстве на работу.

— Здрас-сьте! Меня ведь сократили до того, как я побывала в отпуске!

— Ну и что?

— И когда я устроюсь на новую работу, мне долго-долго отпуска не дадут. Поэтому я как минимум месяц собираюсь сидеть дома.

— Тогда сходи на пруд! — посоветовала Люся.

— Какой пруд? У нас тут тучи.

— Ну, поиграй на компьютере в «Линии». Ты ведь дня не можешь прожить без всей этой дребедени.

Положив трубку, Настя решила последовать совету подруги и поплелась к компьютеру. Однако компьютер не грузился. Он уставился на хозяйку черным экраном, заполненным парой строк «собачьего» текста.

— О господи! Сломался. Только этого мне не хватало, — чуть ли не до слез расстроилась Настя.

Жизнь со сломанным компьютером представлялась ей совершенно дикой. С его помощью она не только коротала досуг, но и переписывалась с друзьями. Кроме того, в ближайших планах у нее стояло сочинение резюме. Не от руки же его писать! И рассылать резюме лучше по электронным адресам, а не в дедушкиных конвертах.

Придется звонить в ту фирму, которую она нашла года два назад и в экстренных случаях всегда пользовалась ее помощью. Надо только, чтобы кто-нибудь из специалистов согласился ехать за город. Хоть это и недалеко, но все-таки не Москва.

— Пришлем, — пообещали ей на фирме. — Владимира пришлем. Он будет... Э-э-э... Часа через два. Устроит?

Ровно через два часа в дачный поселок, грозно рыча, въехал раздолбанный «жигуль», за которым тащился хвост черных выхлопов. Настя легла животом на подоконник и ждала, что будет дальше.

Из авто появился молодой мужчина с чемоданчиком. Захлопнув дверцу, он поднял глаза и, увидев торчащую из окна голову, улыбнулся и помахал рукой.

Настя сглотнула. Мужчина был брюнетом с короткой стрижкой. Когда она открыла дверь и смогла рассмотреть его поближе, то увидела, что глаза у него карие, а на щеке под глазом маленькая родинка.

«Нет, это уж слишком! — подумала она, стараясь ничем не выдать своего замешательства. — Только что мы с Люсей поговорили о том, что мне нравятся стриженные почти под ноль брюнеты, и вот пожалуйста! Даже родинка при нем. Впрочем, может быть, он и не взглянет в мою сторону. Сейчас усядется за компьютер и забудет о моем существовании».

— Владимир, — представился брюнет и протянул Насте руку.

Та не без трепета подала ему свою. Тип с родинкой наклонился и коснулся ее руки губами. Это было так неожиданно, что Настя задрожала, словно заячий хвост. От Владимира пахло лимонным лосьоном. Сквозь этот запах пробивался какой-то иной, более слабый, но ужасно знакомый. Лишь спустя некоторое время Настя поняла, что это такое. Возможно, сообрази она сразу, чем от него пахнет, ее бы и осенила какая-никакая догадка.

— Что-то я не видела вас на фирме, — пискнула она.

Хотя, если говорить по правде, на фирме этой она была всего один, самый первый раз. А все последующие разы звонила туда по телефону.

— Тем не менее я работаю там уже довольно давно, — заметил Владимир, неохотно выпуская ее длань и продолжая улыбаться. — И мне тоже жаль, что мы раньше не встречались.

— Может быть, хотите попить с дороги? — предложила хозяйка, переступая с ноги на ногу.

— С удовольствием. Кофе, если можно.

Получив в руки чашку, он закинул ногу на ногу и спросил:

— Компьютер нужен вам для работы? — Джинсы сидели на нем так туго, словно их надевали с мылом.

— Нет. Вообще-то, по работе я связана с компьютером, но дома пользуюсь им в личных целях, — ответила Настя.

— А почему вы не на работе? — не отставал тот. — У вас свободный график?

— Я в отпуске, — коротко пояснила Настя, не желая вдаваться в подробности.

Владимир вопросительно изогнул бровь. Бровь была идеальной формы. «Если бы он участвовал в конкурсе Мистер Вселенная, то занял бы второе место», — невольно подумала она.

— Почему же вы проводите отпуск одна? — вкрадчиво поинтересовался гость, и в его глазах цвета кофейной гущи сверкнуло любопытство.

В сущности, от ответа Насти кое-что зависело. Она могла сразу же расставить все точки над «и», заявив: «С чего вы решили, что я провожу его одна? Просто мой муж (любовник, бойфренд) возвращается только вечером. Кстати, послезавтра мы улетаем с ним в Испанию». Однако ответ мог стать и своего рода приглашением: «Я одна, потому что мне не с кем проводить отпуск». Настя выбрала третий вариант, трусливо пробормотав:

— Мой отпуск только начался.

Когда с кофе было покончено, Владимир потер руки и сказал:

— Ну-с? Где больной?

— В каком смысле? — удивилась Настя.

— Не обращайте внимания, привычка, — усмехнулся тот. — Я четыре года учился на доктора, но по семейным обстоятельствам вынужден был бросить учебу. Теперь подрабатываю чем могу. Так что я всего-навсего имел в виду компьютер.

— А! Компьютер — вон там. Пойдемте, я покажу.

Когда Владимир сел, Настя зашла ему за спину и уставилась на экран.

— Вы пока можете заниматься своими делами, — мягко посоветовал «доктор». — Лечение компьютеров — дело тонкое.

Он пал на стул и принялся аппетитно щелкать клавишами. В это время под окнами, словно ракета, промчался автомобиль и резко затормозил, взвизгнув шинами. Захлопали дверцы, потом послышались мужские голоса, сопровождающиеся странными низкими всхлипами.

— Извините, — сказала Настя и, нахмурившись, выглянула в окно.

Двое незнакомых типов под руки тащили к особняку Макара Мерлужина. Именно Макар издавал ужасные звуки, которые испугали Настю. Он стенал и мотал головой, а ноги его время от времени бессильно повисали и волочились по земле.

— Вы пока занимайтесь компьютером, — заявила Настя, — а я сейчас.

Она выскочила на улицу и, подойдя к забору, окликнула:

— Эй! Послушайте! Что случилось?

Мужчины обернулись на голос. Макар тоже обернулся и, увидев Настю, вырвался из рук провожатых. Сделав два самостоятельных шага в ее сторону, он с надрывом произнес:

— Любочка... Покончила с собой!

Настя так сильно вздрогнула, что ее сердце будто упало в желудок и теперь билось там, в совершенно неположенном месте.

— Любочка? — по-дурацки переспросила она. — Покончила с собой?

— Она вскрыла себе вены! — заплакал Макар, вытирая нос пятерней. — Набрала полную ванну воды и... Оставила мне... Вот!

Макар вытащил из нагрудного кармана смятый лист и дрожащей рукой протянул через забор. Мужчины, которые привезли его домой, молча ждали.

— Это к-копия п-предсмертной записки! — пояснил он, с трудом выговаривая слова. — Я так и знал! Ни к какой тетке она не поехала. Отправилась в нашу городскую квартиру и там...

Предсмертная записка Любочки напоминала хорошо продуманный перечень горестей и разочарований. В ней не оказалось ни обращения, ни подписи, только число, однако содержание не оставляло никаких сомнений в том, что Любочка отнюдь не считала свою жизнь удавшейся.

«У меня нет детей и, по всей вероятности, никогда не будет.

Макар занят только юридическими делами, а на меня обращает внимание лишь тогда, когда я ему досаждаю.

У меня нет призвания в жизни.

Я не слишком умна, и коллеги мужа меня презирают.

Когда Макар орет на меня и тычет в нос деньгами, которые он мне дает, я чувствую себя содержанкой.

Я ленива и не очень хочу чему-то учиться.

Я не вижу выхода из сложившейся ситуации».

— Это мои коллеги, — кивнув на провожатых, сказал Макар, когда Настя отдала ему записку обратно. — Дима и Сергей. — Оба кивнули с вынужденными улыбками. — Анастасия, пойдем с нами в дом.

Макар махнул рукой и побрел по вымощенной круглобокими камнями дорожке к парадному крыльцу.

— Почему она это сделала? — задал он риторический вопрос, войдя в гостиную и рухнув на диван. — Неужели из-за этого? — Он потряс в воздухе запиской и горестно уставился на нее. — Анастасия, вы ведь были с ней подругами. Она наверняка делилась с тобой секретами. Ты можешь понять, почему Любочка решила все свои вопросы вот таким способом?

Настя этого понять не могла. Более того, самоубийство настолько не вязалось с Любочкиным мироощущением, что она даже не нашлась, что сказать раздавленному горем мужу.

Возвратившись к себе, она вошла в комнату, где сидел Владимир, и несколько раз прошлась туда-сюда, заложив руки за спину. Тот не обернулся, углубленный в процесс починки. Тогда Настя не сдержалась и сообщила его замечательно вылепленной голове, развернутой к ней затылком:

— Представляете, моя соседка по даче покончила с собой!

— Да что вы говорите? — живо обернулся он. — Из-за чего?

— Ощущала себя никому не нужной, — со вздохом сделала вывод Настя. — Мы с ней приятельствовали, ее муж в трансе.

— От души ему сочувствую.

Настя вспомнила про листок с телефоном, который дала ей Любочка накануне, и в порыве печали извлекла его из сумки. Повертела в руках, разглядывая прелестно выписанные буковки, и только тут заметила, что на обратной стороне тоже что-то есть. В ее ловких пальцах листочек сделал сальто, и Настя увидела, что прямо поперек него торопливо написано: «Меня хотят убить».

Некоторое время Настя тупо смотрела на эту фразу, потом тихо ахнула. Был ли это сигнал SOS? Немой вопль? В голове ее завихрились мысли, толкаясь и мешая друг другу, словно дети на переполненном катке. «Господи, неужели я прошляпила Любочкину жизнь? — покрываясь холодным потом, подумала Настя. — Она надеялась, что я ей помогу, а я...»

Почему же Любочка тогда, в ресторане, не дала ей понять, что в записке нечто важное? Почему не намек-

нула на опасность? Понятное дело — из-за усатого. Он не позволил ей уйти в дамскую комнату, встал неподалеку и слушал, о чем они говорят. Значит, именно усатый причастен к смерти Любочки!

А как же тогда письмо, которое показывал ей Макар? Оно определенно настоящее, Макар не дурак и опытный адвокат к тому же. Допустим, Любочку и в самом деле убили. Убийца, дабы замести следы, силой заставил жертву написать предсмертную записку. В этом случае письмо должно быть коротким и предельно лаконичным. Не таким, какое оставила Любочка.

Настя держала записку в дрожащих пальцах и не знала, что с ней делать.

— Вам разговоры не будут мешать? — наконец спросила она у погруженного в компьютерную нирвану Владимира. — Я хочу позвонить подруге, а телефон только в этой комнате.

— Звоните, конечно, — замахал тот руками. — Зачем вы вообще спрашиваете? Это ваш дом.

Настя дрожащими пальцами набрала номер и сказала:

— Люся, ты должна уделить мне несколько минут.

— А почему у тебя такой голос? — тут же заметила та.

— Помнишь мою соседку Любочку Мерлужину?

— Отлично помню, — напряженно ответила Люся. — И?

— Она сегодня ночью покончила с собой.

— Да ты что? — ахнула впечатлительная Люся. — Как? Почему? Она же была такая вся благополучная!

— Вся, да не вся, — отрезала Настя. — Впрочем, я тебе не сплетничать звоню, а посоветоваться.

Кинув взгляд в сторону копошащегося над компьютером Владимира, она понизила голос и продолжала:

— Дело в том, что вчера вечером я видела Любочку. Она сказала мужу, что поедет ночевать к тетке, а сама отправилась в городскую квартиру. Но перед этим ужинала в ресторане с мужчиной.

— Хочешь сказать, у нее был любовник?

— Возможно, любовник. А возможно, и нет. Как бы то ни было, она этому типу слепо подчинялась. Когда я заговорила о Макаре, она тут же начала оправдываться. Говорила, что это вовсе не то, что я подумала, что она мечтает освежить свои с Макаром отношения, а этот тип вроде как ей помогает.

— Ну-ну, — пробормотала Люся. — Здорово он ей помог.

— Ох, Люся! Я боюсь, как бы он ей в прямом смысле не помог отправиться на тот свет!

Она в двух словах рассказала про записку.

— Да брось! — отмахнулась Люся. — Это какая-то ерунда. Забудь и не бери в голову. Просто глупое совпадение. Она ведь была в ресторане, а не в пустыне. Могла закричать, позвать на помощь, разве нет?

— Да, — уныло согласилась Настя.

— Тогда перестань комплексовать.

— Но я комплексую! — призналась Настя. — Понимаешь, я не знаю, что делать. Не могу же я обо всем рассказать Макару! Однако на душе так неспокойно! Тот тип, с которым Любочка ужинала, возможно, был последним, кто видел ее живой. По этому поводу хотелось бы задать ему парочку нелицеприятных вопросов. Но я не знаю, как его найти.

— Может быть, сообщишь в милицию? — неуверенно предложила Люся.

— Ага. Ты ничего не забыла? Макар — адвокат, до него наверняка дойдет вся без исключения информация. Вот это будет фишка: сразу после гибели жены узнать, что она бегала на сторону!

— Н-да, — согласилась Люся. — Нескладно.

— Но и оставить все так, как есть, я не могу. Представляешь, какую я ощущаю ответственность?

— Послушай, а Любочка не упоминала о том, как зовут парня, с которым она ужинала?

— Нет, — с сожалением ответила Настя.

— Но ты могла бы его узнать?

— Конечно, могла бы. Только где я его возьму?

— Сосредоточься, — велела Люся. — Что, если ты запомнила какую-нибудь деталь, которая станет зацепкой?

— Так ты тоже считаешь, что его надо разыскать?

— Конечно! — с большим жаром подтвердила Люся. — Расскажи-ка мне, как он выглядел.

— Ну... Он высокий... И хотя довольно строен, морда у него сытенькая. Знаешь, есть такие типы, у которых каждый ген заражен самовлюбленностью. Да! И еще усы. У него короткие усы щеточкой.

— Он с тобой разговаривал? — поинтересовалась Люся.

— Нет, буркнул только: «Благодарю». Дело в том, что, когда я проходила мимо, он уронил визитную карточку. В углу было написано какое-то слово. Вот была бы зацепка, если бы я сумела разглядеть, какое!

— Думаешь, в углу была его фамилия? — засомневалась Люся.

— Вряд ли. Скорее всего название конторы, в которой он служит.

— Но вспомнить название ты не можешь? — уточнила Люся.

— Не могу. — Настя вздохнула и почесала переносицу. — Видеть я его видела, но о-о-очень мельком.

— Простите, что встреваю, — совершенно неожиданно подал голос Владимир, поворачиваясь на своем крутящемся стуле лицом к хозяйке. — Я невольно слушал ваш разговор...

— Подожди, — велела Настя Люсе и, прикрыв трубку ладонью, вежливо наклонила голову: — Да-да?

— Я могу вам помочь вспомнить это название, — признался тот. — Заявляю это совершенно серьезно.

— Люся, — сказала Настя в трубку, — тут у меня человек... Он... э-э-э... Говорит, что может помочь мне вспомнить это слово.

— Твой новый друг блондин? — с легкой иронией уточнила Люся.

— Нет, совсем наоборот.

— Брюнет, — хихикнула та.

— Точно.

— С карими глазами?

— Как в воду глядишь.

— Стриженый, словно новобранец, и с родинкой на щеке?

— В яблочко.

— Надеюсь, ты шутишь, — пробормотала Люся.

— Ничего подобного.

— И откуда он взялся? Шагнул на грубый дощатый пол прямо из твоего сна?

— Не сейчас.

— А блондин-то, блондин куда делся?! — никак не успокаивалась Люся. — Ах да, ты ведь не можешь говорить! Так брюнет собирается помочь тебе вспомнить слово на визитке?

— Кажется.

Настя мельком посмотрела на Владимира и увидела, что тот, сложив руки на груди, изучает ее мягким и проницательным взглядом психоаналитика.

— Вы хотите использовать свое незаконченное медицинское образование? — высказала она догадку.

— Точно, — подтвердил он. — Если вы видели слово на визитке, оно застряло в вашем подсознании, словно елочная иголка в ковре.

— Люся, я тебе позже перезвоню, — заявила Настя и, положив трубку, снова обратилась к Владимиру: — А вы умеете работать с подсознанием?

— Я владею гипнозом. Только перед сеансом вам нужно расслабиться. У вас есть вино?

— Учтите: я, как выпью, сразу забываю про манеры и веду себя с мужчинами совершенно неприлично.

— Ну, хорошо. Можно ограничиться горячим сладким чаем.

Он сам напоил ее чаем, уложил на диван и снял со стеллажа декоративные часы с серебряным маятником, приказав смотреть на него не отрываясь. Настя обратила внимание на то, что руки у него и в самом деле докторские — белые и ласковые.

— А что, если я не поддамся гипнозу? — спросила она, неотрывно следя за этими руками.

Больше ей сказать уже ничего не удалось — язык стал тяжелым, и руки стали тяжелыми, и веки тоже. Она закрыла глаза и провалилась в бездонную яму.

# 3

Очнувшись, она с трудом поняла, где находится. В комнате было темно и тихо. Под боком у нее лежало что-то большое, теплое и пахнущее мужским лосьоном. Перекатившись через препятствие, Настя мигом очутилась на полу.

Точно зная, что торшер стоит справа от окна, она на четвереньках побежала в нужном направлении и дернула за веревочку. На ковер тотчас же свалился кружок света, очерченный абажуром. Все еще на четвереньках, Настя обернулась назад и увидела, что Владимир лежит на боку, повернувшись лицом туда, где только что находилась она сама. К невыразимому ее облегчению, он был полностью одет. Не сумев совладать со своими чувствами, она вскочила на ноги и гневно закричала:

— Эй! С чего это вы разлеглись на моем диване?

Владимир резко поднялся и одним движением сбросил ноги на пол.

— Я не смог вас разбудить, а было уже три часа ночи.

— Надо заранее предупреждать, что вы только вводите в транс, а выводить не умеете!

— Я умею, — обиделся Владимир. — Я вас давно из транса вывел. Вы сразу же решили выпить вина, а потом уложили меня на диван рядом с собой, обняли, стали говорить хорошие слова...

— Хорошие — это какие? — мрачно поинтересовалась Настя. — И вообще: почему я решила пить вино?

— Откуда я знаю?

— А кто знает? — рассердилась Настя. — В здравом уме я бы ни за что не пила. Значит, вы меня не до конца разгипнотизировали. Кроме того, я же вас предупреждала насчет вина!

— Я пытался вас остановить, — обиделся Владимир.

— И что?

— И вот, — он показал запястье, которое украшала красная лунка от зубов. — Вам до такой степени хотелось выпить, что вы изволили кусаться.

— Ну, в общем, мне все ясно. А компьютер вы починили?

— Ясный пень.

— Почему же тогда домой не уехали?

— Не хотел оставлять вас одну в состоянии прострации. Тем более ваша соседка сегодня покончила с собой. Все это так трагично. Женщина не должна быть одна, когда ей тяжело.

— Ну, ладно, — смилостивилась Настя. — Вы все очень хорошо объяснили. Вот только утаили самое главное: я вспомнила слово, которое видела на визитке?

— Конечно. Я ведь обещал, что вспомните.

— И что это за слово?

— Из трех букв.

Настя мгновенно покраснела и пробормотала:

— Значит, вот что сидит у меня глубоко в подсознании!

— В сущности, это не слово в прямом смысле.

— А что? — напряженно спросила она.

— Аббревиатура. Вы видели аббревиатуру «КЛС».

— «КЛС»? — Насте на ум тут же пришли люди в комбинезонах, которых она приняла за грабителей. — Да вы ошиблись! — закричала она. — Эти буквы я видела вовсе не на визитке, а на микроавтобусе вчера утром.

— Ничего не знаю про микроавтобус, — уперся Владимир, — но за свои слова отвечаю. Именно на визитке было начертано «КЛС».

— Вы шарлатан, — обвиняющим тоном заявила Настя. — Гипнотизер-недоучка! Мне лучше знать, откуда в моей голове взялось «КЛС»!

— Вместо того чтобы обвинять, как следует пошевелите мозгами! Ведь эта аббревиатура могла быть и там, и там!

— И на визитке, и на микроавтобусе? — слегка остыла Настя.

— А почему нет?

«Действительно, почему нет? Если люди из «КЛС» как-то связаны с Макаром Мерлужиным, один из них вполне мог оказаться знаком с Любочкой. Может быть, этот усатый тип вообще друг семьи?»

— Надо все-таки вытащить из Макара, что это за зверь такой — «КЛС», — вслух подумала Настя. — Тогда можно будет попытаться найти усатого. Знаю, что Макар сейчас не в лучшем состоянии, но ведь это важно! С утра пораньше сбегаю к нему.

— С утра вряд ли получится, — заметил Владимир, хрустко зевая. — Ваш Макар уехал.

— Да, я как-то не подумала, что он не будет сидеть здесь, когда тело Любочки там... Господи, я поверить не могу в то, что она наложила на себя руки!

— Так вам что-нибудь дают эти буквы? — поинтересовался Владимир. — Я имею в виду —«КЛС»?

— Наверное. Когда выясню, что это такое, найду усатого и допрошу.

— А если он не захочет отвечать на ваши вопросы?

— Захочет! Я видела его, вот как вас. И хорошо запомнила. И он наверняка меня вспомнит, не отвертится.

— Послушайте, а вы не боитесь? — неожиданно спросил Владимир. — Вы же сами сказали, что Любочка во всем слушалась этого усатого и даже боялась при нем говорить открыто. И сунула вам записку.

Настя не хотела думать о таких страшных вещах. Поэтому быстро ответила:

— Но милиция ведь не лыком шита! И есть предсмертное письмо... Я, конечно, сообщу о той записке, которую сунула мне Любочка. Просто не хочется смущать Макара рассказом об этой встрече в ресторане...

Где-то на улице неожиданно звонко залаяла собака, в заключение тирады выдав длинную трель. Настя посмотрела на сереющий лоскуток неба в окне и невольно поежилась:

— С ума сойти, уже светает. А мы сидим тут с вами, как два любовника.

Владимир закинул руки за голову и завел нараспев:

— «Вот опять окно, где опять не спят. Может — пьют вино. Может — так сидят...»

Настя внимательно посмотрела на него и осторожно спросила:

— Не хотите поспать еще немножко?

— Нет, — ответил декламатор, вперив мечтательные глаза в потолок, под которым летали писклявые комары. — «Или просто рук не разнимут двое...» Вы любите Цветаеву, Настя?

— Не до такой степени, — пробормотала та. — Если

вы не хотите спать, то стоит, наверное, выпить черного кофе и отправиться домой? Вам на работу когда?

Владимир махнул рукой и легкомысленно заявил:

— А! Возьму отгул.

Это Настю по-настоящему обеспокоило.

— А вам вообще есть где жить? — осторожно поинтересовалась она.

— Конечно. У меня четырехкомнатная квартира в Строгино. Только что сделал евроремонт.

— Гипнозом подрабатываете?

Владимир не обратил на шпильку никакого внимания. Вместо этого он потер глаза кулаками и спросил:

— Может быть, подумаем, что такое «КЛС»? Кстати, вы ведь подключены к Интернету. Давайте вместе залезем в Сеть!

— Никуда я с вами не полезу! — решительно отказалась Настя.

— Тогда поспите, а я тут сам пошурую.

— Знаете, не стоит. — Она проявила несвойственную ей твердость. — Думаю, вам лучше поехать домой.

— Но ведь все только начинается!

— Компьютер вы починили, так что все, наоборот, бесповоротно заканчивается. Кстати, сколько я вам должна?

— Я ничего с вас не возьму, — тихо сказал Владимир, проникновенно глядя Насте в глаза.— Мы с вами стали близки, и теперь я считаю вас другом.

— Когда это мы стали близки? — испугалась Настя. — Когда вы меня загипнотизировали? Какой же вы после этого друг?!

— Я не имел в виду физическую близость, а только наше взаимопонимание.

— Так бы и дала по башке, — пробормотала Настя.

— Простите, что вы говорите? — оживился Владимир.

— Я говорю: сервис на грани фантастики — вызываешь специалиста по компьютерам, а тебе присылают друга.

Настя оставила нового друга за компьютером с твердым намерением вытурить его из дому после завтрака. Сама же отправилась досыпать и отключилась сразу же, едва коснулась головой подушки.

Новый день встретил ее визжанием пил и ревом бульдозеров — бригады строителей возводили на окраине поселка шедевры новорусского зодчества. Владимир спал на стуле перед потухшим компьютером, обнявшись с клавиатурой. «До чего странный тип», — подумала Настя, остановившись в дверях.

Ей удалось разбудить его, накормить и отправить восвояси. Надо заметить, что новый друг сопротивлялся. Он обещал откопать в Интернете расшифровку загадочных букв «КЛС» и помочь Насте найти усатого. Однако она наотрез отказалась.

Во-первых, она до сих пор никак не могла «переварить» все, что произошло у нее накануне с Иваном. А во-вторых, эта вспыхнувшая в сердце красивого компьютерного мастера дружба внезапностью и быстротой напоминала ей вирус.

Когда позвонила Люся, Насте пришлось облечь свои ощущения в слова, потому что подруге страшно хотелось знать все-все-все про брюнета с родинкой на щеке.

— Почему же ты не оставила его у себя, если он так хотел остаться? — недоумевала Люся. — Сама говоришь: красивый мужик, не бедствует, профессия в руках.

— Знаешь, он какой-то слишком подобострастный. Из тех, что расстилаются перед женщинами и разводят всякие антимонии...

— Какие? — устало поинтересовалась Люся.

— Ну... Он читал мне Цветаеву.

— Безусловно, это недостаток! — ехидно заметила та.

— Мужчина должен проявлять по отношению к жен-

щине благородство и в то же время быть самостоятельным, решительным и смелым. Как Киану Ривз в фильме «Скорость».

— Смею тебя заверить, что Киану Ривзы в Москве не водятся, — осадила ее Люся. — Так что не валяй дурака! Помнится, еще месяц назад ты пребывала в трансе по поводу того, что засиделась в девках. А тут вдруг повалили красавцы, но — что ты будешь делать! — все не Киану Ривзы!

— Ладно, Люся, давай замнем для ясности! У меня, кстати, новость: я знаю, что было написано на визитке того парня.

— Что? — заинтересовалась Люся.

— «КЛС»!

— Здорово! — сказала Люся. — А что это такое?

— Понятия не имею.

— Здорово! — опять сказала Люся, только уже с другой интонацией. — А откуда ты это узнала?

— Компьютерщик меня загипнотизировал и вытащил это из моего подсознания.

— Больше он у тебя ничего не вытащил? На твоем месте я бы хорошенько проверила дом.

— Да у меня ничего нет, — возразила Настя, напряженно думая о том конвертике с деньгами, которые она спрятала в книжку «Три мушкетера». — И вообще: нечего наезжать на человека, которого ты не знаешь!

Конвертик оказался на месте, и Настя, возмущенно фыркнув, поставила книжку на полку. Потом еще раз достала Любочкину записку и, поглядев на торопливо нацарапанные буквы, покачала головой. Ей совершенно не хотелось рассказывать Макару о встрече в ресторане. Может быть, попытаться все-таки самой найти усатого? Но для этого надо выяснить точно, что такое «КЛС».

Настя взяла записную книжку и позвонила Макару

на мобильный. Ответил смутно знакомый мужской голос. Это был кто-то из своих, но не Макар.

— Кто это? — поинтересовалась Настя, совершенно отчетливо чувствуя душевный дискомфорт.

— А вы кто?

— Настя Шестакова.

— Настя, ты? Это Сева Маслов. Макар недавно заезжал, оставил в офисе свою барсетку, в ней лежал сотовый, так что...

Сева работал с Макаром в одной юридической конторе. Они с женой нередко приезжали к Мерлужиным на выходные, и Настя участвовала в совместных посиделках на веранде, затянутой сеткой от комаров.

— Привет! — слегка недоумевая, поздоровалась Настя. — А позови, пожалуйста, Макара.

— Я не могу, — ответил Сева. И, помолчав некоторое время, неловко добавил: — Макар погиб, Настя.

— Что?!

— Погиб, умер. Несчастный случай.

— Я не могу поверить...

— Какой-то джип выскочил на встречную полосу, и... Шофер был под градусом. Так что не думай, будто Макар сам.

Настя вообще ничего не думала. В голове у нее было пусто, как в американской тыкве, выдолбленной накануне Хэллоуина.

Положив трубку, она некоторое время сидела на диване, тупо глядя в стену. Поверить в то, что произошло, было трудно. Вот только что по соседству жила довольно молодая и вполне жизнеспособная семья, и вдруг — бац! — ее будто смело с лица земли.

Настя решила заехать к Маслову на работу и поговорить с глазу на глаз. Немного придя в себя, она села за руль и двинулась в Москву.

Сева встретил ее на пороге кабинета и под руку под-

вел к креслу, как будто это она была вдовой. Он воро-
шил оранжевые кудри и повторял одно и то же:

— Ты только не волнуйся.

— Послушай, Сева, у меня к тебе один вопрос, —
вклинилась в его причитания Настя. — Ты слышал о
«КЛС»?

— Что это такое? — Тот удивленно приподнял ры-
жие островки, считавшиеся бровями. — Что-нибудь типа ЛСД?

— Да нет. Вероятно, это какая-то фирма. Или учре-
ждение. Служащие «КЛС» одеваются в бело-синюю
форму и ездят на микроавтобусах.

— Господи, а зачем тебе эта «КЛС»? — Маслов развел руки в стороны. Выразительные жесты были частью
его профессии.

— Мне надо, — уперлась Настя. — Я видела, как
микроавтобус этой фирмы приезжал к Макару на дачу.
И Макар сказал, что это связано с работой.

— Ой, не знаю, Настя! — растерялся Сева. — Может
быть, Макар вел какое-то дело по этой «КЛС»?

— А посмотреть... Посмотреть ты не можешь? Мне
правда очень надо! — Настя умоляюще сложила руки
перед собой.

— Ну, ладно. — Сева поднялся. — Сиди тут. И тихо
сиди. Хочешь, съешь шоколадку.

Настя согласно закивала. У Маслова на столе стоял
широкий стеклянный стакан с маленькими шоколадка-
ми. За те полчаса, которые хозяин кабинета отсутство-
вал, она уничтожила их все, скатав фантики в большой
разноцветный мячик.

— Ничего не нашел, — сообщил Сева, возвратившись. — Может, он просто так сказал тебе, что это связано с работой?

— Может быть, — промямлила Настя. Ей не очень
хотелось рассказывать про сеанс гипноза и его резуль-

таты. Однако о записке Любочки со словами «Меня хотят убить» она не рискнула умолчать.

— Ты не мог бы передать ее куда следует? — с надеждой спросила Настя.

Когда она показала ему записку и объяснила, как та попала к ней, Сева стал похож на грозовую тучу. Он нахмурился, надулся и принялся бегать по кабинету, вертя записку в руках и бормоча что-то нечленораздельное.

— Ладно! — возвестил он наконец. — Я, конечно, передам ее милиции. Если ты понадобишься, тебе позвонят. Только оставь номер своего мобильного.

— У меня нет мобильного, — призналась Настя.

Сева, привыкший к своей трубке, словно к зажигалке в кармане, удивленно воззрился на нее.

— Ну... — пробормотал он, — тогда оставь номер того телефона, по которому тебя можно найти.

— Вот. — Настя принялась быстро писать. — Как правило, я ночую в квартире или на даче.

Она подала ему клочок бумаги, который Сева тщательно спрятал в бумажник вместе с Любочкиной запиской.

— Ты будешь на похоронах? — спросил он напоследок.

— Я еще не знаю, — уныло ответила Настя, которую до обморока пугали кладбища.


На следующий день она перезвонила Севе и спросила, отдал ли он записку и как на нее отреагировала милиция.

— Они не станут возбуждать уголовное дело на основании этой записки, — мрачно заявил Сева. — Она могла быть написана когда угодно. Ты ведь не видела, как Любочка писала эти слова, верно?

— Я просто не обратила внимания.

— И вы находились в общественном месте, ей ничто не угрожало.

— Хочешь сказать, меня даже не вызовут на допрос?

— У них есть ее предсмертное письмо. Уже провели экспертизу и доказали, что оно подлинное.

— Но...

— Настя! — проникновенно сказал Сева. — Я советую тебе успокоиться. Уверяю: ты сделала все, что полагается в таких случаях. Остается только оплакивать наших друзей.

Настя не желала оплакивать друзей, зная, что в деле осталась одна неясность. У этой неясности даже было название — «КЛС». Выяснить, что это такое, не удавалось никакими способами. Однако Настя предпринимала попытку за попыткой, просматривая телефонные книги, бизнес-справочники и журналы.

Люся была в курсе всех событий. Обремененная двумя малолетними отпрысками, она вот уже третий год сидела дома, охотно исполняя роль домашней хозяйки. Всякие новости извне она принимала и переваривала жадно, словно голодная кошка мясные обрезки.

— У тебя есть два пути, — сказала она, когда разговор в очередной раз зашел о таинственной «КЛС». — Ты можешь обратиться к детективам и заплатить за то, чтобы они нашли эту загадочную фирму. Или можешь позвонить своему Владимиру, чтобы он еще раз тебя загипнотизировал.

— Зачем? — опешила Настя.

— Ты ведь хорошо видела микроавтобус, — терпеливо объяснила Люся. — В твоем подсознании наверняка застрял его номер. Под гипнозом этот номер ты вспомнишь. А уж узнать, на какую фирму он зарегистрирован, даже я, наверное, смогу.

— Второй путь мне не очень нравится, — честно призналась Настя. — Для гипноза нужна спокойная обстановка. Значит, снова надо тащить Владимира к себе на дачу. Нет уж, лучше я обращусь к сыщикам.

— Долларов сто заплатишь, — предупредила Люся.

— Ну и заплачу! — уныло ответила Настя.

— Брось ты все это! — неуверенно сказала Люся. — Все равно уже ничего не вернешь и не поправишь. Ни Макара, ни Любочки больше нет.

— Люся, я точно тебе говорю: это темное дело.

— Тем более: зачем тебе в это темное дело лезть?

Некоторое время они препирались, но Настя продолжала стоять на своем.

— Вместо того чтобы орать, скажи, где мне взять сыщиков, разыскивающих фирмы с таинственными названиями?

— Купи газету с объявлениями, — посоветовала Люся.

— Там этих сыщиков, наверное, много, — вздохнула Настя. — По какому принципу их выбирать?

— Пусть все решит провидение! Возьми газету в руки и жди какого-нибудь знака.

— Ты снова смотрела душераздирающую мелодраму? — догадалась Настя. — Скоро я начну сочувствовать твоему мужу.

— Если ты забыла: он в гипсе. И смотрит мелодрамы вместе со мной.


Купив газету, Настя вышла с ней на балкон, тщетно надеясь освежить кожу дуновением вялого и сухого ветра. Но едва она начала читать нужную колонку, как откуда-то сверху спланировал дымящийся окурок и, вонзившись в бумагу, весело затрещал. Настя взвизгнула и затрясла руками. Газета при этом выпала и полетела вниз. Окурок на лету продолжал жалить ее, вероятно, решив проделать в самой середине некрасивую дырку.

Настя во все глаза смотрела на то, как газета приземлилась на верхушку дерева и осталась там, вызывающе подрагивая страницами.

— Если Люся права, то кто-то свыше не хочет, чтобы я продолжала поиски, — вслух произнесла она.

«Свыше» громко заржали. Вероятно, окурок бросили специально, чтобы развлечься. Настя не стала шуметь, а просто сбегала к киоску, где приобрела еще один экземпляр того же издания. Развернула его на полосе с объявлениями и в таком виде оставила на кухонном столе, ожидая какого-нибудь знака. Спустя пять минут засунула в кухню нос и посмотрела на газету. С ней, понятное дело, ничего не случилось.

— Чушь, — фыркнула Настя, почти что презирая себя.

Именно в этот момент на газету села муха. Она устроилась на взятом в прямоугольничек объявлении и принялась потирать лапки, словно предвкушая невероятное приключение. Боясь спугнуть ее, Настя сделала два осторожных шажка вдоль стены и вытянула шею.

Выбранное мухой агентство находилось в двух кварталах от Настиного дома. Стараясь сдержать дрожь нервного возбуждения, Настя вышла из дому, положив в сумочку двести долларов. Путь ее лежал мимо кинотеатра, мимо большого супермаркета, мимо спортивного магазина...

Она увидела их издали. Людей в сине-белых комбинезонах. Они суетились как раз возле спортивного магазина. На земле стояли большие пластиковые ведра и контейнеры, наполненные флаконами с бытовой химией. Двое «комбинезонов» мыли в магазине окна, двое других протирали бордюры, пятый драил урну на входе. Здесь же стоял уже знакомый Насте микроавтобус. Шофер был другой. Насколько Настя могла судить, люди в комбинезонах тоже были не те, которые обыскивали дом Макара.

Боясь упустить удачу, она торопливо достала из сумочки ручку и накорябала в блокноте номер микроавтобуса. Потом смело подошла прямо к нему.

— Послушайте, где находится офис вашей фирмы? — спросила она у шофера, который читал журнал с таким видом, как будто бы там печатали одни гадости.

Тот молча выдернул из нагрудного кармана визитку и, не глядя, сунул в окошко.

— Мерси, мон шер, — пробормотала Настя, ничуть не уязвленная шоферским невниманием.

«Вот! — подумала она. — Вшивый шофер даже не посмотрел в мою сторону. Зато красавец Иван с первого взгляда потерял голову!» Покусав нижнюю губу, Настя решила, что, пожалуй, вопрос с Иваном для себя надо закрыть раз и навсегда. Почему бы при случае не заехать к нему домой и не поговорить? Расставить, так сказать, все точки над «и»? Но сначала она намеревалась найти усатого.


Судя по местонахождению, компания «Клин Стар» благоденствовала. Она занимала двухэтажный домик в одном из коротких переулков неподалеку от Триумфальной площади. Его бело-зеленый фасад улыбался прокаленному городу финскими стеклопакетами.

Настя смело подошла к входу и толкнула дверь, на мгновение встретившись взглядом с видеокамерой, внимательно изучавшей всякого визитера. «Это обычная фирма! — убеждала она себя, испытав неожиданный приступ робости. — Я могу нанять ее служащих на работу, как всякий другой законопослушный гражданин».

Очутившись в вестибюле, она тотчас же уткнулась в каменную грудь охранника.

— Вы к кому? — спросил он, даже не шевельнувшись. Взгляд у него был столь же выразительный, как и у видеокамеры на входе.

— Не знаю, к кому, — нервно дернула плечом Настя. — Где тут компания «Клин Стар»? Хочу, чтобы мне отмыли окна на даче.

— Здесь везде «Клин Стар», — равнодушно сказал

охранник и добавил, махнув рукой в направлении коридора: — Пройдите туда. Первая дверь направо.

Первая дверь направо Настю не устраивала. Вот уж что ей было нужно меньше всего, так это задорого вымытые окна. Воровато озираясь, она прошмыгнула в самый конец коридора, где наткнулась на узенькую лесенку, ведущую вверх. Стремясь скрыться с глаз охранника, Настя побежала по ней.

Второй этаж встретил ее тишиной и двумя рядами безликих дверей. На них не было ни номеров, ни табличек, вообще ничего. Решив заглянуть в первую же комнату, она нажала на ручку и опасливо сунула голову.

Комната выглядела скучно, по-канцелярски. Унылые жалюзи на окнах, крутящиеся стулья, насаженные на металлические штыри, да почти пустой желтый стол, похожий на ученическую парту. Она вошла, оставив дверь полуоткрытой. На случай, если хозяин застанет ее здесь и обозлится, что она без спроса.

Как раз в этот миг в коридоре послышались голоса. Двое мужчин шли по направлению к лестнице, и их вначале неразличимые слова звучали все отчетливее. Не собираясь прятаться, Настя тем не менее замерла и прислушалась.

— Будешь действовать в точности как я, — сказал первый голос. — У объекта отличные показатели. Так что все пройдет без сучка без задоринки.

— Договаривались же не повторяться, — закапризничал второй голос. — Это чертовски опасно! Я, конечно, провел предварительную подготовку, но сделал это безо всякой охоты. Мне кажется, что меня подставляют!

— Никто не собирается тебя подставлять. Все продумано до мелочей, ты же знаешь.

— А почему тебя не задействуют? Ты — лучший.

— Не твое дело.

— Ну, хорошо, хорошо. Но мне нужны кое-какие

подробности. Я ведь работал раньше на других операциях.

— Не здесь, Аврунин. Детали мы обсуждаем только под открытым небом.

— Ладно, скажи, где и когда мы их обсудим. И учти — времени совсем не осталось.

Мужчины дошли до кабинета, в котором находилась Настя, и она, повинуясь шестому чувству, спряталась за дверью.

— Давай сегодня в семь в начале Тверского.

— А где у него начало? — сердито спросил невидимый Аврунин. — С той стороны, где Пушкин, или с той, где Грибоедов?

— С чего ты решил, что это Грибоедов? — ехидно поинтересовался его собеседник, и Настя, с максимальной осторожностью выглянувшая из-за двери, увидела, что это не кто иной, как искомый усатый!

— Не знаю, — огрызнулся Аврунин. — По крайней мере, я никакой надписи на постаменте не видел.

— И ты решил, что все неподписанные памятники принадлежат Грибоедову?

— Так с какой стороны встречаемся? — ощетинился тот.

— Со стороны поэта.

— Какого?!

— Аврунин, тот, который дальше от Пушкинской площади, совсем даже не Грибоедов.

— Мне все равно.

Настя видела, что он не на шутку рассержен. Это оказался маленький человечек, похожий на актера, исполняющего роль поросенка. У него была здоровая ярко-розовая кожа и крошечный круглый нос. Вместо волос, еще буйных над ушами, на макушке дыбом стоял светлый пушок. Коротенькое тело, обросшее сальцем, переваливалось через брючный ремень и распирало рубашку, угрожая пуговице на животе.

— Пойдем, Аврунин, я провожу тебя до машины, — сказал усатый и пропустил его вперед.

Едва они скрылись из виду, как на столе пронзительно заверещал телефон. Испугавшись, что, услышав звонок, усатый вернется и догадается, что она подслушивала, Настя метнулась к столу и схватила трубку, решив ничего не говорить. Авось звонивший подумает, что во всем виновата плохая слышимость.

Однако никто не сказал в трубку «Алло!» или что-нибудь подобное. Приглушенный женский голос, едва Настя приложила ее к уху, мягко произнес:

— Наташа сегодня не приедет. Она не согласилась на ваше предложение. Попробуйте позвонить Нонне. Нонна подходит еще лучше. Две последние цифры — пятьдесят два.

В трубке раздались короткие гудки. Настя опустила ее на место и отскочила от стола. Ей совершенно определенно расхотелось встречаться с усатым лицом к лицу. А тем более задавать ему вопросы. Она метнулась было в сторону лестницы, но снизу кто-то поднимался, поэтому пришлось прошмыгнуть обратно.

То, что произошло дальше, напоминало сцену из старого фильма о разведчиках. Когда русского шпиона немецкий офицер застает возле раскрытого сейфа с важными бумагами. В кабинет, широко распахнув дверь, стремительно вошел маленький вертлявый мужчина с портфелем в руке. Увидев прямо перед собой неуверенно улыбающуюся Настю, он поспешно отступил назад и, не сводя с нее цепких глазок, пронзительно закричал:

— Охрана! Сюда!

Настя даже рассердилась. Ни вопроса, ни приветствия — сразу охрана!

— Ну что вы орете? — осадила она его, досадливо морщась. — Я к вам по делу пришла. Меня зовут Наташа.

Из нее как-то сами собой вылетели эти слова. Ведь

она точно знала, что в кабинет должна прийти какая-то Наташа, и точно знала, что она не придет. Оставалось лишь надеяться, что эту Наташу никто здесь не знает в лицо.

Вертлявый мужчина склонил набок птичью головку и, с подозрением оглядев Настю, фамильярно заметил:

— Странно, что прислали именно тебя. На мой взгляд, твои данные заданию не соответствуют.

«Интересно, этой Наташе что — предстоит одной выдраить Кремлевский Дворец съездов?» — подумала Настя не без раздражения.

— А вы считали, что у меня мосластые ноги и мощная спина? — довольно нахально спросила она.

— Нет. Я думал, у тебя большая грудь и низкий бархатный голос. Хотя бы.

— Полагаете, размер груди играет в таких делах какую-то роль? — надменно спросила Настя. Типам, считающим пределом совершенства девушек из рекламы «Секс по телефону», не стоит давать спуску.

— А разве нет?

— Вы отстали от жизни! — отрезала Настя, искренне надеясь, что ее не заставят пахать вместо Наташи прямо сейчас, доставив на место прохождения службы под конвоем.

— Сядь на стул, — довольно грубо велел вертлявый и прошел на свое рабочее место, бросив портфель на подоконник.

Настя послушно села и, словно пай-девочка, соединила коленки.

— Итак, инструктаж ты прошла, — продолжал тем временем вертлявый, барабаня пальцами по столу.

«Инструктаж? Господи, может, это шпионское гнездо? — с ужасом подумала Настя. — Что, если мне приказано взорвать какую-нибудь подстанцию?»

— А-а-а... Вы не хотите повторить для меня все еще раз? — попросила она на всякий случай.

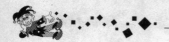

— Я не собираюсь повторять, мы не на изложении в пятом классе. Ты должна управиться за полчаса. Все произойдет точно через полчаса после твоего прихода.

— Отлично, — покивала та, тряско хихикая. — Полчаса так полчаса.

— Вот ключ, вот адрес, прочитай и запомни, бумагу я заберу.

Вертлявый сунул ей под нос обычный ключ и стандартный лист, на котором были крупно набраны улица, номер дома и номер квартиры. И чуть мельче — этаж и домофонный код.

— Шинкарь будет там в субботу ровно в семь вечера. Не опаздывай — он пунктуален и придирчив, словно плохой начальник. Но даже если что-нибудь случится у тебя в дороге, не дергайся — отсчет времени начнется с той минуты, когда ты войдешь внутрь. В течение получаса ты должна довести Шинкаря до нужной кондиции. Остальное мы берем на себя.

Вертлявый закончил свою тираду и, забрав листок, сунул его в бумагорезку, которая издала довольное завывание. Настя спрятала ключ в сумочку и поглядела на часы. Слова «семь часов вечера» напомнили ей о грядущей встрече на Тверском усатого с Аврутиным. Ей страстно хотелось на ней поприсутствовать.

— Теперь я могу идти? — спросила она, ерзая на стуле, который с противным скрипом вертелся туда-сюда.

— Можешь. — Настя вскочила, а вертлявый добавил ей в спину: — Ты ведь понимаешь, что тебе в первую очередь заплатят за молчание, а не за пустячную службу.

Настя повернулась и, важно кивнув, заставила себя с достоинством выйти из кабинета. Теперь охранник на входе и камера слежения пугали ее гораздо больше, чем в момент прихода. Ей казалось, что в любую секунду может подняться тревога, если кто-нибудь наверху сообразит, что никакая она не Наташа. Однако никто за ней не погнался, и через пять минут Настя выкатилась на душную улицу, сотрясаясь от внезапного озноба.

— Интересно, во что это я вляпалась? — пробормотала она, стремясь побыстрее свернуть за угол соседнего дома и забиться в скорлупку своего автомобиля.

Лишь на Садовом, по которому, исходя вонючей гарью, ползли сотни машин, она почувствовала себя в относительной безопасности.

# 4

Без четверти семь, с трудом пристроив машину возле «Московских новостей», она уже вертелась на Тверском и высматривала знакомую парочку. Ровно в назначенный час через улицу перебежал Аврунин, минут пять спустя с той же стороны появился усатый. На его лице застыло брезгливое выражение — будто, передвигаясь в толпе простых смертных, он ронял себя.

Лицо его слегка смягчилось, лишь когда он увидел человека-поросенка. Вероятно, его вдохновляла перспектива хоть немного, да поглумиться над ним. Усатый неторопливо пристал к Аврунину, словно большой пароход к маленькому причалу. Сцепившись в пару, коллеги принялись прогуливаться взад-вперед по бульвару. Настя следила за ними издали, решив, что с такого расстояния усатый вряд ли разглядит ее и уж тем более не узнает в ней Любочкину знакомую, которую мельком видел в ресторане. Но рисковать все же не стоит и подбираться к усатому близко нельзя. Если же не подбираться, то как разнюхать, о чем пойдет разговор?

Тут взгляд Насти упал на молодого человека, который дремал на одной из лавочек, свесив голову на грудь. Масса мелочей свидетельствовала о том, что мо-

лодой человек находится под мухой. Был он при этом
прилично одет и аккуратно стрижен, что заставляло надеяться на успех переговоров, в которые Настя собиралась с ним вступить. Конечно, если он вообще в состоянии разговаривать. Устроившись рядом, она покашляла,
что не возымело на молодого человека ровно никакого
действия.

— Уважаемый! — позвала она и ткнула его пальцем
в плечо. Уважаемый повалился на лавку и, открыв глаза, непонимающе уставился в пустое небо.

Настя поспешила появиться в поле его зрения.

— Мне нужна ваша помощь, — сказала она, почти
не веря в успех.

— А в рот тебе не плюнуть? — с неожиданной свар-
ливостью ответил тот.

— За помощь я заплачу. — Настя поспешила завлечь
его деньгами. — Дам сто рублей.

— Сто рублей?

Судя по всему, сумма подействовала на молодого
человека отрезвляюще, потому что он принял вертикаль-
ное положение со скоростью грабель, на которые насту-
пили. Вжик — и он уже смотрел на Настю покраснев-
шими, но чертовски внимательными глазами.

— Видите вон тех мужчин? — взяла она быка за ро-
га. — Они сидят на лавочке и разговаривают.

— Ну?

— Мне надо знать — о чем они говорят. Сможете
непринужденно пройтись мимо и подслушать? Хоть
что-нибудь?

— Будь тут, — велел молодой человек и осторожно
поднялся.

Ноги держали его не слишком хорошо. Путаясь в
собственных коленях, он направился в сторону усатого
и Аврунина. Дойдя до скамейки, где те расположились,
притормозил и, присев, стал с увлечением перевязывать
шнурок на ботинке.

Поначалу собеседники не обращали на него особого внимания. Но минуты через две усатый начал проявлять беспокойство. Он некоторое время пристально смотрел на незваного гостя, потом что-то сказал ему. Тот молча развернулся и поковылял в обратную сторону.

— Вас послали! — догадалась Настя и возмущенно добавила: — Вы бы еще на скамейку к ним сели!

— Не гони волну, — успокоил ее тот и уточнил: — Точно сто рублей?

— Да точно, точно!

— Будь здесь.

Молодой человек потрусил куда-то в сторону магазина «Армения» и смешался с толпой. «Пока он будет бегать, эти двое уже все обсудят!» — досадовала Настя, вытягивая шею в сторону мирно беседующей парочки. Впрочем, волновалась она напрасно. Буквально через две минуты молодой человек снова возник на горизонте. Теперь он шел прямо по газону с суровой важностью московского дворника. Был он одет в синий рабочий халат, а в руках держал палку с металлическим наконечником. Именно на такие палки дворники накалывают бумажный мусор.

Тыча ею в траву вокруг себя, находчивый Настин помощник в конце концов снова подобрался к усатому с Авруниным, только теперь уже с тыла. Остановившись, он достал из кармана горсть фантиков и широким жестом опылил газон. Фантики, гонимые ветром, разлетелись во все стороны. Тогда он принялся фанатично охотиться за ними и так увлекся, что забыл об осторожности. Усатый заметил его и, толкнув Аврунина, побудил перебраться на другую скамейку, стоявшую на противоположной стороне бульвара. Они совершенно явно не терпели ничьего общества.

Молодой человек с палкой наперевес отправился

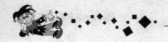 

назад. Еще издали он успокоил Настю жестом и приказал:

— Будь здесь.

— Эй! — негромко окликнула она его. — Вас как зовут?

— Петров, — лаконично сообщил тот и быстро скрылся из виду.

Через пару минут он возвратился снова, но уже без маскарадного костюма, обозрел окрестности и направился к компании мальчишек, гонявших мяч на детской площадке. В последний раз усатый и Аврунин очень удачно пересели к площадке спиной.

Переговорив с детьми, неутомимый Петров вступил в игру. Повинуясь его подмигиваниям, дети часто промахивались, а он охотно и резво бегал за мячом, подолгу застревая возле скамейки.

Издали Настя не могла понять, раскусил ли усатый эту уловку, однако он опять поднялся на ноги, побуждая Аврунина следовать за ним. Они снова начали прогуливаться, но теперь уже постоянно озирались по сторонам и были похожи на заговорщиков.

Обнаруженный Петров тем временем блестящим взором следил за их передвижениями. Обещанные сто рублей активно стимулировали его серое вещество. Душа страждала, и мозг изо всех сил пытался ее ублажить. Настя про себя решила, что, исчерпав всю прозу, Петров поэтично пролетит над бульваром на самодельных крыльях.

Когда усатый и Аврунин отошли на приличное расстояние и снова уселись на лавку, Петров метнулся через улицу, к стоявшей неподалеку от «Макдоналдса» «Газели» и, проведя короткие переговоры с шофером, вернулся обратно, неся в руках кусок брезента. Обойдя парочку по широкой дуге, он снова зашел ей в тыл и, накрывшись своей добычей, лег на траву, явно надеясь слиться с пейзажем. Время от времени брезент принимал очертания живого тела и перебегал на новое место, шелестя и хлопая складками.

В конце концов он снова был замечен и, судя по всему, опознан. Усатый наклонился к Аврунину и что-то сказал ему. Тот подхватился и стремглав помчался к магазину. Вернулся с большим пакетом и пластиковыми стаканчиками. Нетрудно было догадаться, что находится в пакете. Усатый встал и, ступив на газон, принялся что-то горячо говорить, обращаясь непосредственно к куску брезента. Настя обомлела.

Действительно: что такое сто рублей? Фантом по сравнению с совершенно конкретной бутылкой. «Сейчас он все им расскажет! — испугалась она. — И еще укажет на меня пальцем. Может быть, я и успею убежать, но усатый все равно насторожится. И если он хоть в чем-то виноват, уничтожит все улики! Надо убираться отсюда!» — решила она и, поднявшись, быстро зашагала прочь.

Итак, фокус не удался. Расстроенная Настя примерно полчаса просидела в машине, размышляя обо всем, что с ней произошло за день. Потом зашла в «Сабвей» и только тут поняла, насколько проголодалась. Набрав полный поднос съестного, она принялась заглатывать булочки с изюмом, которые нравились ей больше всего. Когда подошла очередь овощного бутерброда и двух кусков торта, кто-то справа от нее громко сказал:

— Не устаю поражаться матушке-природе.

Повернув голову, Настя увидела мужчину средних лет в больших очках, за которыми пряталось пресное лицо. Он сидел за соседним столиком, отделенный от нее низкой перегородкой.

— Моя бывшая жена питалась морковью, сдобренной семенами льна и клочками петрушки, и при этом постоянно жирела, словно в нее ежедневно высыпали пакетик сухих дрожжей. Вы же стройная, как тополь, а жрете, как домашняя свинья.

Настя перестала жевать и, с трудом проглотив очередной кусок, поспешно допила кофе и вышла на улицу. «Интересно, — подумала она. — Категория «дурак» присуща обоим полам. Есть мужчина-дурак, и есть женщина-дура. А вот нишу придурков почти целиком заполняют мужчины. И, насколько я понимаю, они множатся, как элитная порода кроликов».

Не в силах просто так уехать домой, Настя нырнула в подземный переход, потом перешла улицу поверху и снова вышла на бульвар. Осторожно продвигаясь вперед, она внимательно глядела по сторонам и уже через пять минут обнаружила Петрова, который в размягченном виде сидел на скамейке, смежив вежды и вдавив подбородком в грудь верхнюю пуговицу рубашки.

Настя замерла. Петров сейчас был не просто Петров. Он был хвостиком того клубка, который ей страстно хотелось распутать. Впрочем, чтобы дернуть за этот хвостик, его необходимо привести в чувство.

— Петров! — позвала Настя, подсаживаясь к нему. — Вы меня слышите?

Петров ее не слышал. Когда Настя толкалась, сотрясая его сны, он мычал и чмокал губами, собирая на лбу младенческие складочки. Только сейчас она заметила, что он довольно смазлив. Черные ресницы оттеняли его гладкие, по-девичьи розовые щеки, а рот был большим и страстным.

— Что же мне делать с этим кладом? — пробормотала Настя.

Она не могла бросить его тут, ни о чем не спросив. Вполне возможно, этому типу удалось подслушать что-нибудь интересное. Но самое главное, необходимо выяснить, не разболтал ли он усатому с Авруниным о ней, Насте. Если так, ей стоит об этом знать.

Можно попытаться отрезвить Петрова прямо на бульваре, купив охлажденной минералки и устроив над его головой небольшую грозу. Есть и другой вариант:

уговорить кого-нибудь донести сокровище до «Тойоты», транспортировать его до своего дома, там с помощью соседа-студента засунуть в лифт и дотащить до квартиры. Дождаться, пока сокровище проспится, и уж тогда с чувством, с толком, с расстановкой...

Настя выбрала более хлопотный, но более надежный второй вариант. Дело стало лишь за грузчиком. Она беспомощно огляделась по сторонам. Ее вниманием сразу же завладел человек, обходящий дозором бульварные урны. Был он деловит, собран и очень ответственно относился к избранному делу. С таким же выражением лица выходили на субботники большие руководители, чтобы лично поворошить граблями мусор социализма.

Собиратель бутылок обладал впечатляющими физическими данными. Глянув на большой пакет, доверху заполненный его добычей, Настя грешным делом подумала, что этот Геракл просто-напросто отбирает посуду у граждан, решивших на его глазах побаловаться пивом.

— Эй вы! — позвала она и пощелкала пальцами над головой. — Подите-ка сюда.

Геракл сплюнул и отвернулся. Настя хмыкнула и без колебаний пошла в его направлении.

— Хотите быстро заработать? — спросила она, покопавшись в кошельке и добыв из его шелковых недр сторублевку.

— А чего надо сделать? — заинтересовался Геракл и посмотрел на купюру боковым зрением, но зорко, словно воробей, заметивший корочку.

— Надо донести до машины одну вещь. Крупную.

— Где машина? — поинтересовался тот.

— Там, возле редакции «Московских новостей».

— А где вещь?

— Вот вещь, — сообщила Настя, махнув рукой на Петрова.

— Где? — тупо переспросил Геракл.

— Вот она сидит, — рассердилась та. — В итальянских ботинках и рубашке «поло».

Геракл привстал на цыпочки и спросил:

— Вы, наверное, имеете в виду вещь, которую потащили куда-то патлатые типы?

Настя подпрыгнула от неожиданности и резко обернулась назад. Петров больше не сидел на скамейке — он был переброшен через плечо жутко лохматого парня, который, словно снежный человек, какими-то дикими прыжками несся по бульвару. Зад похищенного Петрова подпрыгивал у него на плече, словно поплавок, сигналящий о поимке сумасшедшей рыбы. Рядом бежал еще один длинноволосый хомо сапиенс, только на пару размеров мельче.

— Караул! — закричала Настя. — Грабят!

Не помня себя от ярости, она бросилась в погоню, вопя, как торговка, уличенная в обвесе. Геракл, гремя бутылками, стремглав помчался за ней.

— Догоним! — ободрил он Настю. — Они груженые, а мы налегке.

Однако длинноволосые мастерски уходили от погони. Они успели перебежать на зеленый сигнал светофора и оставили бы преследователей щелкать зубами на другой стороне улицы, если бы Геракл не выскочил на середину дороги и не принялся размахивать мешком с бутылками у себя над головой. Надсадно гудя, машины медленно тронулись с места, однако дали-таки Насте перебежать дорогу.

— Вон они! — крикнул Геракл. — Нырнули во двор!

Когда Настя свернула за угол, у нее едва не подкосились ноги — патлатые засовывали Петрова в машину, усердно сгибая ему конечности, которые вяло распадались, словно ноги у дохлой курицы. Конечности категорически не лезли в салон автомобиля, желая остаться снаружи.

— Не успеем! — в отчаянье крикнула Настя. — Увезут!

И тут позади нее кто-то аккуратно нажал на клаксон. Один раз, потом второй. Обернувшись, она увидела возле себя «Волгу», за рулем которой сидел придурок из «Сабвея».

— Насколько я понял, у вас тут погоня? — спросил он, высовывая нос и очки в полуоткрытое окно.

— Гады, видишь, украли нашу вещь! — сообщил Геракл, мотнув подбородком на взревевший автомобиль, начиненный патлатыми и Петровым в придачу.

— Садитесь! — велел очкарик. — Я, конечно, не Шумахер, но постараюсь не ударить в грязь лицом.

— Кто такой Шумахер? — шепотом спросил Геракл у Насти, отчаянно дергавшей дверь.

— А какую вещь? — в свою очередь поинтересовался очкарик, помогая ей.

— Они утащили моего парня! — отрывисто бросила Настя, приплясывая на заднем сиденье. — Петрова. Вы могли видеть, как его засовывают в машину.

— Почему же вы сказали — вещь? — удивился очкарик.

— Он надрался, — сообщил Геракл, — и понимает сейчас не больше, чем стул.

— Ну-у... — протянул очкарик. — Не завидую я вашему стулу.

— Почему? — вопросила Настя.

— Потому что я знаю этих ребят. Они «голубые».

Геракл крякнул, а опешившая Настя спросила:

— С чего это вы взяли?

— Я вхожу в интеллектуальную элиту города! — хвастливо заявил очкарик, разгоняясь и закладывая крутой вираж на повороте.

— Дуется по вечерам в шахматы на бульваре, — пояснил Геракл. — Только щас его вспомнил. Как тебя звать-то, академик?

— Вельямин, — гордо сообщил тот. — А эти, — он подбородком указал на удирающую «девятку», — тусуются возле общественного туалета, пристают к гуляющим студентам и вообще ведут себя на редкость агрессивно.

Геракл наклонился к Насте и хихикнул:

— Наверное, кто-нибудь из «этих» потрепал его по коленке.

— Никогда не слышала, чтобы «голубые» среди бела дня похищали людей! — сказала огорошенная Настя, хватаясь двумя руками за спинку переднего сиденья, опасаясь выдавить дверь и вывалиться на мостовую: Вельямин показывал настоящий класс.

Сама она разрумянилась, а волосы у нее стали дыбом. От встречного ветра, бьющего в лицо, Геракл раздухарился и стал громко кричать в окно:

— Гомики не уйдут! Держи каналий!

Вместо того чтобы сердиться, Вельямин громко хохотал и бил ладонью по клаксону. Настя подумала, что с такой компанией можно запросто загреметь либо в вытрезвитель, либо в сумасшедший дом. Впрочем, выбора у нее не было — не попадись эти двое ей под руку, Петров исчез бы безвозвратно.

Погоня закончилась так же внезапно, как и началась. «Девятка» нырнула в переулок, проскочила двор и, в последний раз рыкнув, воткнулась в бордюрный камень. Вельямин, намеревавшийся повторить ее маневр, был заловлен и прижат к тротуару материализовавшимся прямо из воздуха гибэдэдэшником.

— Ёшкин кот! — возопил Геракл. — Подсекли на вдохе!

Гибэдэдэшник с деланой неспешностью приближался к «Волге». Массивность его загривка и суровость лица явно не соответствовали пустячности нарушения.

— Куда летим? — спросил он, глядя на Вельямина

из-под тяжелых век, которые разбухли на государственной службе, словно вареники в кипятке.

Настя, по глупости даже обрадовавшаяся вмеша-
тельству человека в форме, высунулась в окно и крикнула:

— Сержант! Там «голубые» человека похитили! А мы
за ними гонимся!

Сержант посмотрел на нее без всякого выражения и
снова обратил взор на Вельямина.

— Гонитесь, говоришь? «Формула один», говоришь?
Документики, Шумахер!

Геракл повернулся к Насте и шепотом спросил:

— Откуда он знает его фамилию?

— Кого?

— Водителя нашего, Шумахера?

Настя несколько раз открыла и закрыла рот, после
чего сообщила:

— Фамилию теперь на номерах пишут. Внизу. Мелким шрифтом.

— Я фигею, — пробормотал тот, погромыхивая бутылками, которые он все это время прижимал к животу. — И хрен ли мне в таком разе машину покупать?
Чтоб меня каждая собака могла по фамилии окликнуть!

— Сержант! — строго сказала Настя, выбираясь из
автомобиля и принимая позу колхозницы, на время опус-
тившей серп, чтобы дать отдохнуть руке. Одно ее плечо
воинственно выдвинулось вперед. — Мы сообщили вам
о преступлении, между прочим!

— О каком? — равнодушно спросил тот, неспешно
просматривая документы Вельямина.

— «Голубые» украли человека.

— Какая трагедия! — Сержант даже не усмехнулся.

Между тем Настя через его плечо увидела, как длинноволосые вытащили безжизненного Петрова из «де-
вятки» и под руки повели к подъезду задрипанной пятиэтажки. Если бы существовал рейтинг домов-инвали-

дов, эта пятиэтажка, хрипя от напряжения, выбилась бы в лидеры. Ее фасад выглядел настолько отвратительно, будто последние несколько лет на него злонамеренно плевал каждый входящий и выходящий жилец.

— Вон они, смотрите! — закричала Настя и, схватив сержанта за плечи, попыталась силой развернуть его в нужную сторону.

— Но-но! — рявкнул тот. — Руки!

— При чем здесь руки? Разуйте же глаза! Видите, человека тащат, как дохлого кота!

— Расцениваю ваши действия как нападение на сотрудника милиции, находящегося при исполнении, — сурово заявил сержант, не обращая никакого внимания на похищенного Петрова.

— А! Да что с вами говорить! — очень по-женски возмутилась Настя и припустила за длинноволосыми.

Бросив бутылки на заднем сиденье, Геракл побежал за ней.

— А вы, гражданин, останьтесь, — велел сержант Вельямину, хотя тот не делал никаких резких движений.

Настя влетела в подъезд как раз в тот момент, когда за поворотом лестницы исчезли ботинки Петрова. Она рванула за ними, перепрыгивая через две ступеньки, но длинноволосые уже втащили свою добычу в квартиру на втором этаже и захлопнули дверь. На звонки они, естественно, отвечать не собирались.

— Извращенцы! — завопил подоспевший Геракл. — Ни дна вам, ни покрышки!

Настя тоже выкрикнула пару оскорблений из скудного личного запаса ненормативной лексики. Пока они соревновались в придумывании бранных эпитетов, к подъезду подъехала машина с надписью «Телевидение», из которой вывалилась бойкая съемочная группа. Она тащила за собой камеру и наполняла пространство специфическими словечками. Юркий молодой человек в джинсовом жилете с заклепками забрался в палисадник и принялся топтаться там, выбирая нужную позицию. Когда Настя и Геракл вышли из подъезда, он как раз начал говорить в микрофон:

— Мы ведем свой репортаж из обычного московского дворика. Перед нами дом номер четырнадцать, жильцы которого вот уже пять лет не выходят на свои балконы, потому что те находятся в аварийном состоянии.

— Слушайте, здесь телевидение! — Настя толкнула Геракла локтем в бок. — Может быть, попробуем заинтересовать их киднепингом?

— А кто это? — с интересом спросил тот.

— Это не «кто», а похищение людей, — объяснила Настя, пристально глядя на оператора.

Тем временем телевизионщики втащили в палисадник потеющего толстячка в костюме и галстуке.

— За разъяснениями мы обратились к Николаю Николаевичу Бобрянцу, главному специалисту...

Вокруг съемочной группы тем временем стал собираться народ. Подтянулись игроки в домино, припозднившиеся старушки, караулившие подступы к своим подъездам, группы подростков с пивом и просто праздношатающиеся личности. Настя и Геракл, сами не заметив как, оказались в довольно густой толпе.

— Коррозия, происходящая из-за колебаний погоды, — тонким голосом говорил Бобрянец, переминаясь с ноги на ногу, — способствует разрушению арматуры. Только за одну зиму температура воздуха переходит через ноль более ста раз.

На первом этаже позади потеющего Бобрянца распахнулось окно, в котором появилась голова изумленной старухи.

— Чавой-то тут такое? — крикнула она своим товаркам, толпящимся возле палисадника.

— «Новости» снимают! — пояснил кто-то из толпы. — В телевизор попадешь.

Бобрянец закончил выступление и теперь, когда камера перестала пугать его, вытирал лоб огромным клетчатым платком.

— Граждане! — неожиданно звонким голосом крикнула Настя. — Вы знаете, кто живет на втором этаже? Вот в этом подъезде в квартире справа?

— Гомики! — ответил мужчина, одетый в тренировочный костюм и черные ботинки с пряжками.

— Может быть, журналистам будет интересно узнать, что они сегодня унесли с Тверского бульвара человека!

— Журналисты? — ахнул кто-то из толпы. — Креста на них нет!

Журналисты тем временем пытались снять общий план, радуясь оживлению в массовке.

— Правильно, как Ленин помер, так они стали церкви ломать! — коварным голосом заметила какая-то бабка, сноровисто лузгавшая семечки.

— Ленин-то здесь при чем? — спросил раздраженным тоном учительского вида молодой человек с круглым значком: «Внук Брежнева — надежда нации».

— Божественное возвращается в наш мир! — громко заявил мужик с перебитым носом. У него был дурной глаз и спина размером с дверцу холодильника. — Если вы не против, я прочту об этом стихи собственного сочинения.

Он перепрыгнул через низкую загородку и встал посреди вытоптанной корреспондентом и Бобрянцом площадки. Выбросил одну руку вперед и начал декламировать:

> Ночь обронила бледный иней,
> Она прозрачна и тиха.
> И возвращаются богини
> В розарии ВДНХ.

— ВВЦ! — поправил из толпы человек в круглых очках. Кто-то тут же ударил его свернутой газетой по затылку и грозно шикнул.

Поэт между тем продолжал с большим чувством:

> С прелестной мухинской скульптуры
> Начав экскурсионный тур,
> Узрят величие культуры
> В структуре парковых скульптур!

— По-моему, с этим домом явно не все в порядке! — шепнула Настя Гераклу.

— Гляди туда! — воскликнул тот, показывая пальцем на окна второго этажа. Настя задрала голову и увидела, что к стеклу прилипли две патлатых головы.

— Вон они! — крикнула Настя в полный голос. — Наблюдают за нами, гады!

В этот момент во двор медленно въехала черная «Волга», из которой торопливо вылезла какая-то шишка районного масштаба.

— Что здесь такое? — спросила шишка, плохо среагировав на машину телевизионщиков. — По долгу службы я обязан знать, что происходит!

— Тут стихи читают, — пояснила какая-то тетка, которая не слышала почти ни одной графоманской строчки, потому что была мала ростом и чужие спины поглощали не только вид, но и звук.

Между тем оратор продолжал вещать, все больше заводясь от неослабевающего внимания публики:

> Мы, помню, гнали их всем миром!
> Они, поникнув головой,
> Бродили, прячась по квартирам,
> И гибли где-то под Москвой.

— Кого это он имеет в виду? — спросило районное начальство.

— Каких-то богинь, — обронил мужчина в спортивном костюме. — Не мешайте слушать.

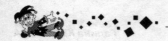 

Начальство тут же прижало к полыхающему уху сотовый и зашипело в него:

— Несанкционированный митинг. Диссиденты собрали народ! Да и телевидение уже тут!

Настя начала решительно проталкиваться к съемочной группе. Корреспондент между тем пытал представителя местного РЭУ.

— Нельзя ли нам, — спрашивал он, глядя на аварийный дом через прищуренный глаз, — войти в какую-нибудь квартиру и снять разгневанных жильцов и разрушающийся балкон, так сказать, изнутри?

— Можно попытаться, — неуверенно проблеял тот. — Правда, люди сейчас неохотно открывают двери посторонним...

— Вот самый опасный балкон! — громко сообщила Настя, показывая пальцем туда, где жили длинноволосые. — Если смотреть на него изнутри, это просто форменный ужас. Уверяю вас, там есть, что поснимать.

— Просто срам! — выплюнула какая-то бабулька с криво приколотой к голове косицей. Вероятно, она уже разбиралась ко сну, когда во дворе начались интересные события. — Нашли, чаво снимать! Притон у них там наркоманский.

— А какой раздолбанный балкон! — подхватила Настя. — Не в каждом притоне такой увидишь.

— Что ж, давайте попробуем туда подняться, — неожиданно согласился корреспондент, мельком глянув на Настю, и махнул рукой оператору. Тот молча водрузил камеру на плечо и послушно зашагал к подъезду. Настя, Геракл и еще несколько человек из толпы потрусили следом. По дороге к ним присоединился одышливый участковый, которому кто-то из жильцов настучал о приезде телевидения.

Присутствие участкового, вероятно, и позволило решить дело положительным образом — длинноволосые, давно и хорошо с ним знакомые, открыли дверь.

Это была их стратегическая ошибка. Вероятно, они рассчитывали на какие-то переговоры, но Геракл, завидев узкую щель, не раздумывая ринулся вперед, и они отступили, нервно вереща. Впрочем, их никто не слушал.

Любопытная толпа ввалилась в комнату, просвистела ее насквозь и вскрыла балконную дверь.

— Я же говорила, что вы увидите ужасное! — закричала Настя.

На балконе, прямо на полу лежало что-то длинное и живое, накрытое пледом. Геракл протянул лапищу и сдернул плед. Присутствующие увидели спящего Петрова с блаженной улыбкой на лице. Чело его было ясным, а верхняя губка конвертиком нависала над нижней.

— Кто это? — строго спросил участковый, и из-за спин тотчас же раздался тонкий голос с придыханием:

— Это мой брат!

— Врешь! — закричала Настя, резво оборачиваясь к патлатому, потому что это был, конечно, он. Тот, который покрупнее. Более невинной физиономии Настя в жизни своей не видела: нос картошкой, незабудковые глазки и мягкий подбородок с редкой белой щетинкой. — Вы с приятелем увезли его с Тверского бульвара! И вы бежали так, будто ваши пятки сам черт облизывал!

— Конечно! Мы ведь бежали от вас.

— Зачем бежали? — строго спросил участковый.

— Колька сказал, что задолжал одной стерве штуку баксов, теперь она его преследует.

— Вы что же, решили, что это я?! — возмутилась Настя и повернулась лицом ко всему честному народу: — Я похожа на стерву?

— Да! — хором сказали все женщины, затесавшиеся посмотреть на притон.

— Нет! — хором сказали все мужчины, включая оператора и шишку из администрации.

— В любом случае, — заявила шишка, — вы не по-

хожи на стерву, которая может дать взаймы штуку баксов.

— Это мой друг! — Настя пальцем показала на причмокивающего Петрова. — Он немножко перебрал, и я решила отвезти его домой. А его унесли прямо у меня из-под носа.

— Если это ваш друг, то побыстрее уберите его с балкона, на улице темнеет, нам придется ставить дополнительный свет, — раздосадованно заметил корреспондент.

Отчего-то его просьбу восприняли как руководство к действию почти все присутствующие и всем гуртом ломанулись на балкон.

— Стойте! — испуганно закричал патлатый и вытянул вперед руки с растопыренными пальцами.

В ту же секунду раздался отвратительный хруст, и балкон, дрогнув, начал медленно обрушиваться вниз, словно сухое ласточкино гнездо. Настя закричала и попятилась назад, потянув за собой Геракла. Оператор, восторженно ухая, снимал сцену «Гибель Помпеи», прыгая по скользкому паркету, словно фигурист, нутром чующий олимпийское «золото».

— Вот и все, — грустно простонал патлатый, стоя посреди комнаты весь в белом. Черные носки, вкрапленные в образ его невинности, почему-то рассердили Настю.

— Если бы не ваша вопиющая трусость, ничего бы не случилось! — крикнула она по дороге к двери.

— Я проявил чудеса храбрости, спасая брата! — возмутился тот.

— И где теперь ваш брат? — уничтожила его Настя и устремилась на улицу.

Здесь стоял гвалт, как на птичьем базаре. Балкон, оказывается, не свалился вниз окончательно, а повис на одном «ушке», высыпав всех, кто на нем был, в тот самый палисадник, где начиналась съемка.

По странному стечению обстоятельств в этом же дворе обнаружился травмпункт, откуда граждане под руки привели поддатого дежурного врача. Он бродил в опасной зоне, словно турист среди величественных развалин, и время от времени восклицал:

— Какая драма!

К счастью, все пострадавшие остались живы. Даже шишка из местной администрации. Впрочем, сейчас шишка выглядела так, будто ее вылущила белка. Но самая большая неприятность случилась с Петровым. Плед, в который он был завернут, зацепился за кусок арматуры и повис над головами собравшихся, словно люлька со спеленутым младенцем. Пришедший в себя Петров лежал в этой люльке вниз лицом и тупо повторял:

— Господи, что я пил?

Спустя некоторое время, злобно воя, к месту происшествия подтянулись медицинские и пожарные машины. Когда Петрова спустили на землю, санитары сразу же протянули к нему свои большие равнодушные руки. Но тут вмешался Геракл:

— Я сам его донесу! — важно сказал он, оттолкнув плечом ближайший «халат». И добавил для Насти: — Вон наш Шумахер, дуем к нему.

Спасенный Петров обнял Геракла за шею и доверчиво прижался к его широкой груди.

— Слушай, зачем он тебе сдался? — брезгливо спросил тот, гулливерскими шагами двигаясь в направлении «Волги». — Настоящих мужиков, что ли, мало?

— Он интересует меня не как мужик, — ответила Настя. — У меня к нему дело совершенно другого рода.

Едва успев договорить, она тут же вспомнила, что нечто подобное сказала ей в свой последний вечер Любочка Мерлужина, имея в виду усатого. Что он интересует ее не как мужчина. Может быть, Любочка вовсе не врала? И ее с усатым объединяли какие-то общие дела?

— Ну, отвоевали свое сокровище? — спросил Вельямин, озирая Петрова с нескрываемым интересом. Тот забился на заднее сиденье и бессмысленным взглядом уставился на руки, сложенные на коленках.

— Сама не верю, — пробормотала Настя.

— Моя бывшая жена, — завел Вельямин старую песню, — никогда так за мной не бегала, как вы за этим типом.

— Он мне дико нравится, — мрачно сообщила Настя, чтобы не вдаваться в подробности. — Едем к «Московским новостям», я оставила там машину.

Когда они прибыли на место, Геракл сказал, охотно принимая щедрое вознаграждение:

— Если понадобится помощь — я по вечерам на бульваре! У меня там бизнес.

— Я денег не возьму, — категорически отказался Вельямин. — И телефончика у вас тоже просить не стану, — добавил он вызывающе.

— Что же вы мне помогали? — удивилась Настя. — Милиционеру штраф заплатили за превышение?

— Просто мне скучно жить! — признался тот.

Настя вытащила смирного Петрова на улицу и повела к своей машине. Он шел за ней, словно козленок, разве что бубенцами не звенел.

— Сейчас поедем к моей подруге Люсе, — предупредила она. — Потому что одной мне, боюсь, с тобой, дружок, не справиться.

— Что я пил? — поинтересовался Петров, когда Настя, словно дитятю, пристегнула его ремнем безопасности.

— Вот уж не знаю! Но очень хочу узнать. Только не что пил, а с кем пил. Они тебе представились?

— Я ничего не помню.

— Это они тебе велели так говорить?

— Они? Меня что, украли инопланетяне? — с тоской в голосе спросил Петров. — Они высосали мои мозги?

— Какие еще инопланетяне?! — рассердилась Настя. — А мозгов у тебя нет, потому что смотришь всякую ерунду по телевизору!

Настя вырулила на шоссе и при этом, как водится, вцепилась обеими руками в руль.

— Хочется пить! — жалобно заныл Петров.

— Пить или выпить?

Петров горестно вздохнул, закрыл глаза и некоторое время сидел молча. Когда машина резко затормозила перед светофором, он удивленно поглядел на Настю и спросил:

— Вы кто?

— Ну-у... — протянула та. — Судя по всему, ты пил паленый «тройной» одеколон. Кстати, как тебя зовут?

— Петров.

— Если ты не в курсе, Петров — это фамилия. А зовут тебя как?

— Меня все так и зовут — Петров, — уперся он.

— А как тебя дома звали, когда ты был маленький?

— Гаденышем, — застенчиво признался тот.

— Оч-чень хорошо, — пробормотала Настя, развивая невиданную доселе для себя скорость.

Когда они подъехали к Люсиному дому, на улице уже стемнело. Она провела послушного Петрова по лестнице, держа его за сухую горячую руку. Лицо Петрова то и дело озаряла странная мерцающая улыбка.

В ответ на короткий звонок Люся открыла дверь и тут же зашикала:

— Ш-ш! Дети уже спят.

Люся была невысокой, пухленькой, но очень складной. Короткая мальчишеская стрижка придавала ей задиристый вид, а цепкие глаза, казалось, видели каждую вашу мысль, слежавшуюся в черепной коробке.

— К вам можно? — спросила Настя, напряженно

улыбаясь. — Знакомьтесь: это Люся Короткова. А это Гаденыш Петров.

— Здравствуйте, Гаденыш, — растерянно сказала Люся, отступая от двери. — Проходите в комнату, гостем будете.

Петров, словно робот, послушно отправился в комнату.

— Третий мужчина за одни сутки? — возмущенным шепотом спросила Люся, изображая на лице бурю и совершенно не думая об ужасных мимических складках, которые могли подорвать ее красоту.

— Это не мужчина, — терпеливо пояснила Настя, — а вместилище информации. Внутри его есть сведения, которые позарез мне необходимы!

— Он что, съел какую-то квитанцию? — тупо спросила Люся.

— Он кое-что слышал!

— А зачем ты привезла его ко мне?

— Ну не к себе же мне везти его ночью! — зашипела Настя. — Совершенно незнакомый мужик. Возможно, он вообще — дитя порока.

— С чего ты взяла? — расширила глаза Люся.

— У него большой влажный рот. И брат у него «голубой». Пойдем на кухню, я тебе все расскажу.

Когда через полчаса они заглянули в комнату, то увидели, что Петров и загипсованный Люсин муж сидят на диване перед включенным телевизором и в унисон похрапывают, доверчиво склонив головы друг к другу.

— Знаешь, что? — предложила Люся. — Пожалуй, дитя порока я размещу на раскладушке возле твоей постели.

— Я привезла его сюда не для того, чтобы он отсыпался! — возразила Настя. — Наутро у него в голове может произойти короткое замыкание. Надо допросить его прямо сейчас.

— Да мы его не разбудим!

— У тебя есть спиртное?

— Что-то очень дорогое и очень французское.

— Не думаю, что парень утончен до такой степени, — пробормотала Настя. — Хотя... Одет прилично и смекалист до невозможности.

Они налили в широкую бульонную кружку «Хеннесси» и начали осторожно приближаться к объекту, держа ее четырьмя руками.

— Отпусти-ка, — потребовала Настя и, подставив бульонницу Петрову под нос, покачала ее туда-сюда, чтобы пошел аромат.

Истекла целая минута, пока тот, не открывая глаз, сделал глубокий вдох, втянув внутрь трепетные ноздри. Потом последовал медленный выдох, и ноздри хищно распрямились.

— Оживает, — прошептала Люся, заворожённо глядя на дитя порока, которое яростно захлопало ресницами.

Сейчас Петров был до странности похож на киношного монстра, которого в соответствии со сценарием невзначай пробудили к жизни глупые люди. Чары пали, когда он, повинуясь осторожным понуканиям, приплелся на кухню и сделал из бульонницы несколько больших жадных глотков. Нездешние глаза его прояснились, тряпочные мускулы внезапно обрели упругость, а в позвоночнике вместо ватных шариков вновь застучали камушки.

— Это вы! — воскликнул Петров, с неподдельным чувством посмотрев на Настю. — Вы не бросили меня!

Люся тут же вопросительно искривила бровь.

— Ничего особенного, — пояснила та. — Просто я ассоциируюсь у него со ста рублями.

— Точно! Вы мне должны, — радостно закивал Петров.

— Я еще не получила от тебя никакой информации, — вкрадчиво ответила Настя, глядя на него, слов-

но на бокал, опасно качающийся на краю стола: только бы не разбился.

— Где мы? — спросил Петров, озираясь по сторонам.

— У моей подруги Люси. — Настя показала на нее подбородком, и Люся, чтобы выказать гостеприимство, изобразила на лице приторную улыбку и собрала много-много складочек вокруг глаз.

— Меня зовут Костя, — застенчиво представился Петров и поправил ладонями височки.

— Сто рублей дожидаются в моей сумочке, — подбодрила его Настя. — Тебе удалось что-нибудь услышать на бульваре?

— Конечно!

— Рассказывай.

— В общем, так. — Петров хлопнул ладонями по столу и задумчиво посмотрел на почти полную бульонницу. — Большой человек — начальник того, который поменьше. Он собирается послать его в какое-то место, которое называется Сады Семирамиды.

— За границу, что ли? — подозрительно спросила Люся.

— Вот этого я не знаю, — с сожалением цокнул языком Петров. — Маленький должен провести там операцию на воде. Большой так и сказал: операцию на воде.

— Усатый сказал?

— Да-да, большой и усатый. Это он виноват в том, что я слышал так мало: все время озирался и, как только замечал меня, старался увести маленького подальше.

— А потом эти типы поднесли тебе чарочку, — обвиняющим тоном подхватила Настя. — И ты, конечно, не смог устоять.

— А кто бы смог? — простодушно спросил Петров, быстро наклонился и, протяжно хлюпнув, отпил очередную порцию коньяка из бульонницы. Коньяк действовал на него, словно живая вода.

— Еще что-нибудь ты слышал? — не отставала Настя, жадно глядя на его большой рот. Рот был словно создан для того, чтобы выбалтывать тайны.

— Они упоминали о какой-то женщине. О том, что у нее идеальный напев.

— Напев? — Настя и Люся изумленно переглянулись.

— Нет, не напев, — досадливо поморщился Петров. — Мотив. — Он прищелкнул пальцами. — Идеальный мотив.

— Для чего?

— Вот этого я не знаю. Они все больше говорили какими-то намеками. Усатый сказал, что маленький должен сильно постараться, а тот ответил, что уже постарался и отлично унавозил почву.

— А они ничего не говорили про Любу? Или Любочку? — волнуясь, поинтересовалась Настя.

— Они вообще не называли ни имен, ни фамилий. По крайней мере, я ничего такого не слышал.

— Ну еще хоть что-нибудь! — попросила Настя, умоляюще складывая руки. — Ты же раз десять бегал за мячом! И так долго собирал фантики!

— Больше ничего связного, — покачал головой Петров. — Где моя сотня?

Настя вздохнула и полезла за деньгами.

— Вы помните, где живете? — спросила тем временем Люся.

Петров обиделся:

— С чего бы мне забыть? Конечно, я помню. Сейчас поймаю тачку и поеду домой.

— Не оставишь мне телефончик? — спросила Настя, протягивая сторублевку своему разведчику.

— Зачем? — спросил Петров.

— Ну... Мало ли. Может, ты что-нибудь еще вспомнишь.

— Тогда лучше уж вы оставьте мне свой телефончик. Если я чего вспомню, обязательно позвоню.

— Когда ему понадобятся деньги на выпивку, он что-нибудь выдумает, — шепотом предупредила подругу Люся. — Сочинит тебе целое либретто.

— Послушай, Костя Петров, у тебя есть куда записать телефон? — отмахнулась от нее Настя.

— Естественно! — Он отлепил зад от табуретки и вытащил из брючного кармана записную книжку. Одновременно на пол упал голубой прямоугольник. Настя такой уже видела. Точно видела! В ресторане, когда встретилась с Любочкой. Не дав Петрову опомниться, она упала на колени и схватила визитку в руки. Петров тотчас же хлопнул себя ладонью по лбу:

— Это он мне дал! Усатый! Сказал, что, если я еще хоть раз встречусь с вами, надо обязательно ему позвонить. Кстати, он мой тезка. Его тоже Костей зовут.

Подруги взволнованно переглянулись.

— То есть ты ему рассказал про меня? — уточнила Настя.

— Конечно! — удивился Петров. — Он умный мужик: сразу догадался, что я не просто так вокруг хороводы вожу. Не мог же я ему соврать!

— Действительно... — пробормотала Люся. — Как ты не подумала? Не мог же он ему соврать?

Поднявшись на ноги, Настя тщательно изучила визитку. «Константин Алексеевич Ясюкевич, психолог». И вовсе не «КЛС» было написано в углу визитки, а «АЛЕЯК». «Надо позвонить этому гипнотизеру — «на щечке родинка» — и сказать ему пару ласковых слов», — сердито подумала Настя.

— Вот что интересно, — она поделилась с Люсей внезапно возникшей мыслью. — Я начала искать компанию «Клин Стар» только потому, что была уверена — именно там работает усатый. А убедил меня в этом компьютерщик Владимир, уверяя, что на визитке усатого я видела буквы «КЛС». Но на самом деле буквы на визитке совсем другие. А усатый тем не менее имеет непосредственное отношение к «КЛС»!

— Это просто совпадение, — успокоила ее Люся. — Как еще это можно объяснить?

— В отличие от тебя, я не люблю совпадений, — поежилась Настя и повторила: — Ясюкевич. Значит, этот Ясюкевич не работает в «Клин Стар». Он психолог центра «АЛЕЯК». Но что тогда он делал в офисе «Клин Стар»?

Петров, все это время боровшийся со сном, не выдержал пытки и плотно закрыл глаза.

— Эй! — окликнула его Люся. — Ты, кажется, хотел записать телефончик. Давай пиши.

Петров не реагировал. Когда Люся толкнула его в плечо, он неожиданно покачнулся и начал заваливаться на бок, рискуя свалиться с табуретки.

— Ой-ой-ой! — закричали подруги и, подхватив его, прислонили к стене.

— Отрубился, — сообщила Люся. — Вероятно, у человека было временное просветление, а теперь он снова в отключке.

Она взяла его записную книжку и раскрыла.

— Смотри, что тут написано! В экстренных случаях звонить по телефону... Спросить Ларису. Круглосуточно. Как ты считаешь, у нас экстренный случай?

— Еще бы, — мрачно сказала Настя. — Звони, не мешкая.

Люся потерла переносицу и подумала вслух:

— Раз круглосуточно, значит, нас не пошлют.

Она схватила телефон и быстро набрала номер, сверяясь с книжкой.

— Алло! — после первого же гудка трубку сняла женщина. — Я вас слушаю.

— Можно Ларису? — осторожно поинтересовалась Люся. — У нас тут э-э-э... Петров. Он... Э-э-э...

— Мишук! — звонко закричала женщина, по-види-

мому, прикрыв трубку рукой. — Он нашелся! — Ее голос снова ударил по Люсиным барабанным перепонкам. — Куда за ним приехать?

Люся быстро продиктовала адрес и попросила:

— Только вы не звоните, а постучите, у нас дети спят.

— Послушайте, а как он к вам попал? — весело спросила невидимая Лариса.

— Понимаете, — объяснила Люся, заведя глаза к потолку. — Он лежал на балконе у брата...

— Так-так, — поощрила ее Лариса, очевидно, находя рассказ страшно забавным.

— И балкон обвалился.

— Что вы говорите?

— Мы подобрали его внизу и хотели подвезти до дому, но он заснул, не успев сообщить адрес.

— А наш телефон вы как узнали?

— У него из кармана выпала записная книжка...

— Чего ты перед ней оправдываешься? — горячо зашептала Настя. — Пусть скажет спасибо, что мы не выкинули его на помойку!

— Спасибо вам, — с чувством произнесла Лариса. — В прошлый раз его отнесли на помойку и сгребли вместе с мусором.

Лариса и Мишук приехали за Петровым примерно минут через сорок. На улице начался дождь, и оба они были в одинаковых желтых дождевиках с капюшонами, оба улыбались, показывая ровные влажные зубы, и относились ко всему как к забавному приключению.

— А вы ему кто? — напоследок поинтересовалась Настя, провожая процессию до лифта.

Мишук держал Петрова под мышки, Лариса — за ноги. Рука Петрова безжизненно свисала вниз, поскребывая пальцами выщербленную плитку.

— Мы его коллеги, — сообщила Лариса. — Наркологи. Занимаемся срочным вытрезвлением граждан. Доктор Петров проводит на себе опасный эксперимент — пытается влезть в шкуру тех, с кем имеет дело.

Настя с Люсей переглянулись и прыснули.

— Смотрите, чтобы эта шкура к нему не приросла, — предупредила Настя уже закрывшуюся дверь лифта.


— Наверное, ты чувствуешь себя виноватой, — заметил за завтраком Люсин муж Петя, указав глазами на свою загипсованную ногу.

«Пить надо меньше», — подумала про себя Настя, но вслух, конечно, ничего не сказала, потому что муж лучшей подруги — существо неприкосновенное. Он всегда выше критики.

— Сам виноват, — тут же встряла Люся, подсовывая Пете еще один тост.

— Я?! — до глубины души возмутился тот. — Я споткнулся об изгородь палисадника, когда шел на правое дело!

— У пьяных всегда так: и заборы слишком высокие, и рюмки слишком большие, — отрезала жена.

Семейное достояние Коротковых — двухлетних близняшек Полю и Толю — бабушка на несколько часов забрала на прогулку в парк, поэтому завтрак проходил без вокального сопровождения.

— Кофе я отнесу тебе в комнату, — не допускающим возражений тоном сообщила Люся мужу. — Нам с Настей надо пошептаться.

Недовольно ворча, Петя потянулся за костылями.

— Не прикидывайся рассерженным! Я в курсе, что через пятнадцать минут на экране появится твоя любимая Лусия Мендес!

— Петька что, правда смотрит сериалы? — не поверила Настя.

— Боюсь, что он втянется, и когда снимут гипс, я не отскребу его от дивана.

— Хорошо тебе сейчас — вся семья дома.

— Хорошо?! Ты просто не знаешь, что такое домашнее хозяйство! Это Бермудский треугольник, в котором исчезают молодость, продукты и тонны стирального порошка. А муж у меня теперь как третий близнец. Кроме того, раньше мы встречались только по выходным, и я не подозревала, какой у него мерзкий характер. Впрочем, это все проза жизни. Давай-ка лучше поговорим о том, что тебе удалось узнать по поводу Любочки Мерлужиной. Подведем, так сказать, итоги.

Настя охотно откликнулась на это предложение. Ей и самой хотелось обсудить все, что случилось.

— Итак, — начала она, — Любочка Мерлужина уехала из загородного дома в Москву, сказав мужу, что несколько ночей проведет у тетки. Накануне самоубийства я встретила ее в ресторане под руку с усатым мужчиной.

— Теперь мы знаем его фамилию, — перебила Люся, — поэтому, чтобы не сбиваться, называй усатого как положено — Ясюкевичем.

— Хорошо. Итак, накануне самоубийства Любочка ужинает в ресторане с неким Ясюкевичем. Он не разрешает ей отходить от него далеко и внимательно слушает, о чем мы с ней говорим. Любочка находит предлог, чтобы передать мне записку, где черным по белому написано: «Меня хотят убить». Утром выясняется, что она покончила с собой в городской квартире, оставив странное предсмертное письмо.

— Почему странное? — заинтересовалась Люся.

— Потому что оно безликое. Там только дата. Нет ни обращения, ни прощальных слов.

— Эгоистичное письмо, — отрезала Люся. — Ничего особенного для женщины, которая заботилась только о себе. И вообще — все самоубийцы эгоистичны. Они не думают о тех, кому причиняют боль.

— Ну, хорошо, — не стала спорить Настя. — Пусть

так. А накануне ранним утром на даче у Мерлужиных шарят люди из компании «Клин Стар». Одновременно с этим странные события начинают происходить и у меня. Сначала ко мне приклеивается Иван. Затем он загадочным образом исчезает. У меня ломается компьютер, и компьютерный мастер, который случайно оказывается гипнотизером, помогает мне вспомнить, что на визитке Ясюкевича написаны буквы «КЛС». Именно поэтому я начинаю искать фирму «КЛС», нахожу и встречаю в ее офисе Ясюкевича. Однако, как позже выясняется, на его визитке написано нечто совершенно другое. Гипнотизер ошибся или обманул меня.

— Что этот Ясюкевич вообще делал в офисе «Клин Стар»?

— Понятия не имею. Если верить визитке, он не работает в этой фирме. И сотрудничать с ней не может. Он психолог, а фирма занимается уборкой помещений.

— Ладно, давай неясности оставим на потом. Перейдем к встрече парочки на Тверском бульваре. Ты подбила Петрова подслушать, о чем у них пойдет разговор.

— И он выяснил, что Ясюкевич посылает Аврунина в некое место под названием «Сады Семирамиды», чтобы тот провел операцию на воде. У женщины, говорят они, хороший мотив, и почва уже унавожена.

— Слушай! — Люся больно схватила подругу за запястье. — Может, это шпионы? Враги нашей родины?

— Не знаю, чем могла помешать врагам родины Любочка Мерлужина, — пробормотала Настя. — Кстати, не забудь мне напомнить, чтобы я позвонила в компьютерную фирму этому гипнотизеру-недоучке. Меня просто распирает сказать ему пару ласковых слов.

— Так позвони сейчас! Что тебя держит?

Настя достала из сумочки записную книжку и аккуратно набрала номер.

— Алло! — важно сказала она в трубку, когда ей от-

ветили. — Могу я поговорить с Владимиром? Владимир? Здравствуйте. Это Настя Шестакова. Вы приезжали ко мне на дачу и... — Она споткнулась на полуслове и удивленно подняла брови: — Не вы? Извините. Значит, мне нужен другой Владимир. Как другого нет? Простите, но я вчера вызывала мастера именно из вашей фирмы. Я всегда вызываю из вашей... Да, хорошо.

Она растерянно посмотрела на Люсю и, прикрыв трубку ладонью, пояснила:

— Говорят, ко мне никто не приезжал. Сейчас подойдет их начальник. Да-да, — оживилась она. — Да, Анастасия Шестакова. Рада, что вы меня помните. Ах, вы лично принимали у меня заказ?

Она некоторое время молча слушала, затем сказала:

— Как же так? Ко мне приезжал мастер из вашей фирмы. Представился Владимиром... Какое недоразумение?

Послушав еще немного, она попрощалась и осторожно положила трубку на рычаг.

— Он клянется, что ровно через пятнадцать минут после первого звонка я перезвонила и отменила вызов.

Подруги в немом изумлении уставились друг на друга. Сразу же стали слышны бурные рыдания, доносящиеся из комнаты.

— Что это? — вздрогнула Настя.

— Это кричит Лусия Мендес, — успокоила ее Люся и тут же вернулась к прежней теме: — То есть ты хочешь сказать, что парень, который починил твой компьютер, взялся невесть откуда?

— Выходит, так, — кивнула Настя. — Только смотри, что получается: на фирме мне обещали, что пришлют Владимира, и тот тип, который приехал, тоже представился Владимиром!

— Очень плохо, — покачала головой Люся. — Чует мое сердце, это все одно и то же дело. Любочка впутала в него тебя, когда подсунула записку. Если ты еще и не вляпалась окончательно, то коготок у тебя уж точно увяз.

— И что же мне теперь делать? — растерялась Настя.

— Иди в милицию и все-все расскажи. Там тебе твой увязший коготок — чик! — и отхватят. Снова окажешься на свободе.

— Я подумаю.

— Послушай, дорогая моя, — Люся по-пиратски сощурила глаз. — А с чего вообще началась вся эта история?

— С Ивана, — тотчас же ответила Настя, и внутри у нее противно заныло, словно где-то там, в груди, вместо сердца сидел простуженный зуб.

Она, запинаясь, принялась рассказывать про знакомство с Мистером Вселенная, а Люся кивала, поощряя каждое новое откровение. Наконец не выдержала и воскликнула:

— Так какого лешего ты от него отказалась?!

— Как ты не понимаешь? — возмутилась Настя, которая из кожи вон лезла, пытаясь мотивировать свои поступки. — Это мужчина из какой-то другой жизни. Целоваться с ним — все равно, что целоваться с «Автопортретом» Дюрера. Весь вечер я чувствовала себя самозванкой. Так, будто бы я его обманываю. Будто я — третьесортный товар, на который по ошибке навесили элитный ярлычок!

— Но он ведь не слепой! — возразила Люся. — Он был достаточно близко, чтобы разглядеть «все твои трещинки». Он сам причислил тебя к первому сорту.

— Однако с утра нашел предлог, чтобы исчезнуть.

— Это тебя, конечно, задело.

— Смутило, — поправила Настя. — Настолько, что я даже подумываю о том, чтобы извиниться.

— Перед Иваном? А где ты его возьмешь?

— Я ведь была у него дома, — пожала плечами Нас-

тя. — Запомнила адрес. Память у меня что надо. В отличие от интуиции.

— Поезжай к нему прямо сейчас! — загорелась Люся.

Настя промямлила:

— Наверное, он на работе.

— А кем он работает?

— Я не знаю. Разговор об этом как-то не заходил. Вернее, заходил, но всегда сворачивал в сторону.

— Может быть, он артист? — предположила Люся. — Тогда у него работа начинается вечером. Или манекенщик. Судя по твоим отзывам, он — нечто особенное.

— Это так, — уныло согласилась Настя.

— Не будь мямлей, поднимайся.

— Может быть, ты поедешь со мной?

— Еще чего! Вы станете выяснять отношения, а я буду стоять поодаль и бросать на вас хищные взоры?

— Почему хищные?

— Потому что я неравнодушна к красоте в любом ее проявлении.

— Хорошо, тогда я поеду одна, — решилась наконец Настя.

## 5

Сказать по правде, ехать к Ивану она боялась. Вернее, ей было не по себе. Если бы между ними существовали хоть какие-то отношения и они некоторое время встречались... А так? Всего один бурный вечер и одна сумбурная ночь. Может быть, для такого парня, как Иван, это вообще ничего не значит и Настя — лишь крошечная искорка в фейерверке его бесконечно исполняющихся желаний.

Тем не менее она была полна решимости повидаться с ним еще раз. «Впечатление о мужчине должно быть цельным, — думала она. — Либо плохим, либо хорошим. Иначе тоска по несбывшемуся съест тебя с потрохами».

Она без труда нашла нужную улицу, потому что в прошлый раз сидела за рулем и отлично запомнила дорогу. Ей хотелось, чтобы, невзирая на дневное время, Иван оказался дома, ведь во второй раз решиться приехать к нему будет еще труднее.

Очутившись перед знакомой дверью, Настя почувствовала дрожь в коленках. Из-за двери доносилась ритмичная музыка, и ее зубы стали активно стучать в унисон. Руки сделались потными и дрожали, как у пьянчужки. Чтобы успокоиться, она несколько раз глубоко вдохнула, подняв руки вверх и потом резко бросив их вниз.

— Мне тридцать лет, — вслух сказала она себе. — Я не должна вести себя, как девственница, перед которой сняли брюки. Я большая девочка, я готова встретить лицом к лицу того, кто сейчас передо мной появится. Что бы он ни сказал, я не стану паниковать или, не приведи господи, плакать. Кроме того, он не монстр и не откусит мне голову просто за то, что я заехала поговорить.

— К-хм, — выразительно кашлянул кто-то позади нее, и Настя подпрыгнула, словно каучуковый мячик. Обернувшись, она нос к носу столкнулась с незнакомым мужчиной в очках-хамелеонах, который смотрел на нее через коричневые стекла с невероятным любопытством. Был он среднего роста и не особенно крепко сбит, однако в опущенных руках и дерзкой посадке головы ощущалась скрытая сила, которая разит наповал даже самых взыскательных женщин. Крупный нос и резко очерченный подбородок придавали ему упрямый вид. В качестве противовеса всей этой мужественности

на высоком лбу топорщилась короткая аспирантская челка.

— Господи! — воскликнула Настя, страшно рассердившись. — Зачем вы ко мне подкрались, как индеец?!

— Извините, — мрачно ухмыльнулся обладатель очков. — У меня очень мягкие подошвы.

— Дурак какой-то, — буркнула она. — Идите отсюда.

Мужчина был некрасив, и это ободряло, позволяло чувствовать себя раскованно. Вместо того чтобы отодвинуться, он продолжал стоять и изучающе ее разглядывать.

— Что вам надо? — Настя почувствовала, как на самом донышке души звякнули льдинки беспокойства.

— Это моя квартира, — заявил незнакомец, ткнув рукой в дверь. — И, как вы верно заметили, я не монстр. Так что можете смело выкладывать все, что у вас там наболело.

— Разбежался! — нахально отрезала Настя и, потянувшись к звонку, в панике принялась давить на кнопку. — Ну, открывай же скорее!

Мужчина аккуратно обошел ее и, достав из кармана ключ, вставил его в замочную скважину. Два раза повернул и распахнул дверь, из-за которой на лестничную площадку вырвалась освобожденная музыка.

— Я открыл, — сообщил он, поворачиваясь к Насте лицом. — А теперь могу я узнать, кто вы такая?

— Нет, это вы кто такой? — возразила она, отчаянно петушась.

— Купцов Игорь Алексеевич, — чинно представился незнакомец и даже протянул Насте прямую ладонь с оттопыренным большим пальцем.

Настя ладонь проигнорировала. Вместо этого она встала на цыпочки и заглянула Купцову через плечо, рассчитывая увидеть кого-нибудь знакомого — Ивана, его младшего брата или, на худой конец, его мать.

— Там никого нет, — уверил ее Купцов, неохотно опуская руку. — Я вышел за сигаретами и просто не стал выключать приемник.

— Послушайте, — сказала Настя, заглянув ему прямо в очки. — Это какое-то недоразумение.

— Я так и понял. Кстати, что вы там говорили про девственницу?

— Вы подслушали чужие мысли.

— Не передергивайте. Мысли были высказаны вслух прямо в подъезде.

— В пустом подъезде, — подчеркнула Настя. — Если бы я услышала шаги, я бы не раскрыла рта. А вы подкрались и ввели меня в заблуждение.

— Ладно, я подкрался, — покорился Купцов. — Я увидел, что перед моей дверью стоит незнакомая мадам и разговаривает сама с собой. Мне стало любопытно.

— Какая я вам мадам? — оскорбленно вздернула подбородок Настя.

— Вы сами сообщили свой возраст моей двери.

— Ну и что?

— А! Наверное, знакомые мужчины льстят вам и все еще называют девушкой.

— Послушайте, Игорь Алексеевич, — отступила Настя. — Вообще-то я приехала поговорить с Иваном.

— С каким Иваном, позвольте уточнить?

— Ну... С тем, который здесь живет. Живет с мамой и младшим братом.

— Вот здесь? — Купцов, не оборачиваясь, указал на квартиру за своей спиной.

— Ну да.

— Это какая-то ошибка, — решительно возразил он. — Здесь живу я. Причем в единственном числе. Об Иване я слышу в первый раз, о его брате и маме тоже. Вы перепутали адрес.

— Да ничего подобного! — воскликнула Настя. — .

Накануне я провела здесь потрясающий вечер! Дом был полон гостей, мы пили вино, танцевали...

— Так вы пьете, — хмуро заметил Купцов. — Пожалуй, это все объясняет.

— Послушайте, я была здесь! — уперлась Настя. — Именно здесь. Ну, как вам доказать? Слушайте: в маленькой комнате на письменном столе лежит морская раковина, полная мелких монет. Рядом — пепельница в форме рыбки. На стене картина неизвестного художника с изображением пруда с плавающими на поверхности желтыми листьями. На кухне — вертикальные жалюзи, а в ванной комнате — занавеска с дельфинами.

— Вы убиваете меня, — пробормотал Купцов, хмуря брови. — Вы в точности описываете мою квартиру, хотя я готов биться об заклад, что незнаком с вами и уж тем более никогда не приглашал вас в гости.

— Вот видите! — радостно воскликнула Настя. Впрочем, радость ее тут же остыла, словно сброшенный со сковородки блин. — Но как же Иван? — спросила она растерянно. — Он был тут! С мамой, братом, гостями и семейным фотоальбомом в придачу.

— Судя по всему, фамилии Ивана вы не знаете. — Настя потупилась. — А как он выглядит?

— Как бог, — быстро и деловито ответила она.

— Ваш бог блондин или брюнет? — стал допытываться Купцов. — Высокий или низкий?

— Безусловно, блондин и, безусловно, высокий, — надменно ответила Настя, бросив взгляд на темную макушку свого нечаянного знакомого.

— Заходите, — решительно предложил тот, отступая в сторону от двери. — Надо во всем этом хорошенько разобраться.

Настя нерешительно переступила порог. Квартира была чисто убрана, вещи как будто бы играли в «Замри!» — каждый стул стоял на своем месте и тайком улыбался, глядя на то, как гостья обшаривает глазами каждый пятачок пространства.

— Я вернулся из командировки вчера ночью, — сообщил Купцов, задумчиво потирая переносицу. — В мое отсутствие здесь была только женщина, которую я время от времени приглашаю прибраться.

— И долго вы были в командировке? — рассеянно спросила Настя.

— Больше месяца. Поэтому-то я и не могу поверить в вашу историю.

— Не можете поверить? — Настя перестала озираться и в упор посмотрела на него. — Но я ведь не сошла с ума!

— Откуда мне знать? — живо возразил тот. — Кстати, у вас сейчас совершенно дикий вид.

— Ничего удивительно. Я потрясена до глубины души. Представьте: вы знакомитесь с человеком, едете к нему домой, успеваете подружиться с его родственниками, рассмотреть его детские фотографии и даже становитесь очень близким человеком...

— Хотите сказать, вы стали близки в моей квартире? — с подозрением спросил Купцов.

— Успокойтесь, ханжа! Мы всего лишь целовались на балконе. Кстати! Я потеряла там сережку.

— Какую? — заинтересовался Купцов.

— Сережку-жемчужину. Такую кругленькую, на серебряной подвеске.

— Оставайтесь здесь, — велел тот и отправился на балкон.

Минут пять он занимался поисками, присев на корточки, а Настя все это время тупо смотрела на его всклокоченную макушку. Наконец с балкона до нее донесся удивленный возглас. Купцов появился в комнате, держа найденную сережку кончиками пальцев, словно пиявку.

— По всей видимости, это ваше, — сказал он со странным отвращением в голосе.

— Конечно, мое! — Настя подставила ладонь ковшиком, и сережка тяжелой каплей свалилась в нее.

— Неужели вы носите такие старушечьи украшения? — пробормотал Купцов. — Впоследствии я мог бы подарить вам что-нибудь более... хм... молодежное.

— Вы? Подарить? Мне? — переспросила Настя, глядя на него с откровенным непониманием.

— Знаете, вы мне нравитесь, — без обиняков признался тот. — Думаю, я мог бы приударить за вами. Вам хочется, чтобы за вами ухаживали?

Он смотрел на нее внимательно и серьезно, как доктор, пытающийся поставить верный диагноз.

— Я вовсе не хочу, чтобы вы за мной ухаживали! — глупо моргнув, заявила Настя. — Запрещаю вам даже думать об этом.

— Разве женщина может запретить мужчине думать о том, чтобы оказывать ей знаки внимания? — удивился тот и, аккуратно поправив очки, спросил: — Кстати, как вас зовут?

— Анастасия, — выдавила из себя она.

— Я буду называть вас Настасьей, — уведомил ее наглый Купцов. — Скажите, а бог, с которым вы целовались на моем балконе, — он серьезный соперник?

— Послушайте, вы в своем уме? — дрогнувшим голосом спросила Настя, делая неуверенный шажок назад.

— Конечно, в своем. С чего вы взяли, что со мной что-то не так?

— Надеюсь, вы не маньяк? — Настя нервно хихикнула.

Как раз в эту минуту позвонили в дверь. Настя бросилась на звонок, словно хозяйская собачка, разве что без громкого лая. Задыхаясь, она открыла замок и изо всех сил дернула ручку. На пороге стоял пожилой свежевыбритый мужчина в светлом костюме и галстуке. Был он представителен и высокомерен и с важностью носил весьма заметный живот.

— Добрый день, — поприветствовал он Настю и, одарив ее ускользающей улыбкой, обратился к Купцову: — Машина внизу, можно ехать.

— Хорошо, я через пять минут спущусь, — сдержанно ответил тот и, обогнув Настю, резко захлопнул дверь. — Мне пора на работу, — пояснил он.

— А вы специалист в какой области? — спросила та.

— Я эксперт по оружию.

— Редкая профессия, — потерянно сказала Настя.

— Раз я собираюсь за тобой ухаживать, — непреклонно заявил Купцов, — нам лучше перейти на «ты».

— Послушайте, Игорь Алексеевич...

— Игорь, — мгновенно поправил тот. — И на «ты».

— Ты так ты! — с отчаянием в голосе бросила Настя. — Я очень сожалею, что испортила тебе утро. Но, как ты сам убедился, я действительно бывала тут раньше. Что ты по этому поводу думаешь?

— А что тут можно думать? Кто-то вскрыл мою квартиру, пока я находился в командировке, и заманил тебя сюда.

— Но почему?! Зачем?!

— Это надо у тебя спросить. — Купцов склонил голову к плечу и посмотрел на нее изучающе.

— Но использовали твою квартиру! — вскипела Настя. — Трудно поверить, что перед командировкой ты просто обронил ключи, а какие-то аферисты случайно выудили связку из водостока, куда ее смыло буйным июньским ливнем.

— Пожалуйста, успокойся, — попросил Купцов. — Хотя ты очень хорошенькая, когда сердишься, я люблю, чтобы эмоции держались под контролем.

— Мне все равно, что ты любишь, а что нет! — разо-

шлась Настя. — И если ты отказываешься искать ответ на эту загадку, я сама его найду!

— Прекрасно. Тем более что мне сейчас нужно уехать. Кстати, у тебя паспорт с собой?

— Да, а ты собираешься по-быстрому на мне жениться? — подбоченилась Настя.

— Жениться чуть позже, — ответил Купцов, даже не ухмыльнувшись. — Не мог бы я просто взглянуть на этот документ?

— С какой стати? — опешила Настя.

— Настасья, дай, пожалуйста, паспорт. На одну минуту. И мирно разойдемся.

— Ну и странная квартирка! — присвистнула та, прижимая сумочку к животу.

Купцов сделал резкий бросок вперед и, проведя захват, просто выдернул сумочку у нее из рук. Чувствуя его стальную руку у себя на горле и понимая, что ей катастрофически не хватает воздуха, Настя просипела:

— Ты же говорил, что хочешь на мне жениться.

— Я думаю над этим.

— На трупах не женятся, — предупредила она. — А ты меня сейчас задушишь!

— Извини. — Купцов ослабил хватку и виновато отступил. — Иногда не могу рассчитать силы. У меня не слишком богатый опыт нападения на слабый пол.

Пока Настя приходила в себя, он достал из сумочки ее паспорт и принялся внимательно изучать.

— Ну, все. Теперь можно ехать, — заявил он наконец, возвращая ей все добро разом. — И не сердись, пожалуйста. Я должен был узнать твою фамилию и адрес.

— Таким способом?!

— Ты бы мне соврала, я по глазам вижу.

— Тоже мне, эксперт по женщинам! — обиженно сказала Настя. — И не воображай, что, обращаясь со мной подобным образом, ты имеешь хоть какие-то шансы на взаимность.

— Обсудим это позже, — заявил Купцов и снова поправил очки. — Я сейчас очень загружен.

— За женщинами не ухаживают периодами, — ехидно заметила Настя, первой выходя на лестничную площадку. — Женщинам не нужны типы, которые ставят их на второе место после деловых интересов.

— Женщинам также не нужны безработные эксперты по оружию, — в тон ей заметил Купцов и с силой захлопнул дверь. — Тебя подвезти, дорогая?

Услышав это словечко — дорогая, — Настя громко фыркнула и начала спускаться по лестнице.

— До встречи, милая! — крикнул ей в спину Купцов.

Сев в машину и нажав на газ, она ни разу не оглянулась назад.


Заехав в большой магазин, Настя долго бродила по отделам, пытаясь выработать хоть какую-нибудь стратегию. Неожиданно на нее напало пораженческое настроение. Она немедленно выкидывает из головы все, что связано с гибелью Мерлужиных! Ни Макару, ни Любочке уже ничем не поможешь, а она не народный мститель, чтобы в поисках справедливости рисковать собственной шкурой. У нее еще есть простые женские надежды и две-три заветные мечты, которые вполне могут осуществиться.

Москва лежала перед ней, раскисшая от жары. Воздух дрожал так, будто на улицу из окрестных домов высыпали все имеющиеся в наличии привидения, чтобы погреться на солнышке.

Настя купила пакетик сока и забрела в сквер в поисках тени. Через минуту к ней на скамейку подсели две нарядно одетые дамы — блондинка и брюнетка. Они синхронно закинули ногу на ногу, выставив на всеобщее обозрение босоножки с такими длинными носами, что в них вполне можно было бы спрятать по морковке. Дамы достали из крошечных сумочек тонкие сигареты

и, закурив, принялись болтать, перескакивая с предмета на предмет с чисто женской непринужденностью.

— Я отвезу тебя в этот салон, — покровительственно говорила блондинка, выпуская дым в воздух узенькой ленточкой. — Можно поехать в пятницу.

— Нет, лучше давай на следующей неделе. В пятницу я обещала отвезти бабуську за город.

— И куда ты ее пристроила?

— Отличное местечко, называется «Сады Семирамиды». Там речка, лес, четыре раза в день кормежка. В общем, полный шоколад.

Настя вздрогнула и принялась так усердно втягивать в себя сок, что даже не заметила, когда он закончился. Пакет издал неприятное длинное рычание, и дамы, обернувшись, с любопытством уставились на Настю. Она глупо улыбнулась, они улыбнулись в ответ и тут же продолжили беседу.

— А где находятся эти «Сады Семирамиды»? — спросила блондинка.

— Минут сорок по Савеловской дороге. Я, конечно, отвезу бабуську на машине. Доезжаешь до Бескудниковского бульвара, потом сворачиваешь направо...

Настя готова была заткнуть уши руками. Однако это привлекло бы к ней внимание, поэтому она вскочила и быстро пошла прочь. «Никакой это не знак, — убеждала она себя, со злостью швырнув пустой пакет в урну. — Это у Люси каждая кошка — зловещее предзнаменование, даже если черный у нее только кончик хвоста. Не стану обращать внимания. Сдались мне эти «Сады Семирамиды»! Незачем мне знать, как туда ехать. Кроме того, что мне там делать?»

Тем не менее по пути домой она пропустила нужный поворот, потом зазевалась на светофоре и получила свою порцию рассерженных гудков и водительских воплей. «Нет, это не знак, — продолжала она убеждать сама себя, плетясь к подъезду. — Знак — это что-то более весомое. Что-то зримое. Да, именно так! Зримое. А просто слова? Пуф! Они уже улетели в космос. Можно сделать вид, что я их не расслышала».

Достав ключи, она вытащила из почтового ящика беспорядочную кипу газет и рекламных листовок и сунула ее под мышку. Войдя в квартиру, небрежно бросила все это на подзеркальный столик и, скинув туфли, задержала взгляд на тощем красочном буклете, оказавшемся сверху. Кроваво-красные буквы назойливо лезли в глаза. «ОТДЫХАЙТЕ В ПОДМОСКОВЬЕ!» Ниже шел перечень мест, где можно отдохнуть на все сто, и вторым в списке оказался пансионат «Сады Семирамиды».

— Нет, ну это надо же, а! — воскликнула она, схватила буклет и азартно шлепнула им по ладони. — Не могу поверить в это сказочное свинство!

Она изорвала буклет на мелкие клочки и, чтобы они немым укором не выглядывали из мусорного ведра, спустила их в канализацию. Гневно стуча пятками по паркету, Настя пооткрывала в квартире все окна, приняла душ и, повалившись в кресло, включила телевизор. «По телевизору пансионаты не рекламируют», — злорадно подумала она. Однако где-то внутри притаился клубочек веселого ужаса, который то и дело подскакивал к самому горлу, заставляя Настю переключаться с канала на канал. Наконец она выбрала передачу о кино. Речь шла о съемках только что вышедшей на экраны отечественной «мыльной оперы», и творческий коллектив делился своими впечатлениями и воспоминаниями.

Вот крупным планом дали лицо режиссера с печатью усталости на челе.

— Эпизод с дракой мы снимали в подмосковном пансионате, — сообщил он. — Не слишком далеко от столицы. Савеловское направление...

Настя схватила пульт и поспешно нажала на кнопку. Экран мрачно потемнел, а речь режиссера оборвалась на полуслове. «Лучше мне не сидеть здесь и не ис-

кушать судьбу, — подумала Настя. — Схожу-ка я в кино. На девятнадцатичасовой сеанс. Домой вернусь в половине десятого, пока поужинаю, пока то да се, уже пора будет ложиться спать. Ну, пусть даже это знаки. Плевать мне на них! Я обещала Люсе вытащить свой коготок из всего этого дерьма, и я его вытащу!»

В половине десятого вечера она вышла из кинотеатра и мрачно огляделась по сторонам. Фильм оказался дрянным и совсем не мешал думать обо всяких глупостях. «А что, если просто подъехать к этому пансионату да посмотреть, что там и как? — царапнулась в голове подлая мыслишка. — В конце концов, я теперь на колесах, никак не связана с транспортом и дурацким расписанием. Если что не понравится или покажется подозрительным, заведу мотор да уеду. Всего и делов-то!»

Приняв судьбоносное решение, Настя заехала домой переодеться. Ей казалось, что не пристало сверкать голыми ногами там, где ты рассчитываешь разжиться информацией. Опять же комары могут испортить даже короткую прогулку по окрестностям. На всякий случай она сунула в карман маленький тюбик с кремом, призванным отпугивать всяческий гнус, улыбнулась своему отражению в зеркале и отправилась в путь.

Пансионат «Сады Семирамиды» расположился на берегу реки. Несколько двухэтажных каменных корпусов, глядящих в затылок друг другу, навевали уныние. Вокруг них кучками, словно грибы, были разбросаны деревянные коттеджи. Несмотря на внушительную металлическую ограду, вход оказался открыт, и Настя беспрепятственно проникла на территорию. Она решила просто побродить вокруг и оглядеться.

Над землей уже воцарилась роскошная летняя ночь со всей своей атрибутикой: пронзительно верещали сверчки, в небе в уютных гнездышках лежали звезды, многочисленные влюбленные парочки глазели из укромных уголков на сытую луну и томно вздыхали.

Одна такая парочка попалась Насте по дороге к главному корпусу. В свете тусклого фонаря она разглядела плотоядную физиономию кавалера и вкрадчивые движения его рук. У него на локте висела тонконогая растрепанная девица, которая громко хихикала и пыталась поцеловать своего спутника вытянутыми трубочкой губами.

— О ночь! Вместилище страстей! — продекламировал тот, широко поведя рукой вокруг себя.

Проходя мимо, Настя не сдержалась и фыркнула. Этому поэтично настроенному гаденышу уже наверняка перевалило за сорок, девчонка же похожа на школьницу. Впрочем, сейчас Насте было не до размышлений о морали. Глаза ее шарили по сторонам, ощупывая взглядом сгустки тьмы и ловя всякое подозрительное движение.

Попетляв между коттеджами, она уже собралась было спуститься к реке, как вдруг на узкой дорожке, ведущей к лесу, увидела фигуру, показавшуюся ей знакомой. Так и есть! Суетливо озираясь по сторонам, по дорожке семенил Аврунин. Конечно, света, который давали редкие фонари, в беспорядке натыканные по всей территории пансионата, было явно недостаточно, чтобы с уверенностью кого-то опознать, но Настина интуиция говорила «да».

Выходит, он уже здесь! И Насте невероятно повезло, что она наткнулась на него сразу, с первых же шагов. Аврунин очень спешил. «А вот если бы я приехала днем, пришлось бы без толку потратить много-много часов», — с удовлетворением подумала она.

Пока она размышляла, как лучше проследить за человеком-поросенком, по дорожке, цокая каблуками, пробежала какая-то женщина в наброшенной на плечи розовой кофточке. Настя сошла с асфальта на траву и

двинулась в том же направлении, забирая чуть в сторону, чтобы не столкнуться с Авруниным нос к носу. Вскоре она стала различать голоса и, торопясь подслушать, принялась перебегать от дерева к дереву, ориентируясь на размытое розовое пятно.

Наконец голоса приблизились, и невнятное бормотание разделилось на слова, обретшие смысл:

— Сейчас вы вернетесь в номер, сконцентрируетесь и сделаете это, — повелительно сказал Аврунин.

— Да, да! — с жаром ответила женщина.

Настя не могла разглядеть ее толком, видела лишь, что она небольшого роста, с темными волосами и очень хрупкая.

— Вы не должны торопиться, — продолжал Аврунин тоном оракула. — Необходима полная сосредоточенность. В общем, сделаете все так, как я вас учил.

— Да, да! — снова подтвердила женщина полушепотом.

— Доверьтесь мне, Инга!

Настя, державшаяся двумя руками за ствол сосны, переступила с ноги на ногу. Раздался хруст ломающейся ветки. Ахнув, женщина вскинулась и повернулась лицом к лесу.

— Что это? — дрожащим голоском спросила она.

— Наверное, кабан! — со знанием дела ответил человек-поросенок, и в ту же секунду мимо Насти просвистела большая шишка.

«Если они начнут за мной охотиться, придется изображать кабана и бежать сквозь бурелом с громким хрюканьем», — подумала она. Впрочем, Аврунин решил, что шишки вполне достаточно, и снова повернулся лицом к своей собеседнице:

— Вы возвращаетесь первой. Встречаемся, как договорились, в два часа ночи под зонтиком, о’кей?

— Да, да! — словно заводная, повторила женщина.

— А теперь идите. И не волнуйтесь: все будет хорошо. Только сделайте это!

«Боже мой, да что же эта Инга должна сделать?» — подумала Настя, раздираемая любопытством. Держа в уме самоубийство Любочки Мерлужиной, она решила сначала, что Аврунин приказывает Инге ни больше ни меньше, как покончить с собой. Но нет! Ведь он назначил ей свидание на два часа ночи. Значит, это «Сделайте!» относится к чему-то другому.

Информации не хватало, словно воздуха. Настя поняла: надо во что бы то ни стало проследить за Ингой и посмотреть, чем же она займется, возвратившись со свидания. «Хорошо, если эта Инга живет в коттедже, — размышляла Настя, торя дорожку в высокой траве. — А если в большом доме? Как мне проскользнуть вслед за ней?»

— Ах, невезуха! — шепотом воскликнула она, когда увидела, как Инга побежала как раз к двухэтажному корпусу — тому, что стоял ближе к лесу.

Ее розовая кофточка трепетала за плечами, а каблуки выстукивали нервную дробь по выщербленному асфальту. Настя метнулась было за ней, но через стекло увидела, что прямо в холле, на стуле возле входа, сидит толстая старуха. Старуха была знатная: второй подбородок лежал прямо на груди, делая ее похожей на жабу. И глаза у нее были в точности как у жабы — пустые и равнодушные. При взгляде на нее сразу становилось ясно, что со всяким комаром, подлетевшим слишком близко, будет покончено на счет «раз».

Настя беспомощно наблюдала за тем, как, влетев в холл, Инга бросилась к лестнице и помчалась на второй этаж. Второй этаж! Это означало, что в окно не подсмотришь. И внутрь никак не пробраться.

— Интересно, что делают в таких случаях профессионалы? — пробормотала Настя себе под нос.

Она осторожно обошла корпус, опасаясь наткнуться

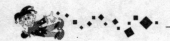 

по дороге на Аврунина, и успела увидеть, как на втором этаже вспыхнуло окошко. Прямо под этим окошком росла большая липа с мощным стволом и густой кроной.

— М-да, — сказала Настя, имевшая обыкновение разговаривать вслух, когда ее никто не слышал. — Покой, по определению, нам может только сниться.

Самым трудным, поняла она, будет путь до развилки. Там, выше, в темноту уходят толстые ветки, но добраться до них непросто. Подпрыгнув, она обхватила ствол руками и ногами и зависла на высоте собственного роста.

— Со стороны я, скорее всего, напоминаю мишку коала, — пробормотала она и тут же свалилась вниз, ударившись мягким местом.

Можно было попрыгать по полянке и потереть это самое место ладонями, но окно наверху не позволяло расслабляться. Собрав всю свою волю в кулак, Настя доползла-таки до развилки и уселась верхом на толстый сук. Листва пахла изумительно, и, если бы не желание заглянуть в проклятое окно, она, пожалуй, посидела бы так некоторое время, вдыхая сладкий липовый дух. Но дело есть дело. Проявив чудеса смелости и ловкости, гордясь собой до невероятности, она покорила такую высоту, которая позволяла заглянуть в комнату Инги. К счастью, занавески оказались не задернуты.

И что же? Разочарованию ее не было предела! Инга сидела за столом, держа ручку над листом бумаги, и о чем-то напряженно размышляла, уставившись в стену. Настя следила за ней минуту, две, пять. Еще немного — и руки ее ослабеют, после чего она шарахнется оземь и наверняка себе что-нибудь сломает. Может быть, даже шею.

Теперь-то она поняла, почему кошки, взобравшись на дерево, начинают орать как оглашенные. Спускаться вниз гораздо труднее, чем лезть наверх. Может быть, перевернуться лицом вперед? Тогда зад окажется гораздо выше головы и придаст всему телу нежелательное ускорение. Исступленно вращая пятой точкой, Настя медленно поползла назад. Но едва добралась до первой серьезной развилки, как услышала внизу возбужденные голоса — мужской и женский. Голоса стремительно приближались — кто-то шел прямо к этой самой липе.

Вглядевшись в полумрак, царивший внизу, Настя обнаружила, что это уже знакомая ей парочка — хихикающая девица и слегка потасканный ловелас лет сорока. Вероятно, обойдя всю территорию, они не нашли лучшего места, чтобы предаться страсти.

— О нет! — сквозь зубы процедила Настя.

Ей очень не хотелось поднимать шум, а это неизбежно произойдет, если она обнаружит свое присутствие. Ее волновала не Инга, а Аврунин, который в настоящее время находился неизвестно где. Может быть, он маленьким толстым призраком бродит по окрестностям. «Впрочем, — спохватилась она, — он ведь не знает меня в лицо!»

Эта благословенная мысль пришла Насте в голову слишком поздно — влюбленные уже впились друг в друга, словно вампиры.

— Вадик, не надо! — неожиданно прохныкала девица, вяло отбиваясь руками.

— Почему? — сальным басом переспросил Вадик, на голове которого Настя заметила лысинку размером с пробку от бутылки.

— Мама не велит мне...

— Она не узнает, — проникновенно сказал гнусный Вадик.

— У меня голова кружится, — продолжала ныть девчонка, тряся своими лохмами.

— Это от вина! — успокоил ее Вадик, не собираясь сдавать завоеванных позиций.

«Наверняка поил ее портвейном», — с отвращением

подумала Настя. Насколько она успела разглядеть, у соблазнителя был курчавый чуб, свободно падавший на правый глаз, и бледная кожа. В целом коварный Вадик производил впечатление малооплачиваемого конторского служащего, много лет просидевшего в женском коллективе: изрядно потасканный, он все еще считал себя первым парнем на деревне.

То, что Насте пришлось сидеть неподвижно, очень понравилось комарам. Первый подло впился ей прямо в щеку. Она охнула и прихлопнула его ладонью. Внизу ничего не заметили. Противное попискивание между тем нарастало. Настя слазила в карман и, добыв оттуда припасенный тюбик, быстро обмазалась кремом. Комары принялись озадаченно кружить вокруг нее, словно пчелы вокруг мультяшного Винни-Пуха.

— Вадик, отпусти меня, я не хочу! — продолжала канючить девица громким шепотом. Страх, что ее застукают в сомнительной ситуации, был сильнее голоса разума, потому, видно, она и не вопила во все горло.

Конечно, Настя не собиралась сидеть и смотреть, как соблазняют пьяную школьницу.

— Хочешь, я снова почитаю тебе стихи? — неожиданно спросил Вадик, сообразив, что над объектом надо еще немного поработать. — О ночь! Вместилище страстей! — нараспев завел он.

— Это ты уже читал, — заметила Настя, решив, что пора слезать с дерева.

— Кто это сказал? — спросил Вадик, отпуская свою добычу и растерянно озираясь по сторонам.

Поскольку ему никто не ответил, он начал сначала:

— О ночь! Вместилище страстей!

— Как же ты надоел, козел! — процедила Настя.

— О месяц... — подвывал Вадик и вдруг осекся. — Это ты сейчас сказала, Пимпочка? — обратился он к девице.

— Нет, — проблеяла та и жалобно добавила: — Я хочу уйти!

— Уйти? — взволновался он. — Но мы обещали сегодня ночью подарить себя друг другу!

— А ботинки тебе не почистить? — спросила Настя.

— Да кто это говорит? — растерялся Вадик и, задрав голову, пристально обозрел фасад здания.

— Это богиня мщения, — прокряхтела Настя, переползая на другой сук. — Собираюсь наказать тебя за совращение малолетних.

— Она сидит на дереве, — пискнула полуголая Пимпочка, которая лежала на спине и смотрела строго вверх.

— Кто? — тупо переспросил Вадик.

— Б-гиня мщения, — икнула та.

— Это от нее так отвратительно пахнет? — Вадик повел носом, учуяв крем от комаров.

— Отстань от девчонки, или тебе скоро нечем будет нюхать, — предупредила его Настя, достала тюбик и злорадно выдавила из него остатки комариной отравы, целясь в лысинку, маячившую внизу. К ее великому огорчению, она промахнулась. Вадик схватился за плечо и, вляпавшись рукой в вонючую массу, противно взвизгнул.

— Эй ты! Будет лучше, если тебя унесет отсюда колесница, запряженная грифонами, — крикнул он, демонстрируя известную начитанность.

— А карающим мечом по башке? — немедленно отозвалась Настя.

Исходя злобой, Вадик начал судорожно озираться по сторонам.

— Что ты ищешь? — пробормотала Пимпочка.

— Достойный ответ мерзавке.

Он поднял с земли что-то большое и неприятное на вид и, размахнувшись, крикнул:

— Получай, Немезида хренова!

Раздался свист, хруст ломающихся веточек и разо-

рванных листьев. Настю, словно зазевавшуюся ворону, сбило с дерева, и она полетела вниз в облаке разноцветных звезд, вспыхнувших перед глазами.

Первым, что она увидела, придя в сознание, было лицо Киану Ривза, которое плавало в воздухе и шевелило губами. Лишь спустя некоторое время Настя сообразила, что лежит на земле все под той же липой, что скоро рассвет, потому что небо посерело и поблекло, а рядом с ней на коленях стоит живой человек, а не плод ее воображения.

— Ложки не существует, — заявила Настя, погрозив ему пальцем.

— Вы что, летели с дерева? — Мужчина огляделся по сторонам, с недоумением обозревая валяющиеся повсюду сучья. — У вас бред.

— У меня нет бреда.

— Тогда почему вы начали с какой-то ложки?

— Это цитата из фильма «Матрица».

— А!

— Разве вам не говорили, что вы похожи на Киану Ривза?

— Говорили, — сдержанно ответил тот. — К вашему сведению, мое имя Артем. Я случайно проходил мимо и увидел, что вы неподвижно лежите под липой.

— Вы отдыхающий?

— Нет, я электрик. Приезжал кое-что отремонтировать здесь к началу дня.

— Электрик — почти то же самое, что компьютерщик, — пробормотала Настя, но Артем услышал.

— Что вы имеете в виду?

— Так, глупости.

— А вы отдыхающая? — задал контрвопрос Артем.

— Нет. Приехала навестить подругу, а та уже возвратилась в Москву. Так что я тут не пришей кобыле хвост. Скажите, а я ничего себе не сломала?

— Сейчас проверим.

Артем взял Настю за руку и осторожно ее согнул.

— Не больно?

— Нет.

— А так?

Он проверил вторую руку, потом по очереди ноги, потом подсунул ладонь Насте под затылок, а вторую под плечи и попытался ее приподнять.

— А-а! — истошно закричала она.

Артем отдернул руки и вытаращил глаза:

— Господи, что?!

— Плечо! — простонала Настя.

Она с трудом села и, спустив кофточку, обнаружила на плече неприятный на вид кровоподтек.

— Интересно, чем он в меня кинул? — простонала она. — Скорее всего, булыжником.

— На вас напали? — нахмурился Артем. — Кто?

— Двое любовников. Я помешала им совокупляться, и они за это приговорили меня к смерти.

— С вами не соскучишься, — покачал головой Артем. — Давайте я отнесу вас к доктору. Не думаю, что он может сделать больше, чем я, но...

— Доктор исключается, — отказалась Настя. — Скажите лучше, сколько сейчас времени?

— Половина пятого, — мельком глянув на часы, ответил он.

— Господи, я опоздала!

— Куда вы опоздали?

— На свидание. Под зонтом в два часа ночи.

— Под каким зонтом?

— Я точно не знаю. Но теперь это неважно.

— Как вы вообще себя чувствуете? В целом?

— Я чувствую себя как мышь, побывавшая в зубах у кота.

— Такой же потрепанной?

Настя дернула уголком рта:

— Нет, такой же мягкой и пушистой. Послушайте, вы не могли бы помочь мне добраться до машины?

— Вы точно ударились головой, — развел руками Артем. — Какая машина? Даже не думайте о том, чтобы сесть за руль. Вы только что валялись в обмороке. Хорошо еще, что из вас дух не вышибло.

— И что вы мне предлагаете?

— Здесь рядышком есть пустой коттедж. Думаю, не будет ничего страшного, если вы проведете там некоторое время. Полежите, придете в себя, а чуть позже я сам отвезу вас в Москву. Договорились?

— У вас что, совершенно случайно выдался свободный денек? Вам завтра разве не нужно на работу?

— Работаешь каждый день, — сообщил Артем, осторожно поднимая ее на руки, — а потрясающих женщин встречаешь один раз в жизни.

— Вы меня не донесете, — запротестовала Настя, цепляясь за его шею.

— Конечно, донесу. Вы такая легкая.

«Льстит, — про себя подумала она, подбирая зад, чтобы он не провисал слишком сильно. — Определенно, во всем этом есть некая закономерность. Сначала мне встретился потрясающий Иван. Но когда я сказала, что люблю брюнетов с родинкой на щеке, Иван испарился, и появился Владимир. Владимир тоже не пришелся мне ко двору. Я пожаловалась на его характер и вспомнила Киану Ривза. И вот — пожалуйста! Меня несет на руках парень, очень похожий на него. Разве это может быть совпадением? С другой стороны, если это не совпадение, то что же? Черт возьми, здесь есть, над чем подумать!»

— От вас исходит такой нежный аромат, — тихо заметил Артем, ткнувшись губами в ее волосы. — Это «Шанель»?

— «Антикомарин». Действует четыре часа, пахнет до тех пор, пока не вымоешься.

«Господи, наверное, со мной что-то случилось, — в панике подумала Настя, которая совершенно не привыкла к подобному поведению мужчин. — Может быть, мой организм начал вырабатывать какой-нибудь неизвестный науке гормон, от которого у противоположного пола едет крыша? Если это будет усугубляться, во что превратится моя жизнь?»

Артем открыл дверь коттеджа и поставил Настю на пол. Она тут же подскочила к зеркалу, чтобы проверить, нет ли каких-либо зримых изменений в ее внешности. Ничего похожего не наблюдалось. Кроме синяка на плече, естественно. На всякий случай она высунула язык и оттянула оба нижних века. Потом повернулась к своему спасителю и, глядя на него в упор, смело спросила:

— Скажите честно, я вам нравлюсь?

Тот прижал ладонь к груди и проникновенно сказал:

— Безмерно. Как только я увидел вас, лежащей там, под деревом, я сразу же почувствовал шквал эмоций!

«Ну, так и есть. Внутри меня происходит какая-то аномалия. А что, если на мне проводят опыты? Тот компьютерщик, Владимир, сначала вырубил меня, а потом сделал какой-нибудь укол... Впрочем, Иван познакомился со мной еще до Владимира... Ничего не могу понять!»

— Так вы и в самом деле поможете мне добраться до Москвы?

— Я буду помогать вам во всем! Останусь рядом.

Настя не знала, что и думать. Артем заставил ее лечь на кушетку, а сам устроился в кресле. Она то и дело ловила на себе его ласковый взгляд. Размышляя обо всем странном, что с ней произошло за последние дни, Настя незаметно для себя задремала.

Разбудили ее беспокойные голоса на улице.

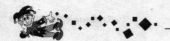 

— Что там такое? — сонно спросила она у Артема, который стоял в дверях и наблюдал за тем, что происходит снаружи.

— Что-то случилось у воды.

— У воды? — испуганно переспросила Настя, одним рывком сбрасывая ноги на пол. — Вы сказали: у воды?

— На реке. Если хотите, я пойду узнаю.

— Да, да, я хочу. Пойдите, конечно!

Настя почувствовала во рту странную горечь — предчувствие беды было таким осязаемым, что пришлось встать и попить из-под крана, чтобы сбить его металлический привкус. В «Садах Семирамиды» Аврунин должен был провести «операцию на воде». У женщины, говорили они с Ясюкевичем, имеется отличный мотив. И почва вроде как унавожена. Господи, какими зловещими теперь кажутся эти слова!

Артема не было довольно долго.

— Одна молодая дама покончила с собой, — сообщил он, возвратившись назад. — Пошла ночью на реку и утопилась. Ее фамилия Харузина.

— А имя? Имя? — полушепотом потребовала Настя.

— Инга.

— Откуда... Откуда стало известно, что Инга покончила с собой? — дрожащим голосом спросила Настя. — Может быть, это несчастный случай?

— Она оставила в номере предсмертную записку.

Настя схватилась руками за горло. Неужели именно предсмертную записку сочиняла Инга Харузина, когда Насте удалось заглянуть в окно ее номера? У нее был сосредоточенный вид, это так. Но она не выглядела несчастной и должна была встретиться с Авруниным в два часа ночи. Выходит, Аврунин отослал ее писать предсмертную записку? А позже собирался присутствовать при самоубийстве? Бред какой-то.

— А... А что там, на реке? — продолжала допытываться она.

— Там стоит большой зонт, а под ним валяется розовая кофточка. Тело, как я понимаю, уже вытащили. Милиция приехала, врачи. В общем, для пансионата большая-большая неприятность.

— Ясно, — пробормотала Настя, хотя на самом деле ей ничего не было ясно. В голове набухала туча, готовая разразиться совершенно дикими предположениями. — А что слышно о предсмертной записке? Что говорят люди?

— Что у этой женщины и в самом деле был мотив для самоубийства. Серьезный мотив. Если можно так сказать — уважительная причина. Месяц назад у нее погиб муж. Он был бизнесменом, и его застрелили прямо в подъезде. Молодая вдова написала, что очень любила его и сильно страдает.

«У женщины отличный мотив», — снова пронеслось в Настином сознании. Ей захотелось обсудить происшедшее с Люсей. Конечно, когда она узнает обо всем, что случилось, то будет вопить, как рассерженная ослица. Однако эту неприятность вполне можно пережить.

— Я не хочу здесь больше оставаться, — заявила Настя, поднимаясь на ноги.

— Нет проблем, — мгновенно отозвался Артем и направился к ней.

Она тут же отпрыгнула в сторону:

— Не надо тащить меня на руках!

— Почему? — искренне изумился тот.

— Я могу привыкнуть, а потом будет трудно отвыкать.

— Зачем же отвыкать? Я готов делать это всю жизнь!

Его проникновенность смахивала на плохо приготовленную манную кашу, обильно посыпанную сахаром. «Он похож на человека, которого пинками выгнали на сцену и заставили читать роль по бумажке, — по-

думала Настя. — Или я просто полна необоснованных подозрений? Глаза у него, по крайней мере, чертовски невинные».

# 6

Геннадий Ерасов ходил по кабинету милого сердцу загородного дома, вздернув вверх уголки губ, что означало безмятежную улыбку. Лицо его было ярким, с крупными чертами и широко расставленными глазами. Такая внешность могла бы вдохновлять поэтов на вольнолюбивые стихи. Поднятые жалюзи на окнах открывали хозяйскому взору пасторальный пейзаж с упитанными коровами на заднем плане.

Когда зазвонил телефон, уголоки губ мгновенно опустились вниз, придав лицу недовольное выражение — Ерасов не любил, когда его тревожили дома. На проводе оказался его помощник Леша Алексеев.

— Геннадий Витальевич, — с придыханием сказал он. — Неприятности. Нами интересуются.

Ерасов быстро сел, сосредоточив взгляд на карандаше, лежавшем посреди стола.

— Откуда информация?

— От нашего клиента. Из прокуратуры.

— Кто наводит справки?

— Адвокат, который работал с Мерлужиным в одной фирме. Маслов.

— Черт!

— Не думаю, что он знает что-то конкретное.

— Леша, суть! — жестко произнес Ерасов. — Как он действует?

— Очень осторожно. Бросил пробный шар.

— Сегодня же прими меры.

— Хорошо. Мы можем подобрать версию. Например, мозговой удар.

— Никаких версий, — прервал Ерасов. — Сам. По-ковбойски. И немедленно.

* * *

«Итак, надо сконцентрироваться, — продолжала размышлять Настя по дороге в город, усердно притворяясь спящей. — Если интуиция меня не обманывает, этот Артем подослан. Так же, как Иван и Владимир, буквально канувшие в небытие. Но подослан кем? И с какой целью? Убить меня? Или, наоборот, охранять? Впрочем, убить можно было сразу, безо всякого антуража. А охранять, в конце концов, с моего согласия!»

— Мы в городе, Настя! — Артем мягко тронул ее за локоть. — Вы должны показать мне, как подъехать к вашему дому.

Настя притворно похлопала глазами и принялась объяснять, как бы между прочим поинтересовавшись:

— И куда вы потом?

— Никуда, — пожал плечами тот. — Побуду с вами.

— В каком смысле — побуду? — раздосадованно уточнила Настя. — У меня... У меня масса личных дел.

— Да я вам не помешаю.

— Нет, помешаете! У меня свидание. Не думаю, что человек, с которым я встречаюсь, обрадуется вашему присутствию.

— Человек, с которым вы встречаетесь? — внезапно обеспокоился Артем. — Разве такой есть?

— Ну, если вы пришли в трепет, узрев меня под липой всю в синяках, — ехидно заметила Настя, — то почему другие молодые люди не могли сделать это раньше вас?

— Нет-нет, я верю, что за вами ухаживают мужчи-

ны! — промямлил Артем. — Просто я решил, что у вас никого нет.

— Вы зря так решили. — Настя стащила с заднего сиденья сумочку и, достав пудреницу, принялась возить пуховкой по носу.

— Но я же хотел быть все время рядом! — не унимался Артем. — И вы не возражали.

— Я не приняла вас всерьез.

— Меня? — Артем так изумился, что даже сбавил скорость. — Меня? — Снова переспросил он, дав «петуха».

Вероятно, до сих пор его мужское самолюбие находилось в состоянии покоя, словно озеро в безветренную погоду. Но когда Настя бросила в него крошечный камушек, тут же пошли круги по воде.

— А вот и мой молодой человек! — воскликнула Настя. Правда, в ее голосе было больше изумления, чем радости.

Неподалеку от подъезда, к которому они подкатили на малой скорости, стоял ее вчерашний знакомый Купцов Игорь Алексеевич. Узнав Настю, он засунул руки в карманы брюк, и, демонстративно насвистывая, двинулся к машине.

— Откуда взялся этот тип? — мрачно спросил Артем, держа руки на руле и через лобовое стекло глядя на приближающуюся фигуру.

— Думаю, заехал меня проведать, — неуверенно ответила Настя. Она понятия не имела, чего ждать от Купцова.

— Нет, но откуда он взялся?

— Он эксперт по оружию, — заявила Настя, как будто бы это все объясняло.

Ситуация совершенно явно выходила из-под ее контроля. И все потому, что она понятия не имела, что означают все эти мужчины в ее жизни. Связано ли их появление со смертью четы Мерлужиных или нет?

«Ладно, — решила она, — пусть сейчас все будет, как будет. Не стану вмешиваться. Судьба распорядится, как надо».

На самом деле она вовсе не испытывала подобной уверенности. Судьба запросто могла показать ей язык. Она не раз уже смеялась над Настей. Вот, например, история с Шишкиным. Когда он признался, что собирается сказать ей что-то важное в день рождения, она подумала, что речь пойдет о свадьбе. А этот хам пришел без подарка, с бутылкой водки под мышкой и, тяпнув стакан, сообщил, что решил ее бросить!

Купцов подошел к машине с Настиной стороны, открыл дверцу и молча подал ей руку. Настя поспешно сунула в его ладонь свои пальцы и выбралась на воздух. Артем не стал дожидаться приглашения и тоже просочился на улицу, резко захлопнув за собой дверцу.

— Кто это с тобой? — демонстративно не обращая на него внимания, спросил Купцов. В его глазах под очками сверкнула сумасшедшинка.

— Э-э-э... — затянула Настя.

— Что такое «э»? — насупился тот.

— Э-электрик.

— Электрик? И куда он тебя возил? На экскурсию по электростанции?

— Отвянь от нее, по-ял? — внезапно подал голос сам электрик. — Она тебе не жена, чтобы ее допрашивать!

— Заткни варежку, — тотчас же ответил Купцов, по-прежнему не поворачивая головы.

— В самом деле, Игорь, я не должна перед тобой отчитываться, — искренне возмутилась Настя, которой поведение Купцова нравилось все меньше и меньше. Даже внушало определенный страх. Они познакомились вчера и разговаривали не больше получаса. Что он о себе возомнил? Может быть, у него в голове вместо мозгов стреляные гильзы?

— Но я всю ночь думал о тебе! — воскликнул Куп-

цов таким тоном, словно его обязаны вознаградить за каждую мысль.

— Ну ладно, хватит! — заявил Артем, хлопнув ладонью по капоту автомобиля. — Мы с Настей заняты, так что прощайтесь.

— Это ты мне? — Купцов повернулся и посмотрел своему сопернику в лицо.

— Тебе, тебе!

— Че, хочешь по носу получить?

— А ты по очкам?

Они уже стояли друг против друга и, словно бычки, били копытами. Настя понятия не имела, к кому из них взывать и за кого волноваться.

— Послушайте, друзья! — только и успела сказать она, когда противники внезапно кинулись друг на друга и, сцепившись, принялись рычать от натуги.

— Ты ее не получишь! — просипел Купцов и, размахнувшись, мастерски провел удар правой. Однако Артем успел отклониться, и кулак всего лишь задел его ухо. Он тут же провел ответный удар в живот. Купцов всхрапнул, отпустил противника и согнулся пополам. Драка разгоралась, словно огонь, которому скармливали бумагу. В ход пошли ноги и отборные ругательства. Двое прохожих хотели вмешаться, но Настя не позволила.

— В кои-то веки из-за меня подрались мужчины, а вы собираетесь все испортить! — закричала она.

— Ладно, — примирительно заявили несостоявшиеся спасители. — Мы пойдем. В конце концов, драка из-за женщины — все равно что пьянка по достойному поводу.

Они прошли мимо, а Настя продолжала азартно наблюдать за сражением, от волнения закусив зубами указательный палец. Артем выглядел великолепно: в основном он полагался на свои кулаки и, несмотря на разбитый нос, держался с достоинством. Купцов, в отличие от него, беспорядочно махал ногами и вопил, как индеец. Любимым его приемом был удар носком ботинка по коленной чашечке. Сейчас он попал в цель, и взбешенный Артем завопил:

— Ах ты, змей очковый!

Как раз в этот момент к подъезду направлялся профессор биологии, живущий прямо над Настей. Остановившись рядом с ней, он некоторое время задумчиво наблюдал за дракой, потом сказал:

— Жаль, что мой коллега профессор Варенчук не видит этого.

— А зачем Варенчуку это видеть? — с любопытством спросила Настя.

— Понимаете, он считает, что люди произошли от инопланетян. Я бы советовал ему чаще наблюдать за людьми. Несомненное сходство с papio hamadryas, несомненное! У них взрослые самцы так же нетерпимо относятся друг к другу.

— Это гамадрилы, что ли? — с опаской спросила Настя.

— В точности так. А орангутаны? Самцы орангутанов сталкиваются чрезвычайно редко, но если это произошло, скандал неизбежен. Они орут друг на друга и демонстрируют собственную силу.

В драке как раз наступил похожий момент. После серии ударов в область печени Купцов пытался восстановить дыхание, а Артем поигрывал мускулами и кричал:

— Ну что, падла оружейная? Съел?

— Если я правильно понимаю, вы, Анастасия, выступаете здесь в роли самки? — заинтересованно спросил профессор.

— Чего скрывать? — развела руками Настя. — Так и есть. Выступаю в этой непривычной для себя роли.

— И что вы собираетесь делать?

— Уверяю вас, профессор, против законов природы

я не пойду. Тот из самцов, который победит, отправится со мной обедать.

— Не думаю, что в качестве награды они рассчитывают получить пищу, — покачал головой профессор. Потом окинул Настю внимательным взглядом, словно пытался на глазок определить ее биологическую ценность. — Скажите, Анастасия, а личные симпатии имеют для вас какое-нибудь значение?

Настя с кислой миной посмотрела на сцепившихся в очередной раз «самцов» и покачала головой:

— Нет, профессор. Определенно — нет.

— Хм, хм, — пробормотал тот. — Ну что ж! Тогда желаю вам от души развлечься.

Стоило только ему скрыться в подъезде, как стычка завершилась самым предсказуемым образом: Артем уложил Купцова ударом в ухо, тот свалился на асфальт и остался лежать, тупо глядя в безоблачное небо. Очки отлетели в сторону и замерли рядом, раскорячив дужки.

Ленивой походкой Артем подошел к Насте и сказал:

— Надеюсь, тебе не было скучно?

Она сразу заметила, что после драки он перешел на «ты». Кроме того, у него был отвратительно покровительственный вид и традиционный фингал под глазом.

— Надо приложить к твоему синяку что-нибудь холодное, — растерянно заметила Настя.

— У тебя в холодильнике есть лед?

— Нет, ко мне мы не пойдем! — испугалась та. — Когда этот тип очнется, он станет биться в дверь и устроит отвратительную сцену.

— Откуда вообще ты его взяла?

— Ну... Откуда женщины берут мужчин? — заколебалась Настя. — Их посылает им господь. Мужчины, словно «Летучие голландцы», могут внезапно появляться и так же внезапно исчезать.

— Интересный подход к делу, — пробормотал Артем. — А куда мы в таком случае отправимся? Ко мне?

— Да нет же! К моей подруге Люсе.

— Уверена, что она нам обрадуется?

— Мне она точно обрадуется, а это уже половина дела.

Впрочем, поколебавшись, Настя решила все-таки позвонить с дороги, чтобы не ввести подругу в шок.

— Хочу показать тебе кое-что, — понизив голос, сказала она в трубку телефона-автомата. — Вернее, кое-кого.

— Что, еще один ухажер? — тут же догадалась Люся.

— Откуда ты знаешь?

— У тебя это в последнее время запросто!

— Я собираюсь провести на нем один эксперимент.

— А в чем его суть? — тут же загорелась Люся.

— Суть в том, чтобы за один день избавиться от него.

— Что? Опять?! — вознегодовала та. — Снова попался не Киану Ривз?

— Потерпи, сама увидишь. Мы скоро приедем. Кстати, не сильно помешаем?

— Вообще не помешаете. Дети у мамы, а Петьку приятели забрали на дачу вместе с гипсом и программой телепередач.

— Надо же, какая удача! Мне с тобой столько всего нужно обсудить!

Артем ждал ее в машине, приложив к быстро созревающему синяку пятирублевую монету.

— В общем, сделаем так, — сообщила она. — Выпьем у моей подруги по чашечке кофе, затем ты отправишься по своим делам, а я останусь у нее.

— Почему? — обиженно спросил Артем.

— Вообще-то я тебя еще не усыновила, — заметила Настя, — поэтому не обязана предоставлять кров и заботиться. Кроме того, мы только что познакомились.

— Но я дрался за тебя!

— Меня это впечатлило, — она важно кивнула голо-

вой. — Но не до такой степени, чтобы взять тебя на содержание.

— Да это я собираюсь о тебе заботиться! — горячо возразил Артем.

— Знаешь, мы обсудим это в следующий раз. Пройдет горячка первого знакомства, наши синяки тоже пройдут...

— Кстати, как твое плечо? — обеспокоился Артем.

— Сейчас приедем к Люсе, она смажет его чем-нибудь целебным. Люся у нас домашний доктор.

— Да? — безо всякого интереса спросил Артем.

— Да! И еще она отлично готовит. И красавица к тому же!

— Ты так говоришь, словно собираешься нас свести.

— Ну что ты?! — испугалась Настя. — Люся — мать!

— Можно подумать, что женщины, у которых есть дети, навсегда выпадают из сексуального обращения.

Настя некоторое время молчала, потом предложила:

— Знаешь, давай поговорим о чем-нибудь другом.

— Давай! — обрадовался Артем. — Расскажи мне, что ты делала на той липе?

Новая тема разговора Насте не понравилась. Тем не менее она начала довольно вдохновенно:

— Ну... Я очень люблю пение птиц. Хотела слиться с пейзажем, чтобы на рассвете птички встречали зарю прямо рядом со мной!

— А знаешь, окно номера той женщины, которая покончила с собой, выходило как раз на то самое место, где я тебя нашел! Если бы ты забралась повыше, то могла бы увидеть ее через стекло.

— Я не заглядываю в окна! — возмутилась Настя как могла правдоподобно.

«Вот он уже начинает все выпытывать», — подумала она про себя. Автомобиль тем временем подрулил к подъезду Люсиного дома, и разговор прекратился сам собой.

Когда Люся открыла дверь и увидела Артема, заготовленная радушная улыбка испарилась с ее лица, точно капля воды с раскаленной сковородки. Люся издала даже очень похожее шипение — это из нее выходил воздух, который она вдохнула для того, чтобы поздороваться.

— Знакомься, дорогая, это Артем! — растянув рот до ушей, Настя представила своего спутника. — Синяк под глазом заработан им в честном бою.

Люся кое-как совладала с собой и, отступив в коридор, рукой показала, что приглашает их войти. Речь, однако, вернулась к ней не сразу.

— Вы похожи на Киану Ривза, — заявила она обвиняющим тоном.

Артем криво улыбнулся и подушечками пальцев помассировал свой синяк, словно проверяя его на мягкость.

— Он знает, — ласково ответила Настя вместо него. — Ты угостишь нас кофе?

— Угощу, — кивнула Люся и обратилась к Артему: — Можете пройти в ванную и вымыть руки.

Артем послушно отправился в ванную.

— Это просто невероятно! — трагическим шепотом произнесла Люся, как только услышала, что щелкнул замок. — Зачем ты это делаешь?

— Делаю что? — спокойно спросила Настя.

— Меняешь мужчин, словно белье: вечером засовываешь в мусорную корзину ношеное, а с утра достаешь из шкафа свежее. Однако, насколько мне известно, мужчины в шкафу не сидят!

— Ты говоришь таким тоном, как будто я в чем-то виновата! — обиделась Настя. — Я специально привезла показать тебе этого типа, потому что поражена не меньше твоего. Я даже побаиваюсь его, если честно сказать.

— Из-за его внешности?

— Нет, из-за его поведения. Он ведет себя в точно-

сти так, как вел себя Иван, а потом Владимир. Которые испарились — фыр! С первой же минуты знакомства он признается, что хочет быть рядом всю жизнь и готов на все ради меня.

— Подожди-ка, — сдвинула брови Люся. — А почему ты про Ивана говоришь «фыр»? Ты же знаешь, где он живет, и даже собиралась к нему заехать?

— Я и заехала, — повела бровью Настя. — Только оказалось, что никаким Иваном там и не пахнет. Там живет совсем другой человек.

— Какой? — оторопела Люся.

— Купцов Игорь Алексеевич. Это он только что поставил Артему фингал под глаз.

— За что?

— Купцов решил за мной поухаживать, а Артем стоял на пути.

— Что, он тоже решил? — не поверила Люся. — Вы же с ним едва успели познакомиться!

— Наконец-то до тебя дошло! — сердито сказала Настя. — Я тебе пытаюсь втолковать это с самого первого дня: вокруг меня происходит нечто удивительное. Нечто такое, что не поддается анализу!

— Анализу поддается все, — отрезала Люся. — Надо только уметь анализировать. А поскольку ты в панике, то у тебя ничего не получается.

— Вчера ты тоже пыталась анализировать вместе со мной! — не согласилась Настя. — И ты не в панике. Однако результатов — ноль.

Артем вышел из ванной, и она быстро добавила:

— Вот что. Препираться не имеет смысла. Сейчас напоим его кофе и отправим восвояси. А потом еще раз все обговорим.

Перед тем как сесть за стол, Люся обработала Настин ушиб и, пока обрабатывала, непрестанно качала головой и приговаривала:

— Значит, упала с дерева?

— С дерева, с дерева.

— А где растет то дерево?

— Потом расскажу.

— Скажите, Артем, а как вы познакомились с Настей? — спросила Люся, наполняя чашки.

— Это случилось на рассвете, — сообщил тот. — Я обходил территорию, проверяя, все ли фонари горят исправно, как вдруг увидел под деревом ее.

— Под деревом на рассвете? А что, вы были в таком месте, где нет общественных туалетов?

Настя изо всех сил пнула ее ногой под столом.

— Она лежала на спине, — продолжал Артем, мечтательно заведя глаза к потолку, — такая прекрасная, такая бледная... Сначала я подумал, что она умерла, и хотел пройти мимо. Но потом все-таки решил подойти и проверить пульс.

— Спасибо, — с чувством сказала Настя.

— И когда она пришла в себя, — подхватила Люся, — вы решили бросить работу электрика и помогать ей во всем! Ездить к ее подругам, драться с ее знакомыми...

— Вы все дико утрируете, — обиделся Артем. — Я видел, что она сама вряд ли сможет вести машину.

— И вы тут же вызвались вести машину вместо нее.

— Но ведь это я нашел ее под липой! Нашел бы кто-то другой, он бы и повез.

— Определенная логика в этом есть, — пробормотала Люся.

Она быстро опустошила свою чашку и стала напряженно следить за тем, как Артем пьет. Столь пристальный интерес мог бы смутить кого угодно. В два глотка прикончив кофе, Артем спросил у Насти:

— Так ты сегодня уже точно никуда не пойдешь?

— Никуда! — ответила она тоном, каким произносят торжественные клятвы.

— И останешься ночевать в этой квартире?

— Ну, конечно!

— Меня даже муж так не допрашивает, — не удержалась и заметила Люся. — А вы, если я правильно поняла, познакомились всего несколько часов назад?

Артем смутился и, вскочив, стал прощаться. Насте он поцеловал руку, хотел уже уйти, потом вернулся и поцеловал вторую руку. Послал ей длинный тоскливый взгляд и сказал:

— Где ты живешь, я знаю, и телефон записал.

Когда он захлопнул за собой дверь, Настя посмотрела на Люсю и побежала к окну. Люся тоже побежала к окну. Они молча наблюдали за тем, как Артем выходит из подъезда и движется в сторону метро. Когда он наконец скрылся из виду, Настя воскликнула:

— А теперь начинаем эксперимент! Сейчас, Люся, я поеду к себе на дачу.

— Зачем? — тут же спросила та.

— Чтобы позвонить тебе оттуда.

Люся сделала кислое лицо и спросила:

— Знаешь, по-моему, ты ударилась не только плечом, но и башней. У тебя мушки перед глазами не летают?

— Люся! Я просто хочу удостовериться кое в чем.

— Да?

— Я думаю, что мой телефон прослушивается. А возможно, и твой тоже.

— Вот как? — удивилась Люся и, вместо того чтобы взволноваться, спокойно заявила: — Тогда прослушивается и твой городской телефон. Поезжай к себе на квартиру — это гораздо ближе.

— Но ты все поняла с этими мужиками?

— Честно говоря, нет.

— Кто-то пытается контролировать все мои действия с их помощью! Смотри! — Она встала посреди кухни и наставила на Люсю указательный палец. — Первым появляется Иван. Ты его не видела, но можешь мне поверить: он великолепен. До такой степени, что если бы существовал банк, где работают одни женщины, его можно было бы брать голыми руками, запустив туда Ивана для отвлечения внимания. И вот такой тип видит меня и буквально теряет голову. Ты можешь в это поверить?

— Да, — сказала Люся.

Настя подошла и ободряюще похлопала ее по плечу:

— Ты настоящая подруга, но сейчас не время обмениваться комплиментами. Итак, целый вечер и всю ночь этот тип изображает пылко влюбленного. Наутро я звоню тебе и говорю, что не доверяю ему и никогда не смогу доверять. И хочу, чтобы он испарился. Ты тут же описываешь тип мужчины, от которого я тащусь, и что происходит дальше?

— Что? — спросила Люся, как будто ни разу не слышала об этом.

— Иван исчезает, словно по мановению волшебной палочки, а его место тут же пытается занять брюнет с короткой стрижкой и родинкой на щеке — точь-в-точь, как ты описала.

— Но он тоже тебе не угодил, — медленно прозревала Люся. — Ты позвонила, облила его грязью и посетовала, что на твоем жизненном пути не встретился такой мужчина, какого сыграл Киану Ривз в фильме «Скорость».

Настя прищелкнула пальцами:

— И — але-оп! Владимир исчезает. А уже сегодня утром, придя в себя после падения с липы, я вижу прямо над собой лицо человека, похожего на Киану Ривза.

— Слушай, в этом что-то есть! — вдохновилась Люся. — Похоже, что кто-то действительно пытается найти для тебя, так сказать, попугайчика-неразлучника.

— И этот кто-то — мужчина! — пылко заявила Настя.

Люся удивленно подняла брови, и она охотно пояснила:

— Только мужчина может быть столь низкого мнения о женщине, чтобы выбрать именно такой способ наблюдения за ней. Непоколебимая уверенность в том, что женщина может клюнуть на красивого самца и за день, в крайнем случае за ночь, попасть под его безоговорочное влияние — это ли не доказательство того, что процессом управляет мужик? Он плетет какую-то паутину.

— Пожалуй, — пробормотала Люся. — И у этого паука, обрати внимание, неограниченные людские ресурсы. С ходу найти парня, который выглядит, как Киану Ривз, — это тебе не понюшка табаку. Некоторые всю жизнь ищут. Ты не боишься его, этого паука?

— Он считает, что у меня стрекозиные мозги! — фыркнула Настя. — И ему даже в голову не пришло, что я смогу уловить закономерность в появлении кавалеров!

— Думаю, сейчас ему приходится несладко, — высказала догадку Люся. — Ты постоянно отвергаешь тех типов, которых он для тебя находит.

— И собираюсь отвергнуть еще одного. Надеюсь, ты мне подыграешь?

— Еще бы, конечно, подыграю. Кого ты потребуешь на этот раз? Лицо кавказской национальности?

— Для чистоты эксперимента необходимо выбрать что-нибудь особенное, что-нибудь экзотическое. Если после «заказа по телефону» такая экзотика появится, то все — мы правы на все сто.

— Попроси негра, — хихикнула Люся.

— Хорошая мысль, — согласилась Настя, — но мне что-то не хочется.

— Что за предрассудки? В молодости ты ездила в спортивные молодежные лагеря, где жгла с неграми костры и ела с ними из одного котелка!

— Это другое, — уперлась Настя. — О, придумала! Пусть это будет финн. Все знают, что моя мать вышла замуж за Эйно. А Эйно — классный мужик. Ведь может такое быть, что я ей завидую?

— Запросто.

— Тогда сиди здесь и жди, когда я позвоню!

Настя схватила сумочку и бросилась вон. Заперев за ней дверь, Люся взяла книжку, легла на диван, а телефон поставила себе на живот. Примерно через полчаса он неожиданно взорвался, разбросав звуки по всей комнате.

— Только ты можешь вывести телефонный аппарат из равновесия, — зметила она, сняв трубку. — Ты где?

— Я у себя в квартире.

— Ты одна? — Люся бросила пробный камень.

— Как перст.

— Артем больше не появлялся?

— К счастью, нет. Господи, Люся! — страдальческим тоном воскликнула Настя. — Почему мне так катастрофически не везет с мужчинами?

— Чем же тебе Артем не понравился? — с напускным интересом спросила та. — Вроде бы он выглядит в точности, как Киану Ривз?

— Выглядит, как Киану Ривз, а ведет себя, как Панкратов-Черный! — отрезала Настя. — Если бы ты видела, как униженно он выклянчивал у меня номер телефона! Тьфу, даже вспоминать тошно. Пусть еще попробует сунуться.

— Вот именно! — поддакнула Люся, совершенно явно не зная, как вести беседу дальше.

— Наверное, права моя мама, уверяя, что только финны влюбляются по-настоящему, по-мужски! По крайней мере, в русских женщин.

— Финны — это да! — охотно поддержала ее Люся, будто бы съела на финнах собаку. — Финны — это просто праздник какой-то.

— Как ты думаешь, можно полюбить человека за одну его национальность? — пристала к ней Настя.

— Да, да и еще раз да!

— Нет, ты думаешь не о той национальности. Я имею в виду финскую национальность.

— О!

— Вот тебе и «О!», — рассердилась Настя. — Слушай, что я тебе говорю: если бы я встретила подходящего финна, я бы прямо сразу написала завещание в его пользу. Так я полюбила этих людей.

— Когда же ты успела? — ехидно спросила Люся, не выдержав экспрессии разговора.

— Мама много мне о них рассказывала, — отрезала та. — Кроме того, как ты недавно заметила, в молодости я несколько лет подряд ездила в международный спортивный лагерь. Там было много финнов. Да что я? Он просто кишел финнами! И они все были моими друзьями.

— По очереди? — уточнила Люся.

— Твои глупые подколы совершенно ни к чему, — холодно заметила Настя. — И вообще: я рассказываю тебе о человеке, с которым могла бы прожить всю жизнь, а ты никак меня не поддерживаешь.

— Нет, ну что ты? — Люся пошла на попятный. — Если бы ты встретила финна, да еще написала в его пользу завещание, я бы наверняка смогла с ним подружиться.

— И совсем не важно, что они медлительные, ведь правда?

— Да что там! — воскликнула Люся, которой, судя по голосу, разговор стал надоедать. — Мужчина-тормоз в два раза дольше проявляет чувства.

— Вот-вот, — подхватила Настя. — Я вообще люблю все медленное: медленные танцы, медленные поцелуи, медленный секс...

— Ну, пока у тебя еще нет финна, — вышла Люся из терпения, — давай, клади трубку и лети ко мне, поняла?

— Поняла, — буркнула Настя.

Когда через полчаса она ворвалась в квартиру, то была рассержена сверх всякой меры.

— Мне хотелось тебя задушить! — воскликнула она, сбрасывая босоножки. — Что за глупые шуточки? Обещала поддержать меня, а сама?

— Твой человек-паук почуял бы подвох, начни я разговаривать с тобой не в обычной своей манере.

— Да? — смягчилась Настя. — Может быть, ты и права. Пойдем на кухню. Ты обмозговала тут без меня ситуацию?

— Отчасти.

— Ну, — спросила Настя. — И что ты обо всем этом думаешь?

— Сначала расскажи, как ты провела остаток вчерашнего дня и прошедшую ночь. Тогда я буду думать. Пока у меня одни только эмоции.

— Твоих эмоций я и боюсь. Обещай, что выслушаешь спокойно. А лучше бы тебя к стулу привязать.

— Ты что, разбойничала на дорогах?

— Я ездила в «Сады Семирамиды»! — торжественно сообщила Настя.

— Так я и знала, что твое честное слово — все равно, что маковое зернышко. Обронишь — не найдешь.

— Я не давала тебе честных слов.

— Ладно, что уж там! — любопытство изнуряло Люсю, поэтому она поспешила примириться с подругой-авантюристкой.

Настя села поудобнее и принялась рассказывать о своих приключениях. Люся медленно мрачнела.

— Знаешь, что я думаю? — спросила она, сощурив глаза. — Что «КЛС» только официально расшифровывается как «Клин Стар». На самом же деле это не что иное, как «Клуб самоубийц»!

Настя некоторое время молчала, потом спросила:

— У тебя после Петрова не осталось коньяка?

— Думаешь, стоит разогреться? Я уже сто лет не пила от души — близнецы обязывают.

Они с чувством выпили по стопочке и закусили лимоном, нарезанным толстыми кружками.

— Так, — Настя побарабанила пальцами по столу. — А зачем самоубийцам нужен какой-то там клуб?

— Как зачем? Книг совсем не читаешь? Допустим, ты хочешь покончить с собой, но у тебя не хватает решимости наложить на себя руки. Ты вступаешь в «Клуб самоубийц», платишь вступительный взнос, и друзья по клубу охотно помогают тебе отправиться на тот свет.

— Так это получается «Клуб убийц»! — возразила Настя.

— Но ведь жертва согласна.

— И как, ты думаешь, развивались события в наших двух случаях? — Настя хотела, чтобы Люся рассуждала вслух, ибо так легче отыскать тропинку к истине.

— Да очень просто! Любочка Мерлужина решила покончить с собой, но поняла, что одного желания мало. Необходима еще смелость, а со смелостью у нее были проблемы. Каким-то образом, каким — мы можем только гадать, она выходит на фирму «КЛС», за фасадом которой действует настоящее тайное общество. — Люся налила себе еще одну рюмочку и опрокинула ее в рот с такой сноровкой, будто была асом в деле распивания спиртных напитков.

— Но Макар тоже как-то связан с «КЛС»! — тут же напомнила ей Настя. — Ранним утром на его даче шарили служащие этой компании. Заметь, с его согласия.

— Всему можно найти объяснение, — Люся отринула ее возражения.

— Ну, найди, — уперлась та.

— Допустим, Макар что-нибудь подозревал. Может быть, он слышал, как его жена упоминала этот «КЛС». Он просто позвонил в их офис и сказал, что ему нужно помочь найти важную бумагу. Ты же не знаешь точно, какие дополнительные услуги, кроме уборки, там оказывают.

— Но зачем он их вызвал?

— Может, хотел приглядеться? Макар волновался за жену. И когда узнал, что все-таки опоздал, впал в депрессию. Из-за этого с ним и произошел несчастный случай.

— А как же предсмертная записка? — спросила мучимая сомнениями Настя.

— Любочка написала ее для того, чтобы никого из членов клуба не заподозрили, если вдруг что. Для членов «Клуба самоубийц» это страховка. И поскольку записка подлинная, милиция никого не обвиняет.

— А Инга? — продолжала допытываться Настя. — С ней как быть?

— Да все то же самое! Ты сказала, что недавно застрелили ее молодого, богатого, а потому наверняка любимого мужа. Она поняла, что жизнь без него безрадостна, и решила уйти из жизни. Вероятно, она была пуглива, как и Любочка. Как и тысячи других женщин. И обратилась в «Клуб самоубийц». Тут все сразу становится на свои места! Смотри: ты вот думала, как мог Аврунин послать ее писать предсмертную записку, а потом назначить свидание. Он назначил ей свидание для того, чтобы убить! Убить по ее просьбе. Ты понимаешь, как все хитро провернули? И предварительно встречались они тайно, ночью, чтобы не было свидетелей.

— А почему Аврунин говорил Ясюкевичу, что почва унавожена? — прицепилась Настя. — Как это интерпретировать?

— Не знаю. Мало ли! Зато он еще сказал: у нее отличный мотив. Как мы уже и говорили, для членов клуба это важно. Меньше шансов на то, что начнется расследование.

— Мне не нравится, что, выстроив версию, ты укладываешь в нее те факты, которые туда влезают без труда, а те, которые не укладываются, просто игнориру-

ешь. Вот что такое: «почва унавожена»? Ты не можешь объяснить!

— Но мы же просто строим предположения! — оскорбилась Люся. — А у тебя есть какая-то другая идея?

— Есть, — кивнула Настя. — В наше сумасшедшее время «Клуб самоубийц» выглядит как-то неестественно. Надуманно. Ты не находишь?

— Ну, мало ли... — промямлила Люся и налила еще по рюмочке коньяка.

Настя схватила свою и погрела ее в ладонях.

— В нашем обществе может быть создан какой-нибудь бандитский клуб. Это да! А твоя версия хоть и отвечает на некоторые вопросы, но настолько далека от жизни, что это даже не смешно.

— Да ладно! — расхорохорилась Люся. — Сейчас люди какими только способами деньги не зарабатывают! Одна моя знакомая женит хомяков и торгует потомством. Тебе бы пришло такое в голову?

— В детстве у меня был хомяк, он скрестился с мышью, и они со всем выводком решили жить в моем террариуме, — с отвращением сказала Настя. — Нет, я бы не смогла.

— Поэтому ты теперь безработная, — констатировала жестокая Люся. — Ну, и какова же твоя версия?

— Я думаю, под вывеской «КЛС» скрывается настоящая киллерская контора. Вот это по-нашему, по-российски! По крайней мере, похоже на правду. Там нанимают убийц, чтобы разделываться с неугодными людьми.

— И кто же кого нанял в наших двух случаях? — хмыкнула Люся.

— Не знаю. Может быть, бедные родственники решили завладеть наследством богатых родственников и заказали их? Смотри: Макар был адвокатом и отнюдь не бедствовал. И муж Инги Харузиной занимался бизнесом. У Мерлужиных детей не было, и, похоже, у Инги с ее мужем тоже. Хотя точно я не знаю. Две супружеские пары подряд — вряд ли просто совпадение. Надо над этим хорошенько подумать. И вообще: киллерская контора нравится мне гораздо больше, чем «Клуб самоубийц». Здесь больше правды жизни.

— Но при чем здесь ты?

— Не знаю. Может, усатый увидел, что Любочка передала мне какую-то записку, и решил выяснить, что в ней? Не подозреваю ли я чего плохого? Начал подсылать ко мне мужиков...

— Нет, тут неувязка, — решительно заявила Люся, снова налегая на коньяк.

— Говори, — разрешила Настя.

— Насколько я понимаю, когда на твоем пути возник Иван, Любочка была жива. И ваша встреча в ресторане еще не состоялась. А это противоречит выстроенной тобой версии с подосланными мужчинами. Не просто противоречит — перечеркивает ее.

— Но если это дьявольский план, разработанный человеком-пауком, то он предвидел, что Любочка умрет! И заранее подослал Ивана!

— А зачем?

— Ну... Следить.

— Зачем за тобой следить?

— Затем, что я занялась расследованием, стала искать «КЛС» и Ясюкевича.

— Откуда человек-паук мог заранее знать, что ты займешься расследованием? До твоей встречи с Любочкой, до того, как она передала тебе записку, о которой человек-паук вообще вряд ли знает?

— Может, он просто надеялся на то, что я влезу в это дело? Заметь: это Иван выбрал тот ресторан, где мы столкнулись с Любочкой.

— Какой бред, — с чувством сказала Люся. — Никто никогда не может загадать, что сделает или чего не сделает женщина.

— Ты права, — поникла Настя.

Чтобы взбодрить ее, Люся налила еще по рюмочке коньяка.

— Вот что этот человек-паук сделал заранее, так это отвел тебе в деле какую-то роль. И мы до сих пор не поняли, какую. Ты не боишься?

— Еще как боюсь! Но при этом мне совершенно не светит выступать в роли жертвы, которую во что-то впутали, а она и лапки кверху задрала. Он считает, что я без мозгов. Что ж! Пусть пребывает в этом заблуждении и дальше. А я стану действовать.

Люся проявила себя настоящей подругой и спросила:

— Чем я могу тебе помочь?

Глаза ее горели храбростью, и Настя поняла, что благодаря коньяку подруга уже снялась с тормоза. Впрочем, она и сама чувствовала себя как никогда смелой.

— Ты и в самом деле можешь мне помочь! — сообщила она важно. — Давай вдвоем выведем эту «КЛС» на чистую воду!

— Давай, — тотчас же согласилась Люся. — А как?

— Я дам тебе денег, ты позвонишь на фирму и вызовешь уборщиков. Когда они приедут, мы дадим им понять, что ты мечтаешь избавиться от собственного мужа. Вскользь брошенные намеки, то-се... Если это действительно киллерская контора, уборщики донесут руководству, и оно с тобой свяжется.

— А ты не преувеличивашь? Думаешь, они вот так находят клиентов?

— Люся, попытка — не пытка. Под лежачий камень вода не течет, разве ты не в курсе? Мы должны что-то делать, иначе что-нибудь сделают с нами.

— С тобой, — поправила ее Люся.

— Хорошо, со мной.

— А если тебя убьют? — спросила Люся, испуганно моргая.

— Пусть лучше меня убьют за то, что я что-то предпринимала, а не за то, что не предпринимала ничего.

— Давай позвоним туда прямо сейчас!

— Давай!

Обе были уже в таком состоянии, что сговориться им ничего не стоило. Настя достала визитку фирмы, а Люся набрала номер и вызвалась разговаривать.

— У меня близнецы, — пьяным голосом сообщила она девушке, принимавшей заказы. — Целых два года они стремились уничтожить все ковровые покрытия в доме. Им это не удалось. И у нас все еще есть что почистить.

— Семьдесят рублей за квадратный метр, — предупредила девушка.

— А когда приедут ваши люди?

— Завтра вас устроит?

— Да. Давайте завтра утром. В десять, — сказала Люся и продиктовала адрес, не представляя себе, в каком она будет находиться состоянии к тому времени.

Они долго вырывали будильник друг у друга из рук, потом все-таки завели его на девять, решив, что часа на то, чтобы умыться и позавтракать, им хватит с лихвой. Но когда наутро будильник зазвонил, выяснилось, что ни о каком завтраке не может быть и речи.

— Такое впечатление, что накануне мне вскрыли голову и навалили туда камней, — простонала Люся и побрела в душ, рассчитывая с его помощью прийти в норму. Ничего не вышло.

Когда она вошла в кухню, Настя сидела за столом, вперив недвижный взор в сахарницу. На лице у нее застыла мировая скорбь, а волосы завились колечками и торчали в разные стороны.

— Хочешь кофе? — выговорила Люся, еле-еле вороча шуршащим языком в сухом рту.

— А у тебя больше ничего не осталось?

— Есть бутылка шампанского.

— Тащи ее сюда! Да побыстрей.

После шампанского дела пошли веселее. Солнце больше не резало глаза, во рту появилась слюна, а в сердцах — боевой задор.

— Скоро должны подъехать. — Люся потирала руки, то и дело выглядывая в окно. — А если они попадутся на удочку, что станем делать?

— Я позвоню Маслову, а он подскажет, как действовать правильно. Думаю, милиция их повяжет. — Настя по-гусарски широко махнула рукой.

На самом деле так далеко она не заглядывала.

# 7

Получив указания Ерасова, его помощник Леща Алексеев несколько минут неподвижно сидел за столом. Безвредная конторская внешность Леши могла ввести в заблуждение кого угодно: тощий, угловатый, слегка сутулый, он никому и никогда не казался опасным. И никто и никогда не мог узнать, о чем он думает.

Сейчас он думал о своем задании. Убрать Маслова — коротко и ясно. Где это лучше сделать? На подготовку времени ему не дали. Впрочем, как всегда. Это Ясюкевич со своей командой неделями готовит мизансцены, разрабатывает сценарии, печется о деталях. Ему же велено действовать по-ковбойски. Первым делом необходимо проверить сотовый телефон адвоката. И никому ведь не поручишь — придется бегать самому.

Через пару часов у него на руках уже были распечатки. Все номера телефонов, по которым звонил Маслов в течение последнего месяца. И номера телефонов, с которых звонили ему. Алексеев выхватил из стаканчика на столе черный маркер и, бегло проглядев распечатки, сразу же вычеркнул из длиннющего списка домашний телефон адвоката и рабочий телефон его жены. Потом принялся выписывать на листок повторяющиеся номера. Работа была простой и привычной, рутинной.

Так. Четырежды в месяц, два раза в четверг и два раза в пятницу, он звонил кому-то между десятью и одиннадцатью утра. Вероятно, как только приезжал на работу. Потом, в этот же самый день, звонил еще раз, только позже, с шести до восьми вечера. Утром назначал встречу, а вечером подтверждал, что едет? Помощник Ерасова обвел телефон красным. Сегодня как раз был четверг. «Это мне подарок», — отрешенно подумал он.

Еще некоторое время ушло на то, чтобы выяснить, по какому адресу установлен телефон и кто там живет. Некая Рина Савченко, продавец ювелирного магазина. Молодая. Отлично. Леша Алексеев надел белую рубашку с короткими рукавами — дань удушающей жаре — и сноровисто собрал «дипломат».

— Кто там? — спросила Рина Савченко из-за двери будничным голосом.

— Цветы от Севастьяна Маслова прекрасной даме! — весело ответил помощник Ерасова и поднес розы к глазку.

Как только хозяйка квартиры открыла дверь, он ворвался внутрь и, бросив букет на ковер, прижал ее к стене. Лицо его скрывала черная шапочка с прорезями для глаз. Глаза были умные и совсем не злые.

— Когда приедет Маслов, ну? — Он сунул ей под подбородок холодное и жесткое дуло.

— К восьми, — прохрипела та, зажмурившись.

Алексеев ударил ее пистолетом по голове, не мешкая, достал из «дипломата» веревку и пластырь, связал руки, лодыжки, заклеил рот и вышел, захлопнув за собой дверь.

Сева Маслов стоял в пробке, когда ему позвонили по телефону.

— Это я, — сказал приглушенный мужской голос. — На первый взгляд с фирмой все в порядке. Ни в каких делах она не фигурирует.

— Удалось выяснить, кто владелец?

— Некий Ерасов.

— Что про него известно?

— Лет двадцать назад работал в ОБХСС, потом в РУВД. Занимался «милицейским бизнесом» — уводил деньги, выделенные под выкупы заложников. Управление собственной безопасности МВД прищемило ему хвост, но до суда дело не дошло. Он уволился и пропал из виду.

— А нынче подвизается владельцем фирмы, занимающейся уборкой помещений?

— Да.

— Хорошо, позже мы с тобой это еще обсудим. Встретимся, как договорились.

Сева отключился и покачал головой. Как ему не хотелось влезать в это дело! «Ладно, — решил он. — Отвлекусь на пару часов, потом подумаю, как действовать дальше». Один раз в неделю он «отвлекался» по совершенно определенному адресу в районе метро «Студенческая».

Оставив машину возле детской площадки, он проверил сигнализацию и вошел в подъезд. Подошел к домофону и легкими пальцами пробежал по кнопкам.

Замок щелкнул, и Сева оказался в небольшом холле, все стены которого были увешаны почтовыми ящиками. Предполагалось, что в стеклянной будочке должна сидеть консьержка, но ее услуг не оплачивали, и окошко было заставлено куском фанеры.

Сутулый молодой человек в белой рубашке с короткими рукавами и с куцым галстуком на шее пытался засунуть в «дипломат» кипу газет. «Дипломат» он держал на коленке, и тот все время норовил захлопнуться. Сева некоторое время ждал, пока молодой человек освободит ему дорогу, потом вежливо сказал:

— Разрешите пройти.

— Ой! — ответил молодой человек. — Конечно. Пожалуйста.

После чего свободной рукой достал из «дипломата» пистолет с глушителем, вскинул его и выстрелил, почти не целясь.

* * *

Тем временем Люсин муж Петя держал курс на родной очаг. Выставив вперед белую гипсовую толстую кочергу, он всю дорогу до Москвы разглагольствовал о том, как не любит надолго уезжать из дому.

— Слышь, Серега! — говорил он приятелю, который вел машину. — Ты не поверишь, но я уже соскучился по Люсе. Вот увидишь, как она мне обрадуется.

— Не знаю, не знаю, — отвечал флегматичный Серега. — Совокупный мужской опыт показывает, что жен надо предупреждать заранее. Никогда еще неожиданное возвращение домой не приносило радости в семью.

— Думаешь, у нее любовник? — хохотнул Петя. — Зуб даю: они с подружкой сидят на кухне, и у них происходит невинный треп.

— Не знаю, не знаю, — снова сказал скептик Серега. — Если подруга появляется в отсутствие мужа, то лишь для того, чтобы перемыть ему косточки.

— Да ладно, брось! — начал сердиться Петя. — У меня все не так. У меня с Люсей любовь. Она за глаза обо мне слова дурного не скажет.

— Допускаю, — кивнул Серега. — Слышал о таком, но не встречал.

Петя уже наловчился передвигаться на костылях,

однако Серега все равно поплелся за ним, как он сказал, для страховки. Когда они подошли к двери, то услышали, что в квартире ревет пылесос.

— Убирается, — удовлетворенно констатировал хозяин и открыл замок своим ключом.

Приятели вошли в коридор и закрыли за собой дверь. Петя уже собрался молодецки гикнуть, чтобы перекричать шум и позвать жену, как вдруг пылесос взревел последний раз и внезапно стих. Тут же раздался громкий Люсин голос:

— Если бы ты знала, как он мне надоел!

Петя остался стоять с открытым ртом, а Серега больно схватил его за запястье и приложил палец к губам.

— Так надоел, что больше нет моих сил терпеть.

— Да, я тебя понимаю, — вторила жене ее мерзкая подруга. — Здоровый бугай целыми днями сидит на диване и смотрит телевизор. У кого хочешь нервы не выдержат!

— Но у меня же нога сломана! — прошептал Петя, сделав круглые глаза.

— Вот хожу мимо него и ненавижу, — продолжала Люся чужим голосом. — Так бы взяла и задушила своими руками. Чтобы из горла хрипы, хрипы!

— Нельзя, — с явным сожалением сказала подлая подруга жены. — Тогда тебя посадят.

— А как было бы хорошо найти способ, чтобы избавиться от него навсегда. Никаких денег не пожалела бы!

— А что ты хочешь, чтобы с ним случилось? — спросила жуткая подруга жены с садистским любопытством.

— Да что угодно! Пусть бы он с балкона упал, что ли. Или его машина переехала. Какая бы жизнь пошла!

— Пожалуй, мне пора, — прошептал Серега и попятился к двери.

В этот миг снова завыл пылесос, и Петя метнулся следом за приятелем:

— Погоди, я с тобой!

Очутившись на лестничной площадке, они ошалело поглядели друг на друга.

— Как ты думаешь, что это было? — спросил Петя дрожащим голосом.

— Не иначе, как невинный женский треп.

— Боже мой! Да она настоящая кобра! Ее надо раздавить камнем!

— Не забудь, что у вас с ней двое кобрят, — мрачно заметил Серега.

Из квартиры как раз начали выходить уборщики. Один из них, примерно Петиного возраста, проходя мимо, спросил:

— Хозяин?

Петя с мученическим видом кивнул.

Тот потупился, некоторое время изучал свои ботинки, явно намереваясь что-то сказать, потом махнул рукой и, похлопав Петю по плечу, посочувствовал:

— Эх, мужик!

Серега растерянно посмотрел ему вслед, потом предложил:

— Может быть, вернемся ко мне на дачу?

— Ни за что. Сидеть там и думать, какую казнь она мне готовит? Нет уж, я предпочитаю битву с открытым забралом.

Он вошел в квартиру и громко захлопнул за собой дверь.

— Только когда откроешь забрало, следи, чтобы тебе не выцарапали глаза, — с некоторым опозданием посоветовал Серега.

— Петька, ты?! — воскликнула Люся, выскакивая в коридор. — То-то я слышу, будто костыли стучат!

— А для тебя это, конечно, настоящая музыка, — мрачно молвил тот, глядя на нее вприщур.

Люся сделала такое лицо, будто бы только что проглотила пуговицу:

— С тобой все в порядке? — спросила она.

— Пока да, — сварливо ответил он. — Я ведь был вне пределов твоей досягаемости!

— Люся, с кем это ты там разговариваешь? — поинтересовалась Настя, появляясь в коридоре. — О, Петька! — воскликнула она. — Рано вернулся.

— Спутал вам все карты, а?

— Да нет, — пожала плечами Настя. — Ты нам не мешаешь.

— Неужто? — вопросил тот, пытаясь вместе с костылями протиснуться в комнату.

Настя пошла следом и, когда он рухнул на диван, взволнованно обратилась к нему:

— Скажи, Петька, как, по-твоему: во мне что-нибудь изменилось за последнее время?

— О да! — с чувством ответил он.

— Да? — недоверчиво переспросила Настя. Она некоторое время молчала, потом осторожно поинтересовалась: — И твое отношение ко мне тоже изменилось?

— Еще как! — живо сказал Петя, глядя на нее откровенно оценивающим взглядом.

— Слушай, ты меня пугаешь, — стушевалась Настя и повторила для вошедшей в комнату Люси: — Он меня пугает.

— Покажи язык, — приказал Петя, махнув в ее сторону костылем.

Настя молча показала язык.

— Теперь ты, — обратился он к жене.

Та тоже молча высунула язык.

— Надо же! — саркастически заметил Петя. — А я думал, что они у вас раздвоенные!

— Чего? — хором спросили подруги и ошалело переглянулись.

— Он заболел, — так, словно мужа не было в комнате, заметила Люся.

— Да он все слышал! — неожиданно догадалась Настя и захохотала. — Он слышал, как ты мечтала сбросить его с балкона! Я права, Петька? Права? Ты слышал, как Люся распиналась по поводу того, как ей хочется тебя придушить или толкнуть под машину, да? Ой, умора!

Настя сложилась пополам и принялась издавать икающие звуки. При этом она била себя руками по бокам, словно спасалась от мороза.

— Не надо было высасывать остатки шампанского прямо из бутылки, — укорила ее Люся. — Кроме того, когда я тебе наливала, я не думала, что вернется мой муж. Я ведь знаю, как на тебя действует спиртное, — сейчас начнешь ходить вокруг него лисой, хвостом мести, коленки показывать.

— Я удостоюсь каких-нибудь объяснений? — вспылив, крикнул Петя тонким голосом.

— Да подожди! — отмахнулась от него Люся. — Тоже мне, герой! Как ты мог поверить, что я хочу от тебя избавиться?

— А что? Я тоже должен был начать хохотать прямо с порога?

— Это же просто шутка! — разогнувшись, начала оправдываться Настя. — Мы хотели поглядеть, какие рожи будут у уборщиков.

— Ничего себе вы шутите!

— Да мы вчера коньячком побаловались, пришлось с утра шампанским лечиться.

— А уборщики что здесь делали? — гневно спросил Петя.

— Чистили ковры.

Люся, некоторое время переводившая взгляд с одного на другого, неожиданно остановила его на Насте и твердо заявила:

— Чует мое сердце, что придется ему все рассказать.

— Ты с ума сошла?! — закричала та. — Он нас тотчас же разлучит!

Петя побледнел и схватился за сердце:

— У вас что, любовь?!

— Вот. — Люся пренебрежительно показала на него подбородком. — Чувствуешь, какая у него в голове свалка?

— Это все Лусия Мендес виновата, — важно заявила Настя. — Надо написать на телевидение гневное письмо.

Петя поднял костыль и прицелился.

* * *

Настя включила телевизор и вполуха слушала московские новости, хаотично передвигаясь по комнате. Вроде бы целый день отсутствуешь, а беспорядок такой, словно человек десять спешно собирались на работу.

Внезапно из общего потока информации ракетой вылетели слова, которые так больно ударили по Насте, что она едва не упала. Схватилась пальцами за край стола. «Сегодня утром выстрелом в голову убит московский адвокат Севастьян Маслов. Еще месяц назад ему угрожали неизвестные, требуя оставить дело крупного бизнесмена...»

Настя кое-как добралась до дивана и повалилась на него лицом вниз. Сева Маслов? Нет, не может быть! Настя заплакала. Слезы слегка размыли тот ужас, который обручем сжал ее сердце. Стало немного легче дышать.

Поддавшись порыву, Настя натянула первое попавшееся платье и выбежала во двор. Завела машину и поехала к жене... нет, теперь уже вдове Маслова. Несколько раз она была в гостях у этой пары вместе с Мерлужиными. «В квартире наверняка полно официальных лиц, — думала она, развивая небывалую для себя скорость. — Я обязательно должна рассказать свою историю. Вдруг убийство Севы как-то связано со смертью Макара и Любочки? Я все выложу, а они пусть сами решают».

Влетев в подъезд, Настя не стала дожидаться лифта, а побежала наверх пешком, задыхаясь и охая. Голос Татьяны, Севиной вдовы, она услышала издали. Голос был высокий, срывающийся. «Она в истерике, — поняла Настя. — И я вряд ли смогу ей помочь».

Татьяна стояла на лестничной площадке, а вокруг громоздились явно застегнутые впопыхах дорожные сумки. Четырнадцатилетний сын Масловых бегал по квартире, собирая забытые мелочи. Мать то и дело торопливо окликала его. Увидев Настю, Татьяна ахнула, и по ее щекам тут же побежали слезы. Женщины обнялись и некоторое время хлюпали носами.

— А ведь он вспоминал тебя накануне! — неожиданно заявила Татьяна, отступая на два шага и пытливо глядя на Настю. — Сказал, что ты была права, а он не придал этому значения.

— Чему? — испуганно спросила та.

— Я не знаю. Вчера вечером к нему кто-то приходил, какой-то мужчина. Сева вышел на лестничную площадку и некоторое время пропадал там. Я смотрела кино, он прошел мимо меня, неся в руке сверток. Похлопал по нему и говорит: «Помнишь Настю Шестакову? Она была права, а я не придал ее словам никакого значения». Я тогда и внимания не обратила. — Татьяна напряглась: — Настя, что он имел в виду?

— Я разговаривала с ним о самоубийстве Любочки. Спрашивала про одну фирму. Господи, Таня, если бы ты знала, как это важно!

— Здрасьте, тетя Настя! — скороговоркой пробормотал Коля Маслов, появляясь на пороге. — А это поможет узнать, кто убил папу?

— Что — это? — хором спросили обе женщины.

— Подробности насчет того пакета.

— Ты видел, что в нем? — спросила Настя, непроизвольно взяв Колю за плечо.

— Я слышал, — пробормотал тот, переступая с ноги на ногу. Он боялся взглянуть на мать.

— И где же ты был в тот момент? — спросила та.

— На лестничной площадке.

— Курил, что ли?

— Нет, выпил банку пива, жвачкой зажевал. — Никто этого признания не прокомментировал, поэтому он продолжил: — Когда лифт остановился на нашем этаже, я быстренько поднялся на полпролета. — Он мотнул головой, показывая, куда поднялся. — Папа открыл дверь и спросил, кого надо. Человек назвал его имя и сказал, что у него для папы срочный пакет. Папа не хотел открывать его сам. Тогда человек говорит: «Не бойтесь, там нет бомбы. Пакет вам просил передать Макар Мерлужин. Он оставил его у меня дома и предупредил, что если не заберет его сам через три дня, я должен доставить его вам и отдать лично в руки. Вот смотрите, ничего опасного, это видеокассета».

— Видеокассета? — эхом отозвались обе женщины.

— Где она сейчас? — жестко спросила Настя.

— Я не знаю, — пожал плечами Коля. — Папа поблагодарил его и закрыл дверь, а человек уехал на лифте. Я немного подождал и прокрался в дом.

— Ты милиции рассказал? — с надрывом спросила Таня.

— Рассказал. Просил, чтобы тебе не говорили. Они весь дом обыскали, но кассеты не нашли. Я знаю, я слышал. Они удивились, потому что папа вечером никуда больше не уходил, а утром вышел из квартиры с пустыми руками.

— Может, он и уходил, — пробормотала та. — Ночью, когда мы с тобой уже спали.

Настя в волнении посмотрела на Таню.

— Таня! Мы должны отыскать эту видеокассету во что бы то ни стало!

— Нет, Настя, не обижайся, но мы искать ничего не

будем. Нас попросили как можно скорее уехать. Сева взялся за какое-то жутко сложное дело, связанное с высокопоставленными чиновниками. Ему угрожали по телефону, а месяц назад избили прямо на автостоянке. В милиции нас предупредили, что вряд ли смогут приставить к нам охрану, так что... Мы спрячемся. У меня сын, ты ведь понимаешь, да?

Настя все понимала, но была страшно разочарована. Увидев ее лицо, Таня сунула ей огромную связку ключей:

— Вот возьми. Можешь обшарить всю квартиру, я разрешаю. Если надо, обрывай обои и ломай паркет. Мне все равно, что будет со всем этим добром. По крайней мере, пока наша с Колей жизнь в опасности.

— Спасибо, — тихо сказала Настя.

Уже через минуту она осталась одна перед открытой дверью в чужую квартиру, которую еще вчера можно было назвать счастливым семейным гнездышком.

«Господи, кто же тот тип, который с такой легкостью решает, кому жить, кому умереть? — со страхом подумала Настя. — Что, если он следит за мной? Что, если он захочет убить и меня тоже? Вот прямо сегодня, сейчас?»

В панике она ворвалась в квартиру и закрылась на все замки. Пять часов продолжались поиски. И все напрасно: кассеты не было. «Я бы положила ее в холодильник, — стала рассуждать Настя. — Или в пакет с мукой. Или...» Она вскочила и, секунду помедлив, бросилась к двери. Выбежала на лестничную площадку и принялась звонить в ближайшую квартиру.

Словно по мановению волшебной палочки дверь отворилась, и на пороге возникла бабушка — божий одуванчик на шустрых кривеньких ножках и с глазками-буравчиками. Настя поздоровалась и взволнованно спросила:

— Бабушка, вы не в курсе, куда Таня Маслова дела

своего кота? У них ведь был кот, я хорошо помню — серый кот в белых носочках.

— Да он у меня! — удивилась старушка. — А тебе зачем?

— Я Танина подруга, помогаю ей... в разных делах. Она уже уехала, а мне отдала ключи, потому что нам необходимо кое-что найти. Так вот, я подумала, может быть, это случайно попало к вам вместе с котом?

— Милочка, да что ж ко мне попало-то? — удивилась старушка. — Кошачий нужник да еда — вот и все Мурзиковы пожитки.

— Еда! — воскликнула Настя. — Ее я и имею в виду. Она в коробке?

— Иди сюда, — махнула рукой старушка и, развернувшись, засеменила на кухню. — Еда вот она. Ее тут много всякой.

Старушка вытащила из-за холодильника пакет, продолжая объяснять:

— Таня с мальчиком в отпуск собирались, в туристическую поездку. А у Севы дела были, он не ехал. Но Мурзика все равно велел пристроить. Некогда, говорит, мне за ним ухаживать будет. Они мне его уж три дня как отдали. Хотели посмотреть, как он себя поведет в незнакомой обстановке. А то, говорят, если станет переживать да кричать всю ночь, в специальную гостиницу придется везти.

А вчера вечером Сева пришел, — старушка всплакнула и, задрав передник, вытерла им глаза. — Принес вот этот пакет. Говорит: «Берите, Марья Николаевна, весь корм сразу. Мурзик лопает за двоих, не вводить же вас в расход». А какой расход, когда Таня мне денег оставила?

— Марья Николаевна! — дрожащим голосом воскликнула Настя. — Могу я посмотреть пакет?

— Конечно, смотри, раз надо.

В пакете стояло три коробки сухого кошачьего корма. Настя потрясла каждую из них. Услышав волшебные звуки пересыпающихся хрустящих кусочков, из комнаты примчался Мурзик и стал вертеться под ногами, тычась лбом во все, что попадалось ему на пути. Старушка подхватила его на руки и понесла прочь.

Кассеты ни в одной из коробок не нашлось. Они даже не были вскрыты. Неужели Сева выходил куда-то ночью, дождавшись, пока родные уснут? Выходит, запись оказалась такой важной, что ее необходимо было немедленно спрятать? Или кому-то передать?

В этот момент Настя заметила на боку одной из коробок небольшое отверстие — такое, как если бы кто-то проткнул картон кончиками ножниц. Она без раздумий расправилась с упаковкой, схватила лежащую на холодильнике газету и высыпала туда содержимое коробки. Потом разгребла руками корм. В самом низу кучи что-то блеснуло. И уже через секунду проворные Настины пальцы схватили ключ — маленький плоский ключ с затейливой бородкой. От чемодана? От камеры хранения? От крошечной дверцы в стене?

Настя поспешно сунула ключ себе в сумочку и принялась ссыпать корм обратно. Движимый могучей силой инстинкта, Мурзик вырвался от бабульки и снова примчался на кухню. Здесь он стал скакать и мерзко мяукать.

— Придется подсыпать ему свеженького, — вздохнула бабулька, появляясь в дверях.

— Вы уж извините меня, — смутилась Настя, понимая, что ее поведение выглядит довольно странным.

— Да я понимаю, — покивала головой бабулька. — Севочку убили, а у вас розыски. — Она понизила голос: — Мне не опасно будет в их квартиру-то ходить, цветы поливать?

— Думаю, что нет, — сказала Настя. — А Таня оставила вам ключи?

— Ну да, оставила. — Бабулька сунулась в ящик и

показала Насте точно такую же связку ключей, какую дали ей.

— Знаете что, тогда я оставлю и те, что мне дали, тоже у вас, хорошо? Они мне вряд ли еще понадобятся.

Распрощавшись с хозяйкой, Настя предприняла отчаянную попытку найти союзников. Она поехала в юридическую фирму, где работали Макар и Сева, и там имела долгий разговор с руководством. Руководство осталось глухо к рассказу Насти. Оно придерживалось официальной версии: Макар попал в обычное ДТП, а Маслова «заказали» известные следствию люди, связанные с делом, которое адвокат начал вести несколько месяцев назад. Милиция видела свою задачу в том, чтобы на чем-нибудь подловить предполагаемых заказчиков убийства.

— Боже мой, Люся! — говорила Настя подруге, приехав к ней на следующее утро. — У всех словно пелена на глазах! Я все рассказала Севиному начальнику. Он выглядит таким умным!

— Конечно, он умный, раз послал тебя подальше. Надеюсь, ты не начала с истории о мужчинах, которые стремятся во что бы то ни стало тебя обаять?

— За кого ты меня принимаешь?

— Знаешь, мы тут с Петькой посоветовались и решили: тебе надо немедленно бросить это дело. Выйти из игры. Просто забудь про все и живи, как раньше. А лучше всего поскорее устройся на работу. Сразу станет не до опасных приключений.

— Вы с Петькой молодцы, — сказала Настя. — Но, боюсь, ничего не получится. Я бы вышла из игры, если бы могла изменить правила. Но их диктует кто-то другой.

— Ну что, что тебе мешает? — раскипятилась Люся.

— Во-первых, я знаю, что Макар оставил видеокассету...

— Которая представляет угрозу для жизни. Пример Маслова это доказал.

— Во-вторых, — не обращая на ее слова никакого внимания, продолжила Настя, — я нашла ключ, который Сева находчиво спрятал.

— Ты не знаешь, что открывает этот ключ!

— И, в-третьих, финик уже у меня.

— Какой финик?

— Как какой? Которого я заказала по телефону. Из Финляндии. Теперь ты понимаешь, что меня в любом случае не оставят в покое?

Люся нервно сглотнула, а Настя наклонилась к ней и понизила голос, будто предмет обсуждения мог ее слышать:

— Хочешь поржать?

— Ну?

— Его зовут Юхани.

— Господи боже! А... Как он появился? Под каким соусом, я имею в виду?

— Привез посылку от мамы.

— И где он теперь?

— Сидит у меня дома, ждет, пока я освобожусь. Хочет, чтобы я повела его на экскурсию по городу.

— Конечно, ты первым делом покажешь ему Москву-Сити, торговый комплекс на Манеже и новый аквапарк?

— Смеешься? Мозг интуриста сформировался еще в советские времена. На протяжении десятилетий они все хотят видеть одно и то же: Красную площадь, Большой театр и Мавзолей Ленина. Дикие люди!

Когда накануне приезда Юхани позвонила мама, Настя только-только разлепила ресницы.

— Дорогая, я там послала тебе кое-что из одежды.

— Мам, ну зачем?

— Что за вопросы? Затем, что я забочусь о тебе.

Кроме того, я тут пристрастилась к распродажам. Скажу тебе по секрету: это не менее увлекательно, чем тотализатор.

— Ты разоришь Эйно.

— Эйно нравится, когда у меня хорошее настроение.

— Ты всегда умела управлять людьми. Когда работала на телевидении, манипулировала общественным сознанием, а теперь манипулируешь Эйно.

— Что поделать, если я ему нравлюсь? Но я хорошая мать и хочу, чтобы ты тоже всем нравилась.

— Вроде бы подвижки в этом деле уже есть. Вот только как определить, настоящее у мужчины к тебе чувство или одно притворство?

— Нет ничего проще. Если он ведет себя в твоем присутствии как болван, значит, чувство подлинное.

— Выходит, ты всю жизнь общаешься с болванами?! — ужаснулась Настя.

— Как ты любишь утрировать! Кстати, дорогая, тряпки тебе пригодятся.

— Что это ты имеешь в виду? — насторожилась Настя.

— Я разговаривала с Жанной, она хочет, чтобы ты на следующей неделе поучаствовала в съемках ее передачи.

— Ни за что!

— Она сама тебе позвонит, скажет, когда прийти. Закажет пропуск. Все, как обычно.

— Мама, это для тебя в «Останкино» все обычно. А для меня это Зазеркалье. И ты знаешь, как я ненавижу находиться на публике. Кроме того, на съемках жарко. И лампы светят в глаза, как в камере пыток.

— Ну все, все! Перестань ребячиться. В твоем возрасте пора научиться практичности.

— Отбивать ладоши перед телекамерами — это, по-твоему, и есть практичность?

— Практично ходить туда, где водятся мужчины.

— Ты говоришь о них, как о земноводных!

— Да, я никогда не обожествляла сильный пол. Даже твой отец не был идеалом.

— А кто привезет мне посылку? — Настя поспешила переменить тему. Разговор об отце всегда заканчивался слезами или ссорой.

— Юхани. Он знакомый наших знакомых. Уверена, он тебе понравится.

— Да? А как он выглядит?

— Ну, как они все выглядят?

— Кто?

— Финны.

— А все-таки, мама! Мне интересно.

— Не знаю, дорогая, я его не видела. Просто передала сумку друзьям, а они сказали, что Юхани — настоящее сокровище.


Сокровище было высоким, белобрысым и розовощеким. Его отличали вдумчивые синие глаза, невероятно курносый нос и низко остриженная челка, разделенная на пробор в середине лба. Юхани говорил по-русски бегло, но с каким-то варварским акцентом. Имел приличный лексический запас и при этом почти полностью игнорировал падежи и другие нормы русской грамматики. Настя, естественно, с первой же секунды заподозрила в госте «засланного казачка». Однако он ухитрился поколебать ее уверенность.

Во-первых, Юхани уже оплатил номер в гостинице и не делал никаких попыток переселиться к ней на время своего визита. Во-вторых, не смотрел на нее томным взором, не прикладывался к ручке и не обещал луну с неба. В-третьих, рассказал историю про то, как в Москве у него едва не утащили сумку, которую он вез Насте.

— Я ждать такси, и некто человек взять сумка и побежать зайцем, делать петли, оглядываться на меня.

— Как он выглядел? — насторожилась Настя.

— Неинтересный женщине. Маловырослый, ноги гнутые, глаз хитрый, мыший волос.

— Не знаю такого, — пробормотала Настя.

— Как вы знать вор? В Москве много вор, мне говорить до поездки все русский друг.

— А рядом с этой сумкой была еще какая-то поклажа?

— Да, стоять мой новый чемодан, мой новый сумка «Найк».

«Вот-вот, — подумала Настя. — Рядом стояли более дорогие на вид вещи, однако вор схватил именно ту сумку, без которой финн вряд ли заявился бы ко мне с визитом. Скорее всего, позвонил бы и принес свои извинения. Зато на следующий день у меня в квартире наверняка появился бы совершенно другой Юхани. Он принес бы сумку и соврал, что милиция ее быстро нашла. Причем со всем содержимым. А на самом деле это был бы подставной Юхани. Нет-нет, сумку пытались утащить не просто так».

— И каким же образом вы ее вернули? — с любопытством спросила Настя.

— Я просил таксиста караулить мои вещи, сам бежать за вор. Догнать, бить по рукам, отнимать собственность.

Судя по внешнему виду сумки, битва была нешуточной. Настя отвезла Юхани на Красную площадь и поводила по Александровскому саду, после чего с чувством выполненного долга доставила к гостинице.

— Люся! — спросила она у подруги, которую, несмотря на ее протесты, по-прежнему считала своей сообщницей. — Тебе из «КЛС» так никто и не звонил?

— К счастью, нет, — мрачно ответила та. — Не представляю себе, что было бы, предложи они мне укокошить любимого мужа! Только по пьяной лавочке я могла согласиться участвовать в твоем диком плане.

— Люся! Я решила действовать смело, — оправды-
валась Настя.

— А до сих пор ты как действовала?

— Тоже смело. Но до сих пор все было не опасно.

— Конечно, чего опасного? Могли всего лишь угро-
бить моего мужа... — Люся осеклась и спросила с подозрением: — Так что ты там задумала?

— Завтра суббота. Поеду-ка я под видом Наташи на
свидание с Шинкарем. Помнишь, я тебе рассказывала?
Авось через полчаса после моего прихода что-нибудь
прояснится.

— Да ты в своем уме?! — возмутилась Люся. — Ты
даже не представляешь, что ты там должна делать!

— Вообще-то догадываюсь. Это я сначала не сообразила, со страху. А так не надо быть семи пядей во лбу,
чтобы понять, почему работодатели ожидали увидеть на
моем месте девицу с большим бюстом.

— Думаешь, эта «КЛС» поставляет девушек по вызову? — вслух подумала Люся. — А что? Приезжают к
тебе девочки в халатиках и кокетливых фартучках. Знаешь, как в немецких порнофильмах?

— И знать не хочу, — с отвращением сказала Настя. — Ты со своим любимым мужем совсем опустилась.

— Чья бы корова мычала! — парировала Люся. —
Я видела у тебя на кассете «Эмманюэль»!

— Люся, «Эмманюэль» — это просто пособие для
женщин, которые хотят похудеть. Слушай, как ты считаешь, не стремно ехать завтра по тому адресу, который
мне велели запомнить?

— Еще как стремно! Я бы ни за что не поехала.
Кстати, а о каком Шинкаре идет речь? Это не тот, который по телику выступает? Ну, знаешь, шоу «Модная
тема»?

— Первый раз слышу про такое шоу, — призналась
Настя.

— Ну, правильно. Шоу дневное, а ты днем телик не

включаешь. Хотя твоя мама наверняка знакома с этим парнем!

— Вот уж не обязательно.

— Нет, наверное, это все-таки тот самый Шинкарь, который тебе нужен. Фамилия не такая уж распространенная, согласись. Советую тебе, прежде чем совать голову в петлю, воспользоваться мамиными связями, встретиться с этим типом и с пристрастием допросить его. Может быть, обменявшись информацией, вы оба останетесь в выигрыше. Судя по твоим словам, затевается некая операция против Шинкаря?

— Ну да. Его хотят на чем-то подловить.

— Настя, где твои мозги? На чем-то! Шинкарь должен встретиться с продажной девкой на какой-то квартире. Девке платят деньги и заранее предупреждают, чтобы за полчаса она довела его до нужной кондиции. А через полчаса что-то произойдет.

— В квартиру ворвется его жена и выкинет меня в окно.

— Что-то вроде того.

— И что в этом опасного?

— Тебе просто хочется сыграть роль продажной девки, — заявила Люся, — поэтому ты делаешь вид, что ничего не боишься.

— Да ладно, я склонна с тобой согласиться. С Шинкарем необходимо переговорить заранее.

У Люси радостно заблестели глаза. Настя понимала, о чем она думает. Узнав о ловушке, которая его подстерегает, Шинкарь, может, и расскажет Насте что-нибудь для нее интересное, но никогда не согласится пойти на ту злополучную квартиру. Однако у нее в голове уже созрел интересный план...

Шинкарь был одним из тех мужчин, возраст которых можно определить только по паспорту. Не то молодой, но хорошо поживший, не то пожилой, но неплохо сохранившийся. Ему можно было дать лет тридцать, а можно — пятьдесят. Все зависело от ракурса, освещения и выражения лица. Смуглый, зубастый, с большой заводной улыбкой, Шинкарь вел свое шоу с такой энергией, будто рассчитывал поднять в студии ураган или к чертовой матери смести с земли все «Останкино». Он еще не был пресыщен профессией, и зрители любили его за неподдельный азарт, а также за то, что он никогда не унижал даже самых недалеких своих гостей.

Люся нашла фотографию Шинкаря в одном из старых «ТВ парков» и показала Насте, чтобы та его ни с кем не перепутала. А мамина подруга Жанна, которая взялась устроить встречу, предупредила:

— Только не опаздывай! Точность — его пунктик. Опоздаешь на пять минут — сделает замечание, опоздаешь на десять — выскажет свое возмущение.

— А на пятнадцать? — с любопытством спросила Настя.

— В этом случае можешь вообще не приходить.

— А если я приду раньше?

— Не знаю, — совершенно серьезно задумалась Жанна. — Полагаю, ничего страшного. Но ты на всякий случай все-таки сверяйся с часами.

Встреча была назначена Шинкарем в клубе «Трилистник», который находился на полпути между «Останкино» и его квартирой. Настя обрядилась в одно из привезенных Юхани броских платьев, надела пару браслетов и, заглядывая в модный журнал, скрутила волосы в маленькую нахальную фигу. Из дому она выехала сильно загодя, чтобы никакая случайность не помешала ей в назначенное время появиться в клубе. Даже двадцатиминутная пробка не смогла ее смутить. Гордясь собой, с довольной улыбкой на устах она свернула в переулок и плавно остановила машину возле скромной вывески, украшенной трехпалым зеленым листочком. До встречи оставалось двадцать минут.

Первым делом Настя достала из сумочки пудреницу. Когда Шинкарь ее увидит, она будет свежа, как маргаритка. Подняв пудреницу повыше, Настя полизала палец и хотела пригладить брови, и тут совершенно неожиданно для себя увидела в зеркальце отражение до боли знакомой физиономии. Это был Владимир! Тот самый гад, который приезжал к ней на дачу под видом компьютерщика и загипнотизировал ее! Он сидел в машине, которая стояла чуть поодаль, и таращился через стекло, уверенный, что Настя его не заметила.

Вскипев, она принялась вертеть пудреницу в руках так и сяк, стараясь разглядеть все как следует. И разглядела. Владимир занимал пассажирское сиденье, а за рулем сидел не кто иной, как Артем — ее личный Киану Ривз!

— Батюшки! — ахнула Настя шепотом и приложила пудреницу к животу. — Сбились в пару, да? Шпионите за мной, да?

Она постаралась взять себя в руки и, закрыв глаза, минуту глубоко дышала. Этим двум фруктам вовсе незачем знать, что она их вычислила. «Хорошо бы застать их врасплох, — подумала она. — Если я сейчас просто пойду на них грудью, они дадут задний ход и удерут. А мне так хочется подержать хоть одного за воротник и посмотреть в его красивые глазки!»

При любом раскладе вряд ли она сможет заставить их рассказать, на кого они работают и зачем. Настя и сама толком не знала, чего рассчитывает добиться. В ней просто-напросто взыграло ретивое. «Представляю, что они обо мне друг другу рассказывают», — распаляла она себя.

Открыв дверцу, она выставила на обозрение обтянутые чулками ножки, потом встала и двумя руками поправила прическу. Платье было таким тесным, словно его выбирал учитель анатомии, собиравшийся использовать обрисованное платьем тело в качестве наглядного пособия. Надо заметить, что Настя чувствовала себя в нем совершенно свободно, привыкнув к тому, что, в каком бы виде ни появлялась на улице, на нее все равно никто не обращал внимания.

Впрочем, ситуация изменилась: сейчас за ней с неослабевающим интересом следили целых четыре отборных глаза. Настя решила заманить гадов в какое-нибудь безлюдное место, а потом зайти с тыла и грозно спросить: «Ну? И что все это значит?» Конечно, они не ответят, но ей просто хотелось посмотреть на их физиономии в тот момент. Кроме того, пусть знают, что она раскусила их тактику, что не такая уж она и дура безголовая.

Безлюдное место, как назло, никак не попадалось. Кругом густо стояли многоэтажки, вокруг них роились жильцы, да и время было неподходящее — вечер пятницы. Наконец Настя увидела впереди каменный забор, за которым высился целый ряд мрачных строений неизвестного назначения. Слева раскинулся небольшой пустырь, заваленный ржавыми железяками, справа теснились гаражи. Здесь же стояли доверху наполненные мусорные баки. К ним-то Настя и побежала. Надежно спрятавшись, она стала поджидать своих преследователей.

Те не заставили себя долго ждать. Первым, размашисто шагая, к гаражам вышел Артем. За ним появился Владимир. Настя поправила бретельки на платье и уже состроила подходящую рожу, когда вдруг из-за гаражей появились три свирепых создания в тренировочных штанах и черных майках. В их бритых головах отражалось усталое солнце.

Троица окружила Настиных знакомых таким образом, что сразу стало ясно — драки не избежать. Последовал предварительный «обмен любезностями», после чего местные начали атаку. Настя надеялась, что ее парни себя в обиду не дадут. Однако с первых же минут

стало ясно, что приемам самообороны их учил в полуподвале школы какой-нибудь физрук, страдающий алкогольной зависимостью.

Один из местных достал из кармана кастет и надел его на руку. Надо было срочно что-то делать. Настя решила бежать за помощью и выскочила из-за мусорных баков с криком:

— Сейчас я милицию приведу!

Одна черная майка тотчас же метнулась к ней. Все произошло в какие-то доли секунды. Поняв, что ей не добежать не только до милиции, но и до ближайшего угла, Настя огляделась по сторонам в поисках защиты и увидела, что к мусорному баку прислонен облезлый карниз, унизанный колечками для занавесок. Она тотчас же схватила его в руки и принялась размахивать им перед собой, словно пикой. Впрочем, карниз был слишком длинный.

Она тут же сориентировалась и стала крутиться на месте, как большой пропеллер, вопя во всю глотку:

— Ща всех поломаю!

Бугай в черной майке никак не мог улучить момент, чтобы приблизиться к ней. Он то наклонялся вперед, то отпрыгивал в сторону. Голова у Насти очень скоро закружилась, и карниз стал вращаться неровно. Один его край на бешеной скорости пронесся над ближайшим баком, срезав верхушку мусорной кучи. В дерущихся со свистом полетели консервные банки, банановые шкурки и всякая липкая дрянь. Самой Насте тоже досталась пара объедков.

— Ща всех забомблю! — продолжала надрываться она.

Чтобы ее не затошнило, Настя остановилась, решив раскрутиться в обратную сторону, не удержала равновесия и со всего маху врезала концом карниза по баку. Раздался оглушительный грохот и хруст — кусок карниза отломился и остался висеть, что называется, на одной ниточке. Воспользовавшись заминкой, тип в черной майке бросился на Настю. Она, не будь дура, взмахнула своим оружием. Тут кусок карниза с тяжелым набалдашником на конце оторвался окончательно и полетел, словно камень, выпущенный из пращи. Попал нападавшему в ухо и сбил его с ног. Тот упал, раскинул руки и остался лежать, тихо постанывая.

Настя побежала на оставшихся врагов.

— Ща всех заколю! — закричала она, собираясь протаранить самого здорового бандита.

Тот обернулся на крик и, увидев, что обломок карниза нацелен ему в почки и приближается с огромной скоростью, посчитал правильным немедленно отбежать в сторону. Настя, не будь дура, тоже изменила направление и погнала его за гаражи. Артем и Владимир общими усилиями справились с оставшимся аборигеном, разбив ему нос. Тот присел на корточки и захныкал, зажав лицо двумя руками.

— Он убежал! — гордо заявила Настя, возвращаясь на поле битвы.

Оба красавчика, тяжело дыша, смотрели на нее и молчали.

— Ну? Может, скажете мне что-нибудь? — надменно поинтересовалась она.

Переглянувшись, наглые типы, не обменявшись ни словом, развернулись и бросились наутек.

— Эй вы! — обиженно закричала Настя. — Я вас спасла от смерти!

Она побежала следом, держа в руках свое боевое оружие. Впрочем, сражение истощило ее силы, и бежала она довольно вяло. Сладкая парочка успела влезть в машину и заблокировать дверцы. Нервными рывками машина задним ходом вырулила со двора и, надрывно гудя мотором, ушла в неизвестность.

И тут Настя вспомнила про Шинкаря. Взглянув на часы, она едва не грохнулась в обморок: ее опоздание

составило двенадцать минут. Еще три минуты — и можно ставить крест на всей операции. Она потрусила к двери клуба и ворвалась внутрь, не сообразив расстаться со своей ношей.

Зал был набит битком. Все повернулись и посмотрели на Настю.

— Здрась-сьте, — пробормотала она, пытаясь подтянуть сползший чулок.

Увидев Шинкаря, она улыбнулась и помахала ему рукой. Тот с каменным лицом помахал в ответ.

— Может быть, хотите сдать эту вещь в гардероб? — с достоинством спросил метрдотель, пристально глядя на обломок карниза.

— Да, — высокомерно заявила Настя, — пожалуй. Номерка не надо.

Шинкарь тем временем перестал хмуриться и сложил руки под подбородком. Настя шла к нему с гордо поднятой головой. При этом она была удивительно похожа на Чиполлино: фига растрепалась, и ее голова напоминала проросшую луковицу.

— Привет, — сказала она. — Я — Настя. А как мне к вам обращаться?

— Вы опоздали, — вместо ответа заметил тот. — Кроме того, от вас отвратительно пахнет.

— Извините, по дороге я подралась на помойке.

— Может быть, вам стоит зайти в дамскую комнату?

— А вы не убежите? Ну, в отместку за то, что я позже пришла? О вашей пунктуальности ходят легенды.

Это замечание Шинкарю очень понравилось. Он самодовольно ухмыльнулся и сделал королевский жест рукой:

— Так и быть, я подожду.

Настя выскочила к машине за своей сумочкой и быстро привела себя в порядок. Когда она вернулась на место, перед ней тут же появились кофе и блюдо с пирожными.

— Вы должны любить сладкое, — заметил Шинкарь, обежав ее глазами. — Меня зовут Семен. Мечтаете попасть на телевидение?

— О нет! — воскликнула Настя. — На телевидении прошло мое детство, так что можете сразу оставить эти мысли. Я не хочу сниматься. Вообще я ничего от вас не хочу. Только поговорить. Может быть, я вам даже очень помогу. Именно я — вам.

— Вот как? — спросил Шинкарь, закуривая. Он сидел в эффектной позе, поигрывая зажигалкой, и смотрел на нее сквозь полуприкрытые веки. Настя подумала, что ему, пожалуй, все-таки не больше тридцати.

— Скажите, — она наклонилась к нему через стол, — вы хорошо себе представляете, куда собираетесь ехать завтра к семи часам вечера?

Шинкарь глотнул дыма и закашлялся. Настя терпеливо выждала, пока он утрет салфеткой глаза, потом настойчиво переспросила:

— Ну, так как?

— Что вы об этом знаете?

— Знаю место встречи, — сказала Настя и назвала улицу, дом и квартиру. Шинкарь позеленел.

— Ладно, не паникуйте, — осадила она его. — Вы должны завтра встретиться по этому адресу с девицей легкого поведения, не так ли? Так вот. Девицу вам собирается поставить фирма, которая связана со всякими темными делами. Убийствами и самоубийствами в том числе. Я случайно — подчеркиваю: случайно — оказалась там в тот момент, когда вам организовывали девочку. И знаете что? Выдала себя за нее. Не стану утомлять вас подробностями, но вот что: это со мной вы должны завтра встретиться на той квартире. И знаете, что мне велели сделать?

Шинкарь положил сигарету на край пепельницы и изо всех сил стиснул руки. Кожа у него на лице обвисла, а в глаза просочился страх. Настя решила, что нет, ему,

пожалуй, все-таки пятьдесят. Она взяла чашку и с удовольствием отхлебнула кофе. На верхней губе осталась пенка с корицей.

— У вас усы, — дрогнувшим голосом сообщил Шинкарь. Помолчал немного и спросил: — Так что вам велели сделать?

Настя плотоядно облизнулась.

— В течение получаса я должна довести вас до кондиции, а потом...

— Потом?.. — эхом откликнулся Шинкарь.

— Потом все и произойдет.

— Что — все? — помертвевшим голосом спросил тот.

— Так я у вас хотела узнать. Они сказали: «Ты только до кондиции его доведи, а все остальное мы возьмем на себя».

— О господи! — пробормотал он и начал усиленно тереть лоб обеими руками, словно его голова была волшебной лампой и он тщился вызвать оттуда джинна.

— У вас ревнивая жена? — спросила между тем Настя, принимаясь за корзиночку с кремом.

— Да ну, — отмахнулся Шинкарь, — она ко всему привыкла. Скорее всего, это недруги.

— А как вообще вы договорились об этой встрече? С кем?

— Боже мой, это друзья решили сделать мне подарок на день рождения. Продиктовали адрес, дали ключи. Сказали, что там исполнятся все мои эротические фантазии.

Он с укоризной взглянул на Настю, которая, пусть и невольно, но все же разрушила эти прекрасные обещания.

— Так я и подумала, — с удовлетворением констатировала та. — Если бы пришла настоящая Наташа, вам бы не поздоровилось. Как раз во время самой бурной фантазии в квартиру ворвались бы ваши неведомые доброжелатели с криками: «Ага! Попался!» А может быть, там над кроватью установлена видеокамера, и через полчаса вы бы об этом узнали. И пленочку бы увидели. Может быть, кто-то хочет заграбастать ваше шоу? А, Семен?

— Может быть, — задумчиво произнес Шинкарь. — В любом случае я вам обязан. Думаю, я уже камнем летел вниз, а вы не дали мне разбиться. Я ваш должник, девушка.

— Меня зовут Настя.

— А меня Семен, — машинально ответил Шинкарь, вперив невидящий взгляд в стол.

— Послушайте, Семен, у меня свои счеты с фирмой, которая собиралась организовать для вас именины сердца. Давайте, расскажите-ка мне, что это за друзья, которые подарили вам подобное приключение.

Шинкарь отрицательно покачал головой:

— Извините, но со своими друзьями я разберусь сам.

Возмущенная Настя напустилась на него, но он остался тверд, как разящий кулак.

— Ну, ладно, — отступила она. — Тогда вы должны позволить мне инсценировать ваше появление в этой квартирке. Заодно сами понаблюдаете за событиями. Откуда-нибудь со стороны.

— Что вы имеете в виду?

— Вы дадите мне ключ. Это раз. И два — мы с вами обменяемся машинами.

Шинкарь тотчас вспенился, словно теплый квас. Не обращая никакого внимания на его реакцию, Настя продолжала:

— Вы на моей «Тойоте», — квас тут же успокоился, — едете на место и паркуетесь где-нибудь неподалеку. А на вашей...

— «Хонде», — подсказал тот.

— На вашей «Хонде» к дому подъезжает совсем дру-

гой мужчина. Прикрывая лицо, он входит в подъезд, после чего в назначенный срок туда же вхожу я. Когда пройдет полчаса, мы все увидим, что будет. Я со своим другом увижу, и вы увидите. Может быть, узнаете кого-нибудь из знакомых.

Шинкарь колебался.

— Вы ведь сказали, что теперь мой должник! — укоризненно воскликнула Настя, приканчивая эклер. — Не думаете же вы, что расплатились за мою помощь пирожными!

Она облизала пальцы и только после этого протерла их салфеткой.

— Ладно, — неохотно согласился Шинкарь. — Давайте договариваться конкретно. Как все будет происходить и когда мы встретимся?

## 8

Теперь дело оставалось за малым — найти мужчину, который согласится сыграть роль Шинкаря. Если бы не гипс, Настя, конечно, принялась бы уговаривать Люсиного мужа. Кроме него, уговаривать было решительно некого. «Надо же, — укорила она себя. — Дожить до тридцати лет и не заиметь друга, к которому можно обратиться за помощью в щекотливом деле! Кроме того, мне ведь нужен не просто мужчина, а смелый мужчина. Такой, который не спасует и не бросит в беде, если что».

Уже подъезжая к дому, она подумала: «Ну ладно! Если судьба мне разоблачить эту шайку из «КЛС», кто-нибудь да найдется». В этот миг она повернула за угол дома и увидела Купцова. Тот бродил возле ее подъезда, засунув руки в карманы брюк, и рассеянно гонял камушек. Никаких следов недавней драки на его лице заметно не было.

Когда Настя вышла из машины, он оставил свое занятие и быстро пошел ей навстречу.

— Вижу, ты мне рада, — констатировал он, верно оценив выражение Настиного лица.

— Рада, рада! — поддакнула та. — Извини, что в прошлый раз я оставила тебя лежать на асфальте.

— Забудем, — мрачно буркнул Купцов.

— А сейчас мне как воздух нужна поддержка!

— Моя?

— Чья-нибудь. Но обязательно мужская.

— Любопытно.

— Есть одно дело, с которым я не смогу справиться в одиночку. Ты завтра вечером свободен?

— Да, а что от меня потребуется?

— Раздеться и полежать со мной в кровати.

Купцов некоторое время молчал, потом выпятил грудь и поинтересовался:

— А зачем ждать до завтра? Я — здесь, ты — здесь, постель в двух шагах. Пойдем разденемся и полежим.

— Ах, боже мой, ты ничего не понял! Когда я говорю — полежать, это значит именно полежать.

— И не проявлять никаких признаков мужественности?

— Никаких.

— Тогда пусть с тобой подружка полежит, — обиделся Купцов.

— Подружка не годится! — отчаялась Настя. — Хотя ты, кажется, тоже не подойдешь.

— Почему это? — невольно заинтересовался Купцов.

— Рост у тебя не тот, и разворот плеч другой, и вообще...

— В кровати все мужчины одного роста! — заявил отвергнутый Купцов.

— Понимаешь, по дороге к постели за нами наверняка будут следить.

— Ого! Вот это мне нравится. Какая-нибудь криминальная история?

— Похоже на то.

— И я точно не сгожусь на роль любовника?

Настя еще раз оглядела его с ног до головы и вздохнула:

— Точно.

— А не связано ли это дело с моей квартирой? — с подозрением спросил он.

— Еще как связано! До сих пор не могу понять, почему ты так пассивно отнесся к рассказу об Иване, к моей сережке на твоем балконе, наконец!

— Да что я могу поделать? Не в милицию же тащиться с твоей сережкой и с твоим рассказом. Меня засмеют. Кстати, если я не гожусь на то, чтобы лежать в постели, могу я хотя бы пригласить тебя на ужин?

— Сожалею, — сказала Настя. — Я уже обещала финну... — Она замерла на полуслове и уставилась на носки своих туфель. — Финн! Ну, конечно! Он идеально подходит. И рост, и комплекция, и цвет волос — все совпадает!

— Ты пытаешься подогнать живого мужчину под какой-то стандарт?

— Угадал. Он должен быть похож на Семена Шинкаря, ведущего шоу «Модная тема».

— Слушай, ну у тебя и вкусы! Понимаю, еще Малахов. Или Пельш какой-нибудь. Но Шинкарь!

— Это совсем не то, что ты думаешь. Не любовная, а в самом деле криминальная история. Шинкаря хотят подставить, а я вызвалась ему помочь. Завтра его недруги явятся, чтобы застукать его с девицей легкого поведения. Но у них ничего не получится. Вместо девицы буду я, а вместо Шинкаря — Юхани.

— А это что еще за ужас такой — Юхани? — изумился Купцов.

— Это финский подданный, очень приятный молодой человек. Хочешь поужинать сегодня с ним и со мной?

— Если он и впрямь похож на Шинкаря, то не хочу, — отказался Купцов. — И почему это ты идешь с ним ужинать?

— Он привез мне посылку от мамы, поэтому я должна отдать долг вежливости. А кроме того, мне надо уговорить его поучаствовать в завтрашнем представлении.

— Кстати, где будет проходить это представление?

— На съемной квартире.

— Вот что. Я пойду с вами. Вдруг случится что-то непредвиденное и этот Юхани не справится с ситуацией?

— Тогда тебе лучше познакомиться с ним заранее.

— Ладно, я не против совместного ужина, — сдался Купцов. — И почему ты не оставляешь мне возможности поухаживать за тобой как полагается? Я весь день звонил, чтобы назначить свидание, и впустую. Несколько часов болтался возле твоего дома, словно подросток. А теперь условием нашего совместного ужина становится какой-то Юхани!

* * *

Почти всю ночь с пятницы на субботу Настя ворочалась в постели и раз десять вставала попить воды. После нескончаемого пекла впервые за много дней на город обрушилось ненастное утро. Моросил мелкий тревожный дождь, Настя высовывала голову в окно, чтобы остудиться. Купцов обещал взять с собой какое-нибудь оружие, чтобы во время проведения операции она чувствовала себя спокойно. Однако его заявление возымело прямо противоположное действие — Настя стала волноваться еще сильнее.

Встретиться с Юхани они договорились в пять часов и уже вместе с ним ехать на встречу с Шинкарем.

— Юхани, вы хотите поучаствовать в русской игре? — спросила Настя, подобрав его на остановке.

В толпе озабоченных москвичей финн стоял большой и радостный, словно игрушечный слон. — Знаете, такая забава для взрослых.

— Да, Настя, — кивнул Юхани, покорно глядя на нее. — Я согласился. Будем забавляться.

— Он ни черта не понимает, — вполголоса предупредил ее Купцов, ерзавший на заднем сиденье автомобиля. — Когда ты положишь его в постель и разденешься сама, он пойдет на поводу у своих инстинктов.

— Он из цивилизованной страны, — одной стороной рта произнесла Настя. — У него отмерли все инстинкты. Если сказать ему, что таковы правила игры, он во что бы то ни стало будет им следовать.

— Юхани, — твердо заявил Купцов, всунув лицо в пространство между двумя передними сиденьями. — Вы должны запомнить очень твердо: что бы ни случилось, секса не будет. Все понарошку, о'кей?

— Понарошку, — повторил Юхани и старательно записал понравившееся слово в записную книжку.

— Нет, он точно все испортит!

— Не болтай ерунды — он очень послушный. Юхани, — обратилась она к финну, — вы сможете войти в подъезд, прикрыв лицо газетой?

— Скрывать свой личина?

— Да, — сказала Настя. — Так положено.

— Я сможете.

— Сейчас мы встретимся с одним человеком, он даст нам свою машину.

— Кстати, — оживился Купцов, — а он водить-то умеет?

— Иностранцы все умеют водить, ты что, с луны свалился?

— Откуда я знаю? — буркнул тот. — Может, у него ограниченные умственные способности, и он не смог сдать на права.

— Прекрати наезжать на человека, с которым у меня связано столько надежд, — рассердилась Настя.

О Юхани они говорили приглушенными голосами, рассчитывая, вероятно, что русский шепот он не воспринимает. Машина Шинкаря стояла в условленном месте. Сам он в темных очках и бейсболке нервно ходил взад-вперед и вертел головой по сторонам. Приезд Насти воспринял с облегчением, но, увидев двух незнакомых мужчин, сразу сделался подозрителен.

— Кто это? — спросил он у нее после короткого обмена приветствиями.

— Это Юхани. — Она подтолкнула финна под руку. — Он будет исполнять вашу роль. А это Игорь, он нас страхует.

— Привет! — сказал Шинкарь и вяло улыбнулся обоим. — Надеюсь, Юхани, вы хорошо водите машину?

— Перестаньте! — рассердилась Настя. — Ему надо проехать всего один дом.

— Итак, вот ключ от квартиры. — Шинкарь подбросил названный предмет на ладони и вложил его в Настину руку. — Еще пусть ваш Юхани возьмет мою бейсболку и солнечные очки. Думаю, одеждой меняться мы не станем. Кстати, я уже выбрал для себя отличный наблюдательный пункт. Вон там, видите, небольшая стоянка? Никто не обратит на меня внимания. Оттуда хорошо просматривается подъезд.

— Я все поняла, — кивнула Настя. — Значит, Игорь идет в ту квартиру первым. — Она обернулась к Купцову и сказала: — Даже если за подъездом следят, на тебя не обратят внимания. Зайдешь в квартиру и найдешь, где спрятаться. Свой ключ я тебе уже отдала, как открыть замок внизу, ты знаешь. В половине седьмого Юхани подрулит к самому подъезду и, прикрыв лицо газетой, войдет внутрь.

— А это не будет выглядеть подозрительно? — засо-

мневался Шинкарь. — Он ведь меня изображает. С чего бы мне ходить, прикрывшись газетой?

— Вы известный человек и вполне можете быть мнительным. Нервничаете вы перед встречей, ясно?

— И дальше что?

— Потом в подъезд вхожу я. Мы с Юхани готовим мизансцену, а затем с помощью Игоря залавливаем того, кто все это вам организовал.

— В каком смысле — залавливаем? — всполошился Шинкарь. — Хотите взять «языка»?

— Да вы не переживайте, — успокоила его Настя. — Поговорим и отпустим. Не бандиты же мы, в самом-то деле.

— А со стороны точно похожи на шайку уголовников, — с неудовольствием заметил тот.

— Вы преувеличиваете, — пробормотала Настя. — Игорь, тебе уже пора идти.

— Сейчас, только оружие возьму.

Он подбежал к «Тойоте» и вытащил с заднего сиденья длинный темный чехол.

— Господи, да вы что?! — не на шутку струхнул Шинкарь. — Что вы там прячете?

— Винтовку, — не стал врать Купцов. — Но она не заряжена. Это просто для устрашения врагов.

— Ваших врагов, — подчеркнула Настя, и Шинкарь тут же заткнулся.

Купцов, взяв чехол под мышку, помахал всем рукой и весело пошагал к нужному дому. За ним следили с неослабевающим вниманием, пока он не скрылся из виду, свернув за угол.

— Лучше бы нам видеть, что он благополучно вошел, — пробормотала Настя.

— Тогда я, пожалуй, поеду на свой наблюдательный пост, — сказал Шинкарь и сел за руль Настиной машины.

Прекратившийся было дождь закапал снова, поэтому Юхани полез в машину Шинкаря, а Настя последовала за ним.

— Кто есть этот опрятный человек? — спросил финн, подбородком указав на медленно тронувшуюся с места «Тойоту».

— Приятный, — машинально поправила Настя. — Вы хотели сказать: приятный. По крайней мере, я так думаю. Это телевизионный ведущий.

Она с трудом дождалась назначенного времени и всучила Юхани припасенную заранее газету:

— Не снимайте ни очки, ни бейсболку. И когда выйдете из машины, прикройте лицо, договорились?

— А открывать мне дверь? — задал насущный вопрос Юхани, который, оказывается, все усекал, как надо.

— Внизу нажмете два-пять-четыре. А дверь в квартиру Игорь обещал не захлопывать. Она будет просто прикрыта.

— Что мне будет делать?

— Ничего не делать, — строго-настрого приказала Настя. — Войти внутрь, сидеть и ждать, пока я не приду.

— Почему вы не приду? — тотчас же огорчился Юхани.

— Я приду, приду, просто не так сказала. Надо сидеть и ждать, когда я приду.

Финн усиленно закивал головой и напомнил:

— Вы вылезать, я поехать.

Настя выбралась из машины и с тревогой наблюдала за тем, как «Хонда» проскользнула вдоль дома и повернула за угол. Потом она поднесла к глазам часы и стала наблюдать за стрелками. Когда позади раздался шум мотора, она, не оборачиваясь, машинально отступила на тротуар.

Мимо нее медленно проехал микроавтобус с надписью «КЛС» на боку. Увидев его, Настя вздрогнула. Итак, наблюдатели прибыли. В автобусе были затемненные

стекла, поэтому рассмотреть, что там внутри, не представлялось возможным. Чтобы не привлекать к себе лишнего внимания, Настя развернулась и обошла дом с другой стороны. Микроавтобус тем временем подъехал к той самой стоянке, которую облюбовал для себя Шинкарь, и пристроился неподалеку от «Тойоты». Наружу никто не вышел.

Чувствуя внутреннюю дрожь, Настя закинула сумочку на плечо и неторопливой походкой двинулась навстречу приключению. Изображать непринужденность было трудно: она знала, что за ней следят. И все, кроме разве что лопоухого финна, находятся в напряжении.

Добравшись до квартиры и захлопнув за собой дверь, она вздохнула с облегчением. Квартира оказалась однокомнатной, но выглядела просторной и была обставлена хорошей мебелью. Юхани сидел на большой кровати и качал ногами.

— Где Игорь? — спросила Настя, озираясь по сторонам.

— Он сел в коридорный шкаф, — махнул рукой тот. — Большой место для его длинный ружье.

— Чудесно, — пробормотала Настя. — Пусть обживается. А мы пока займемся приготовлениями. Юхани, вам нужно снять с себя верхнюю одежду.

— Пусть останется в джинсах! — сдавленно крикнул Купцов из коридора.

— Никаких джинсов! — отрезала Настя. — Все должно быть правдоподобно. Юхани, раздевайтесь.

Юхани, хихикая, принялся стаскивать с себя ботинки и носки. Потом снял рубашку, обнажив широкую, словно полигон, грудь, покрытую бурой растительностью. Когда он расстался с джинсами, Настиному взору явились ситцевые трусы с мишками и разноцветными буковками «Winnie the Pooh».

— Боже мой, — не удержалась и воскликнула она, — никогда не видела ничего подобного!

— Что он тебе показывает? — гневно крикнул Купцов из коридора.

— Игорь! Я просила тебя защищать Юхани, а не нападать на него.

Настя засунула финна под одеяло и стащила с себя платье. Под ним обнаружилось весьма откровенное ярко-красное белье. Финн глядел на нее во все глаза.

— Мне нравится ваш понарошку! — сообщил он, когда Настя собралась лезть к нему в постель.

Как раз в этот момент позвонили в дверь. Настя вскинулась и посмотрела на часы. Было ровно семь. Купцов снова высунулся из шкафа.

— Еще рано! — зашипел он. — Не открывай. Позвонят и уйдут.

— Я вообще не думаю, что типы из «КЛС» будут звонить в дверь. У них наверняка есть свой ключ. Ведь они хотят застать Шинкаря врасплох!

В дверь продолжали настойчиво звонить. Потом наступила минута молчания, а потом... Потом в замке заскрежетал ключ. Это были зловещие звуки, которые повергли троицу в шок.

— Прячемся! — решила Настя.

Купцов тут же втянулся в свой шкаф, словно черепашья голова в панцирь. Настя велела Юхани лезть под кровать. Благо кровать была на высоких ножках, а простыни свисали до полу.

— Юхани, от этого зависит, чья команда выиграет! — шипела она, подталкивая его двумя руками.

Ногой она затолкала туда же горку одежды, а сама на цыпочках пробежала в ванную комнату и затихла там.

Входная дверь медленно открылась, и в коридоре появился похожий на хорька молодой человек с бегающими глазками. Самой примечательной деталью его одежды были перчатки. Он открыл вместительную сумку,

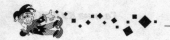 

которую держал в руке, и бросил в нее здоровенную связку ключей на кольце.

Молодой человек носил милую кличку Карлсон, и не просто так: он проникал в квартиры весьма забавными способами. Сегодня дело ограничилось простым подбором ключей: два вечера подряд Карлсон следил за окнами — они не горели. Адрес был случайным, и он ни на что особо не рассчитывал, разве что на удачу.

Велико же было его разочарование, когда он понял, что в квартире практически нет вещей. Вычурная итальянская «стенка» хранила в своих недрах лишь пыль да пару забытых журналов. Чертыхнувшись, воришка собрался покинуть место несостоявшегося преступления, когда его пытливый взор упал на разобранную кровать. Постельное белье не только благоухало свежестью. Оно было шикарным. Шелковые простыни с мелким английским узором по краю и наволочки, украшенные широкой полосой кружев, могли послужить утешением за напрасно потраченное время.

— Какие прелестные цветочки на этом бельишке! — пробормотал он вслух, поставил сумку на пол и дернул за край простыни.

Простыня не поддалась. Впечатление было такое, словно ее где-то защемило. Он дернул снова, и снова безрезультатно.

— Вот зараза! — выругался Карлсон и зашел с другой стороны. Дернул изо всех сил. Простыня натянулась, и стало ясно, что ее не пускает что-то, что находится на полу.

Воришка наклонился и, взметнув шелковую волну, заглянул под кровать. Под кроватью лежал на боку Юхани и улыбался во весь рот.

— Кю-кю!! — крикнул он и озорно подмигнул.

Карлсон дико вскрикнул, резко выпрямился и отпрыгнул от кровати, словно кот, наткнувшийся на ежа. Он не смог удержать равновесия на скользком ламинированном полу, беспомощно взмахнул двумя руками и грохнулся оземь, задев головой гармошку батареи.

В квартире повисла зловещая тишина.

— Настя! — позвал наконец Юхани. — У нас нужен менять один игрок.

Настя на цыпочках вышла из ванной. Из шкафа появился Купцов с винтовкой наперевес. Положив оружие на пол, он присел на корточки и приподнял пострадавшему голову. Голова была в крови.

— Кирдык, — печально произнес Купцов.

— Что значит — кирдык? — закричала Настя. — Не хочешь же ты сказать, что он умер?!

— Да нет, он не умер, но из него льется кровь, и если мы ничего не предпримем, очень быстро наступит кирдык.

— Так давайте что-нибудь предпримем!

— У нас нет времени, — цокнул языком Купцов. — Если мы хотим завершить операцию, этого типа надо срочно выкинуть из квартиры.

— Зверь! — крикнула Настя, повернулась и побежала на кухню, со всего маху хлопнув дверью.

Купцов, думая, что она собирается намочить полотенце и перевязать раненого, никак на это не отреагировал.

— Не бойся, Юхани, я знаю, что ты не виноват, — он похлопал по плечу финна, покосившись на трусы с Винни-Пухами.

— Я вызвала «неотложку»! — сообщила Настя, возвращаясь обратно.

— Что?! — закричал Купцов. — Да ты в своем уме? Тут голый Юхани, тут я с винтовкой, и этот тип весь в крови! Врач немедленно вызовет милицию. Нас всех переловят, как цыплят.

— Не паникуй. Вы с Юхани спрячетесь, а врачу я скажу, что это мой приятель. Что произошел несчастный случай. Мы занимались любовью, потом он встал,

чтобы открыть окно, и у него закружилась голова. Боже мой, ну кто меня заподозрит?

— Какой любовью вы занимались, если он в штанах? И еще на нем перчатки!

— У нас есть время его раздеть, — возразила Настя.

Купцов посмотрел на часы и заметил:

— Уже пять минут восьмого.

— Если «неотложка» приедет быстро, мы успеем благополучно избавиться от этого типа.

— Давай я все-таки вынесу его в подъезд и красиво разложу на ступеньках. Авось кто-нибудь его найдет.

— Ты! — закричала Настя. — Ты бесчувственный! Ненавижу мужиков, которые кажутся крутыми, а на самом деле черствые, словно сухие буханки.

— Но я действительно крутой, — развел руками Купцов.

— Чушь! Настоящая крутизна — это сила, умноженная на великодушие! А в тебе нет ни того, ни другого.

— Мы еще будем играть? — спросил Юхани. В голосе его сквозило сомнение.

— Будем, будем, — успокоила его Настя. — Давай, Игорь, поищи на кухне ножницы или нож, что найдется. Надо первым делом снять с него перчатки, а они туго сидят. Если бы надрезать!

— И штаны надо снять! — подсказал Купцов.

Он сбегал на кухню, постучал там ящиками и вернулся с пустыми руками.

— Ничего нет. Дай я попробую снять так. Юхани, ты тоже попробуй. Если не получится, придется зубами.

Между тем дверь, которую Карлсон не запер за собой, а просто прикрыл, тихонько отворилась, и в квартиру зашла соседка. Это была средних лет дама с двумя сумками в руках. Она шагала очень осторожно и так вытягивала шею, словно хотела, чтобы голова отправилась на разведку без тела. Пару раз пол в коридоре скрипнул, но в комнате ничего не услышали, потому что разговаривали друг с другом.

— Я иметь нож, — говорил здоровенный полуголый верзила, стоя над распростертым телом.

Покопавшись под кроватью, он достал нож и нажал на кнопочку. Бесшумно выскочило короткое лезвие. Верзила склонился над телом и принялся тыкать ножом куда-то ему в руку.

— Сколько крови! — плотоядно заметила девица в белье, которая, стоя на коленях, стаскивала с тела брюки.

Третий живой участник жуткой сцены, рядом с которым лежала винтовка, молча наклонился и, придерживая очки, впился во вторую руку покойника зубами.

Невольная свидетельница этого зверства хотела убежать, но ноги ее приросли к полу. Из ступора ее вывели слова девицы:

— Осталось мало времени. Ну, где же они?!

Соседка попятилась, вышмыгнула из страшной квартиры и с такой скоростью влетела в собственную, что едва не растянулась на полу. Закрывшись на все замки, она бросилась к телефону и дрожащей рукой набрала 02.

Тем временем воришку избавили от штанов и резиновых перчаток, завязали голову полотенцем и водрузили на кровать.

— Они уже скоро придут! — ломая руки, воскликнула Настя. — Парни из «КЛС»!

— Что с ними надо поделать? — с любопытством спросил Юхани, блистая роскошным торсом.

— Надо поймать хотя бы одного, — пояснила Настя.

— Их игрок в наш плен? — уточнил тот.

— Точно, в наш плен. Только бы «неотложка» приехала вовремя!

В дверь позвонили.

— Прячьтесь! — крикнула Настя.

Юхани тотчас же заполз под кровать, а Купцов нырнул в шкаф.

— «Скорую» вызывали? — спросил из-за двери усталый голос.

— Да, да! — крикнула Настя и распахнула дверь, не обратив внимания на то, что она не заперта.

На лестничной площадке стоял доктор в изрядно помятом халате и с чемоданчиком в руке. У него были унылые усы и глаза человека, которого ничем нельзя удивить. Увидев Настю в неглиже, он не проявил никаких эмоций и быстро прошел в комнату.

— Кто болен? — спросил он, усаживаясь за стол, заткнутый в самый угол комнаты.

— Вот, доктор. Этот человек. Ему нужна срочная помощь. Он разбил голову о батарею.

— Фамилия? — спросил доктор, добыв откуда-то пачку бумаг и нависнув над ней всем корпусом.

— Иванов, — без запинки ответила Настя. — Иван Петрович.

— Год рождения?

— Доктор, ему плохо! — робко напомнила Настя. — Он может умереть от потери крови.

— Вы что, врач?

— Нет, — промямлила она.

— Тогда не ставьте, пожалуйста, диагнозы. Он, видите ли, может умереть! Я еще не знаю, может или нет. Адрес!

— Доктор, время! — взмолилась Настя. — Он теряет силы! Везите его скорее в больницу. Что же вы такой варвар? Я подам на вас жалобу!

— Ну, чего вы разорались? — спросил доктор с досадой. — Ладно, черт с вами. Давайте его страховой полис, и мы поедем.

— Страховой полис? — опешила Настя. — Где же я его возьму? Этот человек пришел ко мне в гости. Не думаю, что он принес с собой страховой полис.

— Тогда нам не о чем говорить, — поднялся доктор. — У вас есть йод? Я смажу ему голову йодом, и все.

— Как — все? — растерялась Настя. — А что же с ним будет дальше?

— Дальше, если ему так хочется в больницу, пусть он возьмет направление в районной поликлинике — и милости просим!

— Доктор, вы шутите?

— У меня нет времени на шутки, девушка.

Из коридора появился Купцов с винтовкой в руках.

— Эй ты, Гиппократ недоделанный! — сказал он. Доктор повернулся и моргнул. — Забирай раненого и проваливай, понял?

— Нет, — уперся доктор. — Без страхового полиса я его не возьму.

— А без раненого ты никуда не поедешь.

На лестничной клетке послышались громкие, возбужденные голоса.

— Юхани, — попросила Настя, — погляди, что там.

Юхани выполз из-под кровати и, в два прыжка преодолев комнату, скрылся в коридоре. Послышалась какая-то возня, короткий вскрик, падение тела, потом все повторилось еще раз в том же порядке и стихло.

— Мне надо в туалет, — сказал доктор. — Надеюсь, это не возбраняется?

Купцов винтовкой подтолкнул его к выходу. Когда они очутились в коридоре, их взглядам открылась следующая картина. На полу валетом лежали два милиционера, над ними с победным видом стоял Юхани в своих потрясающих трусах.

— Наш команда победить! — сказал он и показал на поверженных врагов.

— Господи! — воскликнула Настя. — Нам крышка!

Врач между тем вошел в туалет, достал из кармана сотовый и набрал номер. Когда ему ответили, он для маскировки спустил воду и сказал:

— Миня, прикинь, меня опять взяли в заложники! Нет, не наркоманы. Я не знаю, какие у них требования. Не надо, милиция уже здесь. Валяется в коридоре. Скажи, чтобы прислали ОМОН. Скажи, срочно. Сколько их? Черт его знает. Я видел двоих. С ними баба. У одного ружье.

Тем временем воришка, который уже некоторое время назад пришел в себя, воспользовавшись моментом, сбросил с головы полотенце, поднялся на ноги и метнулся к балкону. Дверь открылась так легко, словно петли смазали маслом. Пожарную лестницу он видел, но, чтобы добраться до нее, нужно было перелезть на другой балкон. Карлсоном овладело отчаяние. Он взобрался на тонкие металлические перила и встал во весь рост.

Настя, которая в этот момент вошла в комнату, заметила его через стекло и крикнула:

— Стойте! Вы что?!

Глупец обернулся, посмотрел на нее безумными глазами и прыгнул. На крик Насти в комнату вбежали Юхани, Купцов и доктор. Они высыпали на балкон и молча наблюдали, как воришка в одних трусах спускается по пожарной лестнице вниз.

— Говорил я тебе, не надо было «неотложку» вызывать! — укоризненно сказал Купцов.

В это время из машины «Скорой помощи» вылез здоровенный детина и направился прямиком к пожарной лестнице. Как только ноги воришки коснулись земли, он схватил его за шиворот и, подняв голову, крикнул доктору:

— Я его поймал!

Тот устало махнул рукой и крикнул в ответ:

— У него все равно нет страхового полиса!

— А-а! — разочарованно протянул детина и выпустил жертву. Тот понесся по улице, словно пулька, выпущенная из рогатки.

Все дальнейшее происходило в быстром темпе. Пока доктор переговаривался со своим санитаром, к дому подтянулись омоновцы. У них была туча оружия и, конечно, немалый боевой опыт. Увидев их, Настя потянула Купцова за рубашку в комнату и сказала:

— Быстро ложись в постель, иначе нас всех посадят.

Купцов оказался сообразительным малым, стянул штаны и с быстротой суслика, спасающегося от врагов, юркнул в постель, словно в норку. Проследив за его манипуляциями, Настя стащила с его носа очки, снова выскочила на балкон и истошно завопила:

— Зачем же вы его выпустили, доктор?! Это ведь бандит! Он всех нас держал тут в заложниках!

— Какой бандит? — опешил доктор.

— Который угрожал нам винтовкой! Он же при вас из шкафа выскочил!

Доктор посмотрел на нее мутным взором: он совершенно точно ничего не понимал. Потом заглянул в комнату, увидел лежащего на кровати Купцова с полотенцем на голове и всплеснул руками:

— Черт, я всех вас здесь перепутал.

Когда омоновцы ворвались в квартиру, по очереди перепрыгивая через стонущих милиционеров, доктор неожиданно сказал:

— Ладно, уговорили. Отвезу его в больницу без страхового полиса. Пусть с ним в приемном покое разбираются. — Он снова высунулся на балкон и, засунув пальцы в рот, заливисто свистнул.

Санитар послушно потащил из машины носилки.

— Доктор, по-моему, ему уже лучше, — неуверенно сказала Настя, и тут в комнату ворвались омоновцы.

— Всем руки за голову! — закричала первая «маска». — Лечь на пол!

— Юхани, простите меня! — прошептала Настя, распластавшись на холодном ламинате. — Кажется, я втравила вас в неприятности.

Купцов лежал в кровати неподвижно, изображая беспамятство.

— Я врач «неотложки»! — попытался прояснить свой статус доктор и тут же получил по ребрам.

— Лежите тихо! — приказала Настя.

Судя по топоту, омоновцы обследовали квартиру, после чего вернулись к задержанным.

— Поднимайтесь! — приказали им. — Только без глупостей.

В коридоре снова зашумели, потом в комнату втолкнули санитара.

— Еще один пришел.

Настя непроизвольно посмотрела на часы. Один из омоновцев заметил это и тут же приказал:

— Заприте дверь и стойте тихо. И вы тоже, — бросил он пленникам.

Прошло примерно минуты две, и в замке начал поворачиваться ключ. Затем послышались ругательства, короткие вскрики, и в комнату ввели двух ребят в сине-белых комбинезонах от «КЛС». Ни одного, ни второго Настя ни разу не видела. Конечно, им и в голову не пришло, что «неотложка», милиция и ОМОН сгрудились в интересующей их квартире.

— Мы приехали окна мыть! — возмущались они. — У нас наряд, вот, посмотрите!

— Обыщите их! — взвизгнула Настя, которой страсть как хотелось самой добраться до этих типов. — У них наверняка есть с собой что-нибудь противозаконное.

— Это вы — хозяйка? — грубо спросил один «комбинезон».

— Нет. Я — гостья хозяина.

— А где хозяин?

— Вон он, лежит с разбитой головой. Я пришла в гости, а на нас напал какой-то тип с винтовкой.

— Он выскочил из шкафа в коридоре, — подтвердил окончательно ошалевший доктор.

— Потом прыгнул на соседний балкон, спустился по пожарной лестнице и дал деру, — добавил санитар.

— Вин-тов-ка, — по слогам повторил Юхани и внимательно посмотрел на брошенное оружие, вероятно, пытаясь внедрить поглубже в мозг его название.

В этот момент Купцов застонал и сел на постели. Окровавленное полотенце свалилось на пол.

— Что здесь происходит? — умирающим голосом спросил он.

— Послушайте, — тут же оживился доктор, — у вас есть страховой полис?

Тут в комнату ввели дрожащую соседку. Она оглядела собравшихся дикими круглыми глазами и сообщила:

— Вот этот здоровый и вот тот в очках глумились над телом. Они его резали ножом и грызли.

— А женщина где была?

— В ногах. — Щеки соседки полыхнули пожаром.

— Она резала и грызла ему ноги?

Та промямлила:

— Я не поняла.

— Тело — это я, — важно заявил Купцов. — И, смею вас заверить, у меня ничего не отгрызено и не отрезано.


Разбирательство продолжалось несколько часов. Так называемых мойщиков окон из «КЛС» отпустили сразу — у них и в самом деле оказался оформленный по закону наряд на проведение уборочных работ по указанному адресу. «Подстраховались, гады!» — с ненавистью подумала Настя. Оставшиеся в квартире «заложники» хором убеждали омоновцев в том, что преступник сбежал, бросив оружие. Свидетелей было так много и все они были столь единодушны, что дело закончилось простой проверкой документов.

Когда дошли до Юхани, Настя попыталась вмешаться:

— Этот человек приехал к нам в гости из Финляндии.

— Мой документ в гостинице, — важно сообщил Юхани. — Мы можем ехать туда с господами.

— Где ваша одежда? — спросили его.

— Мой одежда есть мой частный собственность, — заявил финн. — Не есть можно ее брать без спросу.

— Посмотрите в кровати и под ней, — велел главный омоновец.

Купцова выпутали из одеяла и водрузили в кресло. Под подушкой нашли его очки, которые он тотчас же признал своими и водрузил на нос, после чего доктор стал смотреть на него с подозрением. Затем под кроватью обнаружили летний костюм Юхани.

— Не мой вещи, — замотал головой тот.

Настю страшно удивили его слова, потому что именно в этом костюмчике она подобрала его сегодня на автобусной остановке.

— Не мой, — уперся Юхани.

— Финн, говоришь? — переспросил омоновец, листая обнаруженный в пиджаке паспорт. — Не твой, говоришь? А лицо то же самое. Белов Константин Алексеевич. Прописан в матушке-Москве с незапамятных времен, как я погляжу. Откуда же акцент?

— Я хотеть говорить наедине, — заявил Юхани, ни на кого не глядя.

Его вывели в коридор, а Настя под усмехающимися взглядами оставшихся «масок» сделала два шага на цыпочках в ту же сторону.

— Ну, дурил бабе голову, хотел обаять, — журчал, словно родник, Юхани на чистом русском языке. — Бабы, они же все на иностранцев западают. Я уже почти уложил ее в постель, а тут этот придурок с винтовкой!

— Ах ты, змея! — воскликнула Настя, попытавшись

прорваться в коридор. Ее не пустили, а мнимый Юхани тут же забился в угол.

Дверь в комнату захлопнули. Настя стала расхаживать туда-сюда и размахивать руками.

— Поверить не могу! — Потом подскочила к Купцову и понизила голос: — Вот кого нам надо допрашивать, Игорь! А не каких-то там людей из «КЛС». Но зачем этот гад затесался в нашу компанию? И почему не предупредил своих, что Шинкаря не будет? Ведь он же сам играл его роль! А эти типы явились как ни в чем не бывало...

Купцов, знавший слишком мало для того, чтобы строить версии, только качал головой. Все его мысли были направлены на винтовку, которую омоновцы, естественно, собирались забрать с собой.

— Как мне ее жалко, — бормотал он. — При всех своих связях я вряд ли вытащу мою ласточку из этой переделки.

«Меня никто не называет своей ласточкой, — думала Настя, — и не пытается вытащить из переделки». Ей было обидно, грустно и немного страшно. То ли из мужской солидарности, то ли по каким-то своим соображениям, но омоновцы отпустили так называемого Юхани на все четыре стороны. Купцов был слишком опечален расставанием с любимой винтовкой, чтобы преследовать его. А Настя в своем красном белье меньше всего склонна была нестись на улицу. Доктор и санитар уехали, не попрощавшись.

Представители закона дождались, пока они с Купцовым оденутся, и выдворили их из квартиры, так как они не были в ней прописаны. Когда они наконец остались одни возле подъезда, на «Тойоте» подкатил вдрызг расстроенный Шинкарь.

— Я уж было думал, вас прямо оттуда этапируют в тюрьму, — сказал он. — Страшно переживал. Ведь это я должен был находиться в той квартире! Что там произошло?

— Появилась масса посторонних личностей, — призналась Настя. — Они все жутко запутали.

— Я видел людей с буквами «КЛС» на комбинезонах. Двое вошли в подъезд, но внутри микроавтобуса их было гораздо, гораздо больше.

— Милиция отпустила голубчиков, потому что у них оказалась отличная отмазка. Если бы не случай, мы бы прижали их к ногтю!

— Значит, ничего не вышло? — Шинкарь, кажется, даже испытал облегчение.

— Ничего, — вздохнула Настя. — А вы, пока сидели в машине, не видели никого из знакомых?

— Нет, — покачал головой тот. — Кстати, почему ваш Юхани улетел, словно истребитель? Я ему посигналил, но он даже не глянул в мою сторону. Поймал машину и был таков.

У Насти сделалось кислое лицо. Посвящать Шинкаря в подробности происходящего ей не хотелось. И смысла в этом тоже не было. Поэтому она отделалась общими фразами:

— Извините, что вам пришлось потерять столько времени. Надеюсь, Юхани, — она произнесла это имя с отвращением, — оставил ключи зажигания в машине, как мы и договаривались.

— Пришлось не спускать с машины глаз, — признался Шинкарь. — Честно говоря, я за нее боялся: мимо все время бегали то с оружием, то с носилками. Кстати, вы не хотите прийти на съемки моего следующего шоу? Ах да, да! Вы ведь резко против. Но... Если вдруг передумаете — звоните.

Он всучил ей визитку и, пересев в свою «Хонду», немедленно надавил на газ. Настя осталась наедине с Купцовым, которого с головой захлестнула печаль после потери винтовки.

— Куда тебя подвезти? — устало спросила она.

## 9

Заснуть в эту ночь Насте удалось только с валерьянкой. На следующий день она отправилась к Люсе, которая осаждала ее звонками и требовала немедленно рассказать, что случилось накануне. Рассказ получился длинный.

— Представь себе мое состояние, когда я услышала, как Юхани шпарит по-русски! — в заключение сказала Настя. — Запудрил мне мозги: поселился в гостинице, наврал, что у него пытались украсть мою сумку, даже извалял ее в пыли для правдоподобия. Я тут же уши и развесила.

— Может, я покажусь тебе однообразной, — начала Люся, — но тебе самой не кажется, что надо завязывать? Брось все это, пока не поздно!

— То есть ты считаешь, что я смогу просто выбросить из головы шайку, которая убивает людей? — возмутилась Настя. — Они нашли какой-то оригинальный способ маскировать убийства под самоубийства и несчастные случаи. Милиция запросто проглатывает все эти предсмертные записки, все эти ДТП, а я, зная, где находится паучье гнездо, спокойненько буду коптить воздух?

— Настя, это несерьезно! Ты должна всю свою энергию направить на то, чтобы убедить милицию в причастности фирмы «КЛС» к смерти четы Мерлужиных и этой Инги из пансионата.

— И к смерти Севы Маслова.

— Хорошо, пусть так.

— Кстати, по дороге я заехала в «Металлоремонт», где изготавливают ключи. Показала им тот ключик, который Сева спрятал в кошачьем корме. Они считают, что он от «дипломата» или в крайнем случае от чемодана. Думаю, все же от «дипломата», чемодан для кассеты

слишком велик. Вероятно, Сева просмотрел запись сразу после того, как ее принесли. Понял всю ее важность, запер в «дипломат» и куда-то отнес. Куда? Люся, куда бы ты отнесла «дипломат»?

— Тебе, — тут же ответила Люся.

— Но все знают, что я твоя лучшая подруга. У меня будут искать в первую очередь.

— Значит, он отнес ее не к хорошему другу. К врагу. Или снял ячейку в банке.

— Вряд ли банки работают по ночам. Я про такое не слышала. А Сева, судя по всему, выходил из дому именно ночью, потому что родные ничего не заметили.

— Я не знаю, что тебе сказать. Ты не входила в окружение Мерлужина и Маслова, поэтому ты вряд ли найдешь то место, где Сева спрятал кассету.

Из комнаты донеслись женские рыдания и душераздирающие крики.

— Петька смотрит очередную «мыльную оперу»? — усмехнулась Настя.

— Точно. Кстати, очень интересное кино. Сначала была такая благополучная с виду семья, но стоило случиться одной маленькой неприятности, как позолота слезла и стало ясно, что у каждого в доме есть свои страшные и отвратительные тайны. Младший сын увлекся подругой матери, дочь беременна. Сама мамаша оказалась британской шпионкой, а у отца есть любовница, которая ждет его вот уже много лет, но он не может бросить семью из-за детей и карьеры. О любовнице никто не знал, потому что она была хорошо законспирирована.

— Люся! — перебила ее Настя страшным голосом. — Любовница! Вдруг у Маслова была любовница? Как ты замечательно выразилась — законспирированная? Что скажешь?

— И он отвез ей «дипломат»?

— Почему нет? Если дело касается жизни и смерти.

Представляешь себе: Макара убили, и через несколько дней его коллеге и другу Маслову передают от него видеозапись. Вероятно, это некий компромат. Или просто подозрения, которые Макар высказал накануне своей гибели.

— Послушай, Маслов был адвокатом, а адвокаты любят сейфы.

— Но это совершенно особенное дело! И оно касается не какого-нибудь клиента! Сева мог поступить так, как поступил бы на его месте слесарь или учитель. Он поехал к близкому человеку, к женщине. Люся, ее надо найти!

— Возможно, ее уже нашли. Еще до тебя.

— Нет, ты ошибаешься. Никто не знал о кассете. Иначе квартиру Маслова уже перевернули бы вверх дном, а его жене и ребенку не дали бы уехать из Москвы. Нет, Люся, бандиты не знают о кассете.

— Ну, и что теперь делать?

— Помнишь, я хотела нанять частных сыщиков, чтобы они нашли «КЛС»? Я все-таки найму их. Пусть они найдут любовницу Маслова.

— Ты уверена, что она существует?

— Я не уверена, но почему не попытаться?

— Хорошо, — смирилась Люся. — А сама что будешь делать? Сегодня, завтра?

— Есть еще одна паутинка, которая может привести меня к пауку.

— Ага, к нему в челюсти, — поддакнула Люся.

— Если ты так настроена, то лучше не спрашивай! — обиделась Настя.

— Но я хочу знать все! Понимаешь, мы с Петькой и с близнецами собираемся ехать в отпуск. Его отец снял нам квартиру в Сочи, представляешь? Прямо на берегу моря. Это будет что-то волшебное! — расцвела было Люся, но тут же снова помрачнела. — Ты останешься одна, без моей поддержки, без надзора. Я волнуюсь.

— Обещаю, я буду очень осторожной.

— Как же ты собираешься действовать?

— У меня есть визитка усатого, помнишь? Константин Алексеевич Ясюкевич, психолог центра «АЛЕЯК».

— Ну?

— Я отыщу этот центр и стану одной из пациенток доктора.

* * *

Когда Настя позвонила в центр «АЛЕЯК», ей сказали, что доктора сегодня не будет, но организационные вопросы можно решить и без него. Недолго думая, она собралась и двинула на Таганку. Доктора не будет — какая удача! Попадаться ему на глаза после встречи в ресторане без предварительной подготовки не следовало.

Центр забился под крышу длинного двухэтажного дома, похожего на поликлинику. На первом этаже помещалась галерея современного искусства, где вечно клубились художники. Чтобы попасть к доктору Ясюкевичу, следовало пройти через импровизированную курилку и по устланной жестким ковром лестнице подняться наверх, к белоснежной двери, которую фирма, делавшая в центре евроремонт, впаяла прямо в старую некрасивую стену. Дверь словно обещала, что за нею скрывается нечто столь же потрясающее, как сокровища Али-Бабы.

Настя позвонила в звонок и некоторое время ждала, беспокойно топчась на месте. Потом дверь распахнулась, и на пороге появилась накрахмаленная девушка, похожая на Снегурочку. Ее преувеличенно ласковая улыбка наводила на мысль о том, что сюда приходят только законченные психи, к которым нужен особый подход.

— У вас проблемы? — понимающим голосом спросила она.

Настя хотела было ответить что-нибудь, подходящее к случаю, но, оказалось, этого вовсе не требуется. Девушка исполняла некую ритуальную скороговорку, которую заучила наизусть:

— Вам кажется, что в вашей жизни все разладилось? У вас неприятности в семье, на работе? Проблемы с друзьями, с детьми? Доктор Ясюкевич разработал собственную методику, которая позволяет в семидневный срок снять стресс, наладить общение, вернуть радость жизни. Вы почувствуете себя обновленным и...

— Обновленной, — подсказала Настя.

— А?

— Я говорю: обновленной. Для мужчин вы должны говорить — обновленным, а для женщин — обновленной.

Снегурочка покраснела и, выхватив из кармана халатика ручку, что-то записала на крошечном листочке. Настя спросила:

— А методика доктора в самом деле работает?

— О да! Его имя пациенты передают из уст в уста. Мы даже не помещаем рекламу в прессе — такой у нас наплыв людей.

— Могу ли я попасть в их число?

— Доктор как раз набирает группу на следующую неделю, — сообщила Снегурочка с такой радостью, как будто подобные вещи случались раз в сто лет. — Занятия каждый вечер, с восьми до девяти.

— Прекрасно! — мазнув рукой по воздуху, воскликнула Настя. — Меня это устраивает.

— Девять тысяч рублей, — мягким и одновременно холодным, снежным голосом произнесла девушка.

«Это ведь почти триста долларов!» — ахнула про себя Настя. Она была готова потратиться и принесла с собой довольно приличную сумму, которую взяла из денег, отложенных на черный день, но все-таки не могла не удивиться алчности усатого. Внезапно до нее дошло,

что название центра — «АЛЕЯК» — составлено из букв его имени, фамилии и отчества. Я — Ясюкевич, К — Константин, АЛЕ — Алексеевич. «Вероятно, он ощущает себя если не богом, то уж, по крайней мере, апостолом, — подумала она. — Наверное, именно поэтому здесь все такое белое и пушистое, как в раю».

Она расплатилась, и девушка стала еще любезнее, словно в лед добавили сахара:

— Итак, мы ждем вас завтра без четверти восемь. Четверть часа требуется на подготовку к занятиям.

Чтобы смутить ее, Настя хотела сказать: «Заметано», но в последний момент раздумала. В конце концов, вряд ли Снегурочка много зарабатывает, и деньги эти далеко не легкие. Она хорошо представляла, какие персонажи могут себе позволить платить такие суммы за сомнительное удовольствие стать подопытным кроликом доктора Ясюкевича.

Когда она вышла на улицу, то сразу поняла, что скоро будет гроза. Обязательно будет. Настя всегда чувствовала приближение грозы, что называется, нутром. Дышать становилось тяжело и сладко, а в слоеном небе, висящем над городом, появлялась тяжелая свинцовая прослойка. Она торопливо села в машину и прикинула, успеет ли доехать до дому.

Гроза накрыла ее на Ленинградском шоссе. В одну минуту все вокруг потемнело и нахмурилось, небо задрожало. Гром загрохотал, словно старый таз, пущенный по длинной лестнице. Потом наступила минута молчания, после которой на землю обрушилась вода, мигом залив стекла. «Дворники» плохо справлялись со своим делом — дождь стоял стеной, и все машины на шоссе замедлили ход и включили фары. Перед Настей плавали оранжевые огоньки, и она снизила скорость до самой маленькой, соображая, где бы остановиться. Потом решила — за мостом, и выровняла ход.

Где-то впереди, за несколько машин до нее, мелькнуло нечто красное, стремительное — это с соседней улицы вылетел на гаснущую стрелку какой-то лихач.

— Кретин, — пробормотала Настя по привычке. Она всегда сердилась на неосторожных или нахальных водителей.

Но едва ее «Тойота» приблизилась к тому же самому перекрестку, как раздался визг шин, и вода веером полетела в лобовое стекло. Потом ее машину сотряс удар, вокруг все заскрежетало, и Настю бросило на руль. Ей стало больно и страшно. Разинув рот в немом крике, она ударила по тормозам, и ее завертело на мокром асфальте. Кое-как справившись с управлением, она ткнулась передним бампером в тротуар и осталась сидеть, потрясенно глядя перед собой.

Подсознательно она понимала, что кто-то вопреки правилам движения и инстинкту самосохранения пытался вырулить на Ленинградку, не обратив внимания на красный свет. Мотор заглох, «дворники» медленно качнулись перед ее глазами и обессиленно опали вниз. Дождь тотчас же завладел машиной, шаря по ней струями, колотя и облизывая.

Внезапно сверкнула молния, и в ее мертвом свете Настя увидела бегущего человека. Он был без зонта, да и зонт вряд ли спас бы его в такой ливень. И он был испуган. Настя поняла это по тому, как он держался. Перепуган до смерти! Ей пришлось повернуть ключ зажигания и открыть ему дверь, потому что он начал бешено дергать ручку и биться в окно, словно большая обезумевшая птица.

— Вы в порядке? — спросил он, распахнув наконец дверцу и пытаясь засунуть голову поглубже.

Вода сразу же полилась Насте на колени, забрызгала пол. Незнакомец потянул ее за руку и буквально выдернул под дождь, словно редиску из тугой грядки. Дождь оказался на редкость холодным, и, захлебнувшись на мгновение, она внезапно обрела голос и ощутила, как

разбуженная ярость с клекотом несется откуда-то из горла, словно сдвинутая с места лавина.

— Вы что?! — закричала она, пытаясь перекрыть раскаты грома, свист проносящихся мимо автомобилей и упоительный грохот дождя. — С резьбы слетели?!

— Простите! Простите! — закричал мужчина, приблизив к ней лицо. — Я оплачу ваш ремонт!

Он был мокрый и смешной, с размазанной по всему лбу челкой и длинными черными ресницами, которые торчали во все стороны, словно ворсинки намокшей беличьей кисточки. Незнакомец схватил Настю за плечи и потряс.

— С вами все в порядке? Вы не ударились?

Неожиданно для себя Настя заплакала.

— Зачем вы это сделали? Зачем? — спрашивала она, некрасиво вывернув нижнюю губу наизнанку. — Я и без вас боялась водить, а теперь...

— Понимаете, я не просто так. Не по дурости. Я частный детектив. Преследовал машину одного пренеприятного типа. Я не знал, что так получится, думал — успею проскочить. Но такой дождь, я не смог правильно оценить расстояние...

Настя тут же перестала плакать и замерла, мгновенно ощутив, как мощные потоки катятся по ее телу. Создавалось впечатление, что одежды на ней больше нет, она растворилась и утекла вместе с водой. Ей стало тепло, даже жарко. Вернув нижнюю губу на место, она, в свою очередь, схватила незнакомца за плечи и впилась ногтями в шов на его рубашке.

— Это судьба! — прокричала она что было сил, потому что снова свекнула молния, протащив за собой по небу очередной раскат грома.

— В каком смысле — судьба? — насторожился тот.

— Мы с вами встретились не случайно! Нас свело провидение.

В прищуренных глазах незнакомца появилась настороженность.

— Вообще-то у меня жена и трое детей, — заявил он, широко и жалко улыбнувшись. — Четвертый на подходе. И я такой верный семьянин, аж самому противно!

— Я не собираюсь уводить вас от семьи! — крикнула Настя, сунув лицо прямо ему в нос. — Я хочу, чтобы вы компенсировали мне нервные затраты.

— Да? — трусливо спросил сыщик. — Ну... Что ж? Ладно. — Он развел руки в стороны, показывая, что ничего не может поделать, если уж Насте так хочется... — Я компенсирую, конечно. А как вы себе это представляете?

— Все равно вы упустили своего пренеприятного типа. Поэтому сейчас поедете ко мне домой. Обсохнем и все обсудим.

— Скажите на всякий случай ваш адрес. Вдруг я потеряюсь?

— Даже не вздумайте! — отрезала Настя, но адрес все-таки назвала, а потом крикнула: — А как вас зовут?

— Вадим Никифоров.

— А я Настя Шестакова.

Она полезла в свою машину, размышляя, сколько времени после этого приключения будет сохнуть сиденье. «Этот Никифоров кажется приятным человеком, — думала она, хотя и не разглядела его толком. — Только бы он не дал деру, я ведь его не найду. Нет, никуда не денется! Недаром же он попался мне на пути, едва я решила обратиться к частному сыщику».

Никифоров действительно не удрал. Он словно привязанный ехал за «Тойотой», и даже его автомобиль каким-то образом ухитрялся изображать покорность. Только очутившись в тепле и в тишине, Настя почувствовала некоторую неловкость. Она затолкала сыщика в ванную комнату, нагрузив его полотенцами, халатом, махровыми тапочками, и коротко напутствовала:

— Горячий душ!

Когда он вновь появился на кухне, Настя не выдержала и рассмеялась. У Никифорова была обиженная мальчишеская физиономия. Года двадцать четыре, не больше. Ему явно не нравилась ситуация, в которой он очутился.

— Вот вам чай и мед, — сказала Настя. — Пока вы будете наслаждаться, я тоже смою с себя последствия катастрофы.

— Вы что, не замужем? — спросил тот, едва она вышла из ванной, источая соблазнительные запахи. — И вы заманили меня сюда, чтобы оттянуться?

— Да ладно вам! — отмахнулась она. — Тоже мне, мальчик-одуванчик. У вас что, правда трое детей?

— Провалиться мне под ваш паркет.

— Тогда давайте, папочка, прямо к делу.

— Но я так не могу! — запротестовал тот. — Мне нужно время и более тесный контакт.

— И что я должна сделать? — удивилась Настя.

— Ну... Поцелуйте меня, что ли.

— Я с женатыми мужчинами не целуюсь, — гордо отказалась та. — Возможно, вы сочтете меня старомодной...

— Отчего же? Очень, очень современное веянье! — оживился Никифоров.

— Вы будете записывать?

— Я никак не пойму — чего вы от меня хотите?

— Профессиональную услугу, папочка. У меня проблема, и решить ее может только частный сыщик.

— Фу! — выдохнул Никифоров. — Ну вы и штучка! Я подумал черт знает что.

— Послушайте, я действительно выгляжу столь жалко?

— Да что вы! Наоборот! Просто чем женщина интереснее, тем больше у нее в голове всяких пакостей. Уж поверьте моему сыщицкому опыту. Кстати, дайте листочек и ручку, у меня с собой нет.

— Не знаю, может, вы слышали в «Новостях», — начала Настя, передав ему, что требовалось, — об убийстве адвоката Маслова?

— Слышал, — коротко ответил Никифоров. — И это ваше дело? Ничего себе!

Настя не обратила на его слова никакого внимания.

— Вечером накануне убийства Маслову передали видеокассету. Он посчитал ее столь важной, что ночью тайком от домашних вынес из дому и где-то спрятал. Вот все, что у меня есть, — сказала она, выложив на стол ключик, найденный в кошачьем корме. — Возможно, он от «дипломата». Возможно, нет. Есть предположение, что у Маслова была хорошо законспирированная любовница, и он отнес «дипломат» с кассетой к ней домой.

— Моя задача? Найти видеокассету?

— Хотя бы любовницу. Проверить его связи и хорошо подумать: к кому Маслов мог поехать той ночью? Дать мне хоть какую-нибудь ниточку.

— А я... хм... не схлестнусь с ментами?

— Они пока ничего не ищут, — коротко ответила Настя. — И вряд ли у них вообще появится такое желание.

— Почему?

— У нас с милицией разные версии. Они упорно настаивают на своей.

Никифоров, который до сих пор чувствовал себя неуютно и явно торопился смыться, неожиданно расслабился и откинулся на спинку стула. Посмотрел на Настю молодыми пытливыми глазами и со значением заявил:

— Раз вы посылаете меня рисковать шкурой, думаю, я должен знать больше.

— Насколько больше? — осторожно спросила та.

— Я должен знать все.

* * *

Поскольку усатый видел Настю в ресторане и мог запросто узнать при встрече, ей пришлось подумать о маскировке. Накануне она спросила у сыщика Никифорова, как лучше всего изменить внешность. Он посоветовал ей сделать новую прическу и купить очки с простыми стеклами.

— Уверяю вас, — сказал он, — если вы близко не знакомы, человек вас ни за что не узнает.

В парикмахерской ее коротко постригли, и она сразу помолодела лет на пять.

— Это ваш стиль, — заметила девушка, которой Настя безоглядно доверила свою голову. — Советую вам всегда носить такую прическу.

Очки довершили преображение. Настя с удивлением и недоверием смотрела на себя в зеркало. Вроде бы почти все то же самое, да не то! Пара удачных штрихов — и ты вдруг чувствуешь себя так свободно! И все комплексы остаются дома в коридоре вместе со старыми тапочками и поломанной расческой.

Белоснежная девушка ее не узнала. Насте пришлось предъявить квиточек с круглой печатью «Оплачено».

— Сюда, пожалуйста! — воздержавшись от комментариев, предложила та и повела Настю по коридору.

Казалось, сейчас они войдут в помещение, похожее на операционную, и станут говорить шепотом. Однако ничего подобного не произошло. За дверью, которая открылась перед Настей, находился уютный зал с рядом глубоких кресел и теплого цвета обоями на стенах. Свет был мягким, а ковер льнул к башмакам.

— Группа, еще один пациент! — произнесла Снегурочка учительским тоном и мягко прикрыла за Настей дверь.

Группа состояла из пяти женщин разного возраста и одного существа мужского пола, страдающего нервным тиком. У него постоянно дергался глаз и в дополнение к этому несчастью время от времени вздрагивала вся голова. Он кивнул Насте, после чего буквально забился в конвульсиях.

— Вы первый раз у доктора? — спросила полная дама за пятьдесят, закутанная в длинное сари.

— Первый, — подтвердила Настя.

— А вот я восстанавливаюсь здесь раз в два месяца, — сообщила молодая декольтированная особа с длинными хищными ногтями. — Это так взбадривает!

«Если бы я могла выбрасывать из бюджета триста баксов раз в два месяца, — подумала Настя, — я бы лучше съездила к морю». И тут по губам пациентов пронесся шелест: «Доктор!» — и вошел усатый.

Он вошел и подкрепил первое впечатление, которое сложилось у Насти еще в ресторане. Доктор очень любил себя, очень. Осознание собственной значимости висело над его головой как нимб, а взгляд был покровительственный и чуть снисходительный. С первой же минуты он начал дарить себя пациентам. Он был великодушен и разговаривал голосом доброго барина. Он заставлял их закрывать глаза и воображать цвета, запахи и звуки. Под его неусыпным руководством они заучивали мантры, вертели головами, топали ногами и впадали в прострацию. В конце занятия Настя зевала во весь рот.

Она специально задержалась в комнате, высыпав на пол содержимое сумочки. Ей хотелось как следует осмотреться в святилище Ясюкевича. «Эдак я вообще ничего не узнаю, — раздраженно подумала она. — Утекут мои денежки, словно вода в песок».

— Простите, а где у вас туалет? — спросила она у Снегурочки, не придумав ничего более оригинального.

Группа уже выкатилась за райские врата и сползала по лестнице.

— Вон там, — как всегда приветливо ответила белоснежная девушка.

После туалета Насте ничего не оставалось делать, как покинуть помещение. «Тойоту» она оставила на платной стоянке в десяти минутах ходьбы от центра «АЛЕЯК» и теперь пыталась сориентироваться, как быстрее до нее добраться. Тут из дверей позади нее выплыл Ясюкевич. Он именно выплыл, как плывет по воздуху некое диво, которому по-детски радуется толпа.

Маленький чертик выскочил из Настиного подсознания и толкнул ее под локоть. Она вздрогнула и заступила Ясюкевичу дорогу. Чертик бойко дернул ее за язык, и Настя проворковала грудным голосом:

— Ах, доктор, дорогой! Я потрясена вашим профессиональным мастерством! Ваши занятия — это нечто волшебное. Я чувствую в себе силу, необузданность и подлинную волю к жизни! Такого со мной никогда не было.

Ясюкевич благосклонно прикрыл глаза, как сытый удав, согретый солнечными лучами. Чертик повис у Насти на языке и болтал ногами.

— Скажите, Константин Алексеевич, — вкрадчиво спросила она, — а не проводите ли вы занятий с пациентами один на один? Ведь к некоторым нужен индивидуальный подход...

Удав поднял веки и окинул Настю откровенно оценивающим взглядом. Чертик забежал сзади, подпрыгнул и ткнул ее кулаком меж лопаток. Она тотчас выпятила грудь и облизала губы.

— Индивидуальный подход... — эхом откликнулся усатый. — А что конкретно вас беспокоит, дорогая моя?

— Одиночество, доктор, — со страстью ответила Настя. — Оно снедает меня. Оно гложет!

Вероятно, охотничий азарт зажег в ней тот внутренний огонь, на который мужчины клюют сразу, словно прозрачные мальки на приманку.

— Можем обсудить это за бокалом вина, — решился

наконец Ясюкевич и, подойдя к своему автомобилю, придержал для Насти дверцу.

На ватных ногах она сделала несколько шагов и медленно заползла в салон. Она готова была открутить чертику голову, но он уже спрятался и не подавал признаков жизни. «Мне надо замуж, — обреченно подумала Настя, когда Ясюкевич тронул машину с места. — Я совершаю поступки, которые заставили бы Фрейда восторженно потирать руки». Впрочем, она понятия не имела, как еще можно приблизиться к «телу». Чем заинтересовать? Если Ясюкевич замешан в дела «КЛС» — а он точно замешан! — то все остальные подступы к нему, кроме обнаруженной Настей лазейки, свирепо охраняются.

Настя смутно осознавала, как они ехали по городским трассам, как поднимались в застекленном лифте куда-то под самую крышу новенького, закругленного со всех сторон дома. Единственное, на что она обратила внимание, — это папка, которую Ясюкевич не выпускал из рук, а войдя в квартиру, сразу же спрятал в письменный стол.

— Располагайтесь, дорогая. Вас ведь Настя зовут, да? — Он обвел рукой всю красоту, которая до краев наполняла квартиру. — Сейчас немного отдохнем и начнем безжалостную борьбу с вашим одиночеством.

Настя тотчас же почувствовала себя висельником, которому показали ту самую веревку. И что теперь делать, интересно? Завлечь его в ванну и утопить? Сказать, что она передумала? «Надо сделать так, чтобы он сам отказался от меня! — осенило Настю. — Мысль замечательная, вот только тактику продумывать некогда. Сложное дело!»

Дело действительно казалось сложным. Ведь Насте надо не просто убежать, иначе зачем вообще все это затевалось? Предварительно следует хотя бы покопаться в его бумагах. Здесь у усатого настоящее логово — две ме-

таллические двери, сигнализация, охрана внизу. Не так уж и опасно держать под рукой важные документы. Такие, которые, если и не станут в чужих руках компроматом, то позволят Насте хотя бы на шаг продвинуться в ее хаотичном расследовании.

«Может, он уйдет на кухню, чтобы принести вина? — подумала она, бросив вожделеющий взгляд на письменный стол. — А я бы одним глазком заглянула в ту папочку». Словно по мановению волшебной палочки зазвонил телефон. Ясюкевич, который только что расстался с пиджаком и аккуратно вешал его в шкаф, извинился, вышел в другую комнату и плотно прикрыл за собой дверь.

Настя тут же взвихрилась, словно пыль под метлой, и в два прыжка оказалась возле стола. Папка лежала в самом верху. Она схватила ее и коленкой задвинула ящик. Потом снова метнулась к дивану, откинула обложку и, приподняв диванную подушку, уже в раскрытом виде разложила папку под ней. Чтобы было удобнее читать, Настя встала на колени и засунула под приподнятый край диванной подушки голову.

В папке лежала всего одна компьютерная распечатка — листочек, густо заполненный сведениями о каких-то людях. Здесь были фамилии, адреса, телефоны, занимаемые должности, перечень членов семьи и еще какая-то мелочовка, в которую Настя не успела вникнуть. «Я провалю это дело! — поняла она, шаря глазами по строчкам. — Фотоаппарата у меня нет, даже блокнота в сумочке нет. А разве я все это запомню?»

Тогда она решила запомнить что-нибудь одно, но твердо. Выбрать оказалось легко. Одна фамилия в середине списка была обведена красным. Вороватно оглянувшись на дверь, Настя прочитала: «Медведовский Леонид Леонидович. 1960 года рождения. Гендиректор фирмы «Восток — Спецпроект». Ниже было написано: «Супруга Лариса Львовна». Лариса Львовна была безжалостно зачеркнута. И на полях стоял восклицательный знак.

Дверь мягко дрогнула, и за секунду до того, как она открылась, Настя успела хлопнуть углом диванной подушки. Папка осталась под ней.

— Что с вами, милая? — спросил Ясюкевич, увидев Настю на коленях возле дивана. — Что вы делаете?

— Одиночество раздирает меня! — воскликнула та, принимаясь истово биться головой о мягкую обивку. — Не оставляйте меня одну, доктор! Не оставляйте никогда!

Озадаченный доктор, который и в голове не держал, что у подобранной им девицы и в самом деле какие-то проблемы с психикой, схватил ее под мышки и водрузил на диван.

— Вижу, детка, вам действительно необходимо расслабиться, — заявил он.

— Вино очень расслабляет меня! — возвестила Настя, надеясь, что он уйдет на кухню, а она в это время затолкает папку обратно в стол. — Или чай, — добавила она, подумав, что вино может находиться в комнате в баре. А чай-то уж точно на кухне.

Однако на кухню Ясюкевич не пошел, а уселся рядом и ласково обнял Настю за плечи. Эта ласковость была неприятной. Наверное, потому, что Настя боялась Ясюкевича. Она была уверена: он замешан в убийствах, поэтому ей все казалось в нем опасным — умные глаза с жесткими зрачками, ухоженные усы, под которыми пряталась несмываемая усмешка, руки с сильными артистичными пальцами.

— Душечка, — приятным, хорошо поставленным голосом сказал он, — доверьтесь мне, я вас и без вина расслаблю.

Он наклонился к Насте и провел усами по шее. Ее скрутило от ужаса. «Может, укусить его? — подумала Настя. — Впрочем, нет, он ведь доктор, сдаст в приют

для психов, никогда не выберешься. Господи, наведи на ум! Подскажи, что делать?!»

— Не надо каменеть, котеночек, — пробормотали усы прямо в вырез Настиного платья. — Отпусти себя, дай себе волю!

Он ловко накрыл губами ее рот, и Настя непроизвольно зажмурилась. Он целовал ее мастерски, и пахло от него изысканным горьким одеколоном, и Настя подумала, что именно так пахнет дорогая смерть. Смерть, за которую хорошо заплатили.

Неожиданно ей в голову пришла любопытная мысль. «Мужчины не любят, а порой и боятся активных женщин. Я могу прикинуться активной идиоткой — верный путь к тому, чтобы он меня выкинул из квартиры».

Когда усатый отстранился, чтобы дать ей отдышаться, она распахнула глаза и, уставившись на него, воскликнула:

— Ах, доктор! Вы такой... аппетитный! — Доктор усмехнулся. — Такой... загорелый! — Он прикрыл глаза. — Словно покрыты хрустящей корочкой! — Он в немом вопросе вскинул брови. — Мне хочется вас съесть! — крикнула Настя зверским голосом и кинулась ему на шею.

— Ласточка, подожди, — засмеялся тот, пытаясь отстраниться.

Ему это не удалось. Настя схватила его двумя руками за уши и начала наносить беспорядочные поцелуи в лоб, глаза, щеки и подбородок.

— М-м-ма! Какой персик! — вопила она, наступая острыми коленками куда попало. — Такой ароматный! — Она повалила его на диван.

— Подожди! Что ты собираешься делать? — отбивался тот.

— Собираюсь съесть тебя! Выпить твою кровь! Тогда мне уже никогда не будет одиноко! Ты всегда будешь во мне!

— Не всегда, а до первого стула, — пробормотал он, пытаясь схватить ее за запястья.

Однако Настя работала на чистом адреналине, и ему это не удалось.

— Гыр-р-р! — сказала она и пребольно укусила его за плечо.

— Да чтоб тебя! — рассердился Ясюкевич, сообразив наконец, что любовной игрой здесь и не пахнет. — У тебя и в самом деле полная башка тараканов?!

— Если бы у меня были хотя бы тараканы! Но у меня никого нет... А я так хочу кого-нибудь!

— Кого? — прокряхтел Ясюкевич.

— Тебя! — рявкнула Настя. — Я одинокая охотница на мужчин! — Она так сильно обняла его за шею, что едва не раздавила его кадык. — Почему-то они все бросают меня...

— И неудивительно! — прохрипел тот, ощутив, как в нем что-то хрустнуло.

— Но ты! Ты всегда будешь со мной. Ты первый согласился согреть меня поцелуем.

— Я погорячился.

— Любимый! — простонала Настя, всем весом упав на его напрягшийся живот. — Обещай, что с этой минуты ты будешь рядом до конца моих дней.

— Да! — прохрипел тот. — Я буду рядом. Только с завтрашнего дня. Сегодня у меня дел... очень много.

— Я останусь здесь и, пока ты работаешь, буду лежать на коврике и обвивать твои ноги! — низким голосом сообщила Настя.

— Ноги — это, должно быть, волнующе! Послушай, цыпленочек, я хочу тебе что-то показать. Что-то удивительное. Подожди, остановись!

Усатый кое-как скрутил ей руки и поднялся с дивана, после чего отскочил от Насти, словно от гремучей змеи.

— Это твоя сумочка? — тяжело дыша, поинтересовался он.

— Да, мой фараон! — в нос простонала она, глядя на него снизу вверх.

— Дай ее сюда!

Ясюкевич вышел в коридор, держа Настину сумочку двумя пальцами. Здесь он открыл входную дверь и спросил:

— Там есть что-нибудь ценное?

— Конечно! — удивилась та.

Тогда доктор размахнулся и одним легким движением выбросил сумочку на лестничную площадку.

Настя вскрикнула и, не помня себя, бросилась следом. Дверь за ее спиной хлопнула, и послышался звук торопливо запираемых замков.

Ей удалось! Надо же — удалось! Играть роль больше не имело смысла, поэтому кидаться на дверь она не стала. Более того — если Ясюкевич прямо сейчас обнаружит, что папки, которую он при Насте клал в ящик стола, нет на месте, он погонится за ней. Так что надо смываться.

Настя скатилась на пару этажей и принялась давить на кнопку лифта. Он явился быстро и бесшумно, словно умный слуга, и унес ее вниз, начав движение с мягкого толчка, от которого на секунду захватило дух.

Кое-как сориентировавшись на улице, она бегом рванула в сторону метро. Сначала надо забрать машину, а потом... Она не знала, что делать потом. Путь к Ясюкевичу ей теперь заказан. Рано или поздно он хватится своей папки. А если найдет ее под диванной подушкой, открытую, то догадается, что у Насти к нему был особый интерес. Будет удачей, если он спишет все на ее больную голову. А если нет? Он далеко не дурак. Далеко не дурак!

Хорошо, что в центре «АЛЕЯК» она назвала вымышленную фамилию и у нее не спросили паспорт. Да и зачем им документы, когда пациенты платят наличными! Снегурочка просто записала напротив выдуманной фамилии номер телефона, который та назвала. Тоже, кстати, ненастоящий. Нет, усатому ее не найти, определенно.

И все равно Насте было страшно. Пока она не села в свою машину и не приехала домой, чувство тревоги не оставляло ее ни на секунду. Ворвавшись в квартиру, она первым делом схватила тетрадь и поспешно написала все, что успела запомнить: Медведовский Леонид Леонидович, год рождения, должность, «Восток — Спецпроект», а также зачеркнутая супруга Медведовского Лариса Львовна. Настя уже догадывалась, почему она зачеркнута, и эта догадка теперь сидела и болела у нее в желудке, словно язва.

# 10

Утром ее разбудили телефонные звонки — отвратительные, длинные и такие тоскливые, словно аппарат превратился в собаку и решил повыть на луну. Настя открыла один глаз и поняла, почему так сладко спится — за окном плавали благословенные жирные тучи, из-за них вокруг было сумрачно и прохладно.

— Алло! — невнятно сказала она в трубку, почти уверенная, что звонит Люся, чтобы допрашивать ее и давать наставления.

Однако это была не Люся, а совсем незнакомая женщина. Или даже девушка. Голос казался молодым и слегка отстраненным.

— Мне Анастасию Шестакову, — произнес голос, забыв поздороваться.

— Это я, — пробормотала Настя, откашливаясь. Ей почему-то показалось, что на том конце провода сидит

мымра в дорогих шмотках и, скучая, разглядывает свои ногти.

— Мы незнакомы, Анастасия. — Настя тотчас же насторожилась, словно болонка, которая не знает, как защититься от более клыкастых и агрессивных сородичей. — Меня зовут Валентина.

В ее устах имя прозвучало благородно. Насте всегда казалось, что Валентина, Валя — имя очень простое, хорошее такое, домашнее. Но эта конкретная Валентина произнесла свое имя так, словно в каждую букву было вставлено по фамильному бриллианту.

— Я некоторое время отсутствовала в Москве, — зачем-то объяснила она. И тут же добавила: — Дело в том, что Сева Маслов попросил меня связаться с вами. — Настя почти перестала дышать. — Я обещала, что позвоню, но закрутилась и забыла. А когда вернулась, узнала, что Севу убили.

Она замолчала. Настя тоже не подавала признаков жизни, жадно ожидая продолжения.

— Так вот, — явно начиная раздражаться ее молчанием, продолжала невидимая Валентина. — Я живу с этим уже некоторое время, постоянно думаю о несостоявшемся звонке. Как будто не выполнила последнюю волю умирающего. Хотя позвонить он меня просил из-за сущего пустяка. Но я все равно не могу успокоиться. Вы меня понимаете?

— Да, — хрипло ответила Настя и, кашлянув в сторону, еще раз подтвердила: — Да, понимаю.

— Давайте встретимся за чашкой кофе и поговорим, вы не против?

— Я только за.

Они договорились о свидании в модной кофейне в центре города.

— Как я вас узнаю? — спросила Настя. Ей не хотелось, как дуре, озираться по сторонам на входе.

— На мне белые брюки и красная блузка, — сообщила Валентина.

Вероятно, она посчитала, что этого более чем достаточно. Настя понимала: если не успеет привести себя в порядок, ее чувству собственного достоинства будет нанесен маленький подлый удар. Она поспешно приняла душ и вывалила на кровать все тряпки, которые передал ей поддельный Юхани.

Мысли ее невольно перескочили на этого ужасного типа. Вероятно, настоящий Юхани был перехвачен сразу по приезде в Москву людьми человека-паука. Бедному финну задурили голову и сказали, что сумку передадут сами. Кем они представились? Почему Юхани им поверил? Как бы то ни было, но в квартире у Насти появился уже другой, поддельный Юхани.

Будто бы подслушав ее мысли, телефон тревожно заверещал. Межгород, мама!

— Девочка моя, у тебя все в порядке? — спросила мама.

Выспросив Настю про самочувствие и про то, как она переносит эту ужасную сверхъестественную жару, мама поинтересовалась:

— Послушай, а тебе передали мою посылку?

— Да, — сказала Настя, — все такое красивое! Спасибо тебе, мамочка!

— Надо же, нашлись добрые люди!

— Что ты имеешь в виду?

— Юхани попал в Москве в автомобильную аварию. Так глупо и нелепо, просто не верится! Его отвезли в больницу. Хорошо, что у него была — как это? — туристическая страховка. А шофер той машины, которая подрезала их машину, чувствовал себя виноватым и предложил отвезти посылку. Юхани очень переживал, что у него чужие вещи.

«Интересно, — отстраненно подумала Настя, — а

если бы финн не пострадал в аварии, сумку у него просто отняли бы?»

— Надеюсь, с ним ничего серьезного? — вслух спросила она. — Скажи мне, в какой он больнице, я его навещу.

— Не волнуйся, дорогая, он уже едет домой. Очень жалеет, что его свидание с Россией получилось таким дурацким. Правда, если верить нашим друзьям, он начал готовиться к неприятностям месяца за два до поездки. Как говорится, за что боролся... Да, кстати, в маленьком блестящем пакете — потрясающее платье.

— Платье? — изумилась Настя. — Я думала, это носок. Не могла понять, почему ты прислала его в единственном числе.

— Не сомневайся, это платье. Я купила его на международной выставке, дорогая. Китайцы изобрели какой-то суперматериал, он растягивается. Вот увидишь, как хорошо оно сидит.

Оно и в самом деле хорошо сидело. «Может, тряхнуть костями и ответить на чью-нибудь любовь, пока я еще не сгибла в очередной бухгалтерии?» — подумала Настя. Она быстренько уложила волосы феном, благо их теперь было умопомрачительно мало, и надела те самые узкие очки, очень стильные, которые купила для маскировки. Такая маленькая деталь, а сколько глупого удовольствия!

Валентина сидела за столиком у окна и нервно курила. Она была типичной представительницей того подотряда блондинок, которые с легкостью опустошают мужские кошельки. «Вернее, портмоне», — поправила себя Настя.

Она подошла и небрежно бросила сумку на пустой стул. Сумка вздрогнула всеми внутренностями. Настя волновалась, что ей сейчас скажут, и немножко гусарствовала.

— Вы ведь Валентина? — спросила она, основательно усаживаясь за столик. — Я Настя, приятно познакомиться.

С лица блондинки мгновенно соскочило выражение скуки. Она с интересом оглядывала новую знакомую, пока та делала заказ.

— Не успела выпить кофе, проспала, — улыбнулась Настя. — Знаете, я очень нервничаю, поэтому, может, вы сразу расскажете, в чем дело?

— Конечно. — Валентина расправилась с окурком, растерев его в пепельнице с таким ожесточением, словно это он виноват в том, что она курит. — Все дело в записке.

Настя почему-то сразу поняла, какую записку Валентина имеет в виду. Ту самую, которую ей сунула в руки Любочка Мерлужина накануне своего подозрительного самоубийства. Записку, на обороте которой было торопливо написано: «Меня хотят убить».

— Сева мне все рассказал, — заявила Валентина и повела бровями. Мол, рассказал, что ж тут поделать?

— Что — все? — испугалась Настя. Ей не хотелось верить, что подозрения, которыми она поделилась с Масловым, стали известны этой совершенно незнакомой, холеной и надменной девице.

— Он рассказал мне, что Люба Мерлужина что-то написала для вас на листочке, вырванном из блокнота, а потом на обороте вы увидели слова: «Меня хотят убить». И когда узнали, что Люба умерла, начали беспокоиться.

— В общем, все правильно, — настороженно ответила Настя.

— Так вот. Эти слова — «Меня хотят убить» — не имеют к смерти Любы никакого отношения. Я точно знаю. Она написала их за несколько дней до встречи с вами. И когда что-то записывала для вас, просто не обратила внимания на то, что на листке уже есть запись.

Настя молча ждала продолжения. Ей хотелось подробностей. Она смотрела так требовательно, что Валентина не выдержала:

— Сейчас все расскажу. — Она закурила новую сигарету, причем без всякого удовольствия, просто чтобы занять руки или между делом полюбоваться маникюром. — Мы с Любой были знакомы. Шапочно. Так получилось, что мы встретились в одной компании, я не знала, о чем с ней говорить, поэтому мы перескакивали с темы на тему и в конце концов перешли на книги. Она читала все подряд, все, что попадало к ней в руки.

«Ну, это ты преувеличиваешь, — подумала Настя. — Если бы Любочке в руки попал Стендаль, она бы точно читать не стала».

— Она рассказала мне сюжет одного интересного детектива. Я, чтобы не остаться в долгу, тоже рассказала. Но я не очень люблю детективы. У меня дома есть парочка довольно старых, вот я о них и упомянула. Люба заинтересовалась. Или сделала вид, что заинтересовалась. И даже захотела записать название.

— Кажется, я догадываюсь, что вы хотите сказать, — пробормотала Настя. — «Меня хотят убить» — это название детектива?

— Да, точно. Тогда я не вспомнила, кто автор, потом специально посмотрела. Петер Бэннон — на всякий случай. Но тогда, во время того разговора, я не вспомнила, и Люба просто отметила в своем блокноте название, чтобы не забыть. Именно этот листочек, судя по всему, и попал к вам. Такая вот... история.

Настя бешено вращала ложечку в остатках кофе, пытаясь примерить новую информацию ко всему тому, что уже было ей известно. Значит, Любочка Мерлужина вовсе не просила помощи? Не дрожала от страха за свою жизнь? И о контрамарке вспомнила лишь для того, чтобы как-то отвлечь ее, Настю, от усатого. Задабривала ее, чтобы она не проболталась ревнивому муженьку.

— И еще, — металлическим голосом добавила Валентина. — Сева говорил, вы подозреваете, что Макар покончил с собой. Что он устроил аварию нарочно, потому что не мог жить без Любочки.

— Я не исключаю такой возможности, — осторожно ответила Настя, подумав про себя: «Кем меня изобразил Сева — Пинкертоншей, что ли?»

— Так вот. Это полная ерунда!

Валентина нахмурилась и стала какой-то некрасивой. Вероятно, она сильно нервничала, и это ей решительно не шло.

— Полная ерунда? — повторила за ней Настя. — Но почему?

— Потому что из-за своей жены Макар никогда ничего бы с собой не сделал. Он ее не любил.

— Ну да! — не поверила Настя. — С чего вы взяли?

— С того, что я была его любовницей.

Настя совершенно неприлично вытаращилась на свою собеседницу.

— Да, да! — сердито подтвердила та. — Мы встречались почти два года. Люба так раздражала Макара в последнее время, что ее смерть могла его только разволновать. Ну, как любого психически нормального человека. Но не больше. Можете мне поверить — Макар ничего с собой не делал. Это была авария. Дорожное происшествие, и не более того.

— И вы с женой Макара обсуждали детективы? — с упрямым недоверием уточнила Настя.

Валентина сделала глубокую затяжку и выдохнула вместе с дымом:

— Так получилось.

— Это все? — мрачно спросила Настя. — Или будут еще какие-то сюрпризы?

— Все. — Валентина разогнала дым энергичной ла-

донью и глубоко, освобожденно вздохнула. — Ну, вот и славно. Мне явно полегчало, и я, пожалуй, пойду.

Им и в самом деле больше не о чем было говорить. Вернее, они не знали, как надо говорить друг с другом.

— Еще один вопрос! — Настя подскочила на стуле и подалась вперед. — Он не праздный, и я это не из любопытства спрашиваю. — Валентина посмотрела на нее выжидательно. — Вы не знаете, а в жизни самого Маслова не было любимой женщины? Я имею в виду — кроме жены.

— Любовницы? — усмехнулась Валентина. — Понятия не имею. Макар был достаточно бесшабашным и без стеснения знакомил меня с друзьями. А вот Сева нет, Сева был скрытен и даже коварен, как киношный Мюллер. Если у него кто и имелся, он не распространялся.

— А Сева ничего не оставлял вам на хранение? — на всякий случай спросила Настя. — Может быть, пустяк какой-нибудь?

— Да что вы! С какой стати? Нет. Конечно, нет.

Валентина пожала плечами, и Настя еще раз поблагодарила ее за звонок и за разговор. Он и в самом деле многое ей дал. Во-первых, можно перестать сходить с ума из-за записки. Любочка не была заложницей Ясюкевича и не просила о помощи. Это ошибка. Люся как в воду глядела! Она сразу сказала, что это просто досадное совпадение.

Впрочем, что с того? Любочка провела вечер накануне самоубийства с Ясюкевичем, от этого никуда не деться. Плюс к тому странное-престранное предсмертное письмо без обращения! А Инга Харузина, утонувшая в реке? Настя своими глазами видела, как она что-то обдумывала накануне своей смерти. Обдумывала и записывала. И Аврунин посылал ее в номер со словами: «Сделайте это!» Логично предположить, что он вынуждал ее писать предсмертную записку. Неужели Люся права и «КЛС» действительно «Клуб самоубийц»?

Все в Насте протестовало против подобного предположения. Она чувствовала, что «КЛС» — не тайная организация, объединившая каких-то там рафинированных личностей. Это — танк, который прет сквозь строй, подминая под себя всех, кто стоит на пути. Просто управляет им кто-то очень ушлый. И умный.

Умный, конечно! Настя не могла даже представить, каким способом удалось этим типам заставить написать двух женщин предсмертные письма. Может, таких писем вообще не два, а двадцать два? Или сто двадцать два?

Рано или поздно она, конечно, все поймет. Ведь в ее руки постоянно попадает новая информация. Крошечными шажками, но она движется вперед. Складывает факты в общую кучу, рассчитывая, что из всех этих кусочков в конечном итоге сложится простая и ясная картинка.

Единственное, чего Настя не понимала, но отчаянно хотела понять, это то, как она сама оказалась в поле зрения бандитов? Просто потому, что видела микроавтобус «КЛС» возле дачи Макара? Однако если бы те решили, что она знает лишнее, с ней бы разделались сразу. Или они не уверены в том, что она что-то видела, и подсылают одного за другим мужиков, чтобы это узнать? «Нет, для бандитов слишком сложно, не стали бы они ничего выяснять окольными путями, — решила Настя. — Утюг на живот, а потом в реку. Тогда что означают все эти Иваны, Владимиры, Артемы и Юхани в моей жизни?»

* * *

Едва она возвратилась домой, позвонил частный детектив Никифоров.

— Привет, папочка, — довольно мрачно сказала

Настя. — Звоните узнать, как мои синяки? Или появилась информация?

— Я бы хотел приехать. — У него был бесцветный от усталости голос.

— Ладно, — осторожно ответила Настя. — Адрес знаете, я вас жду.

Сказать по правде, то, что она втравила в историю всамделишного частного детектива, слегка пугало. Одно дело — ее собственные домыслы, ее ухажеры и ее эскапады. А настоящий сыщик, который собирается приехать с докладом, — это совсем другое. С ним все становится таким серьезным, таким... опасным. Настя даже поежилась, покрывшись от страха крепкими огуречными пупырышками.

Никифоров явился небритый, всклокоченный и тут же потребовал черного кофе.

— И не пыль из банки, — добавил он, — а настоящего кофе из размолотых зерен.

— Только не сидите молча, словно у вас во рту пробка, — попросила Настя, шаря по ящикам и полкам в поисках кофемолки. Сама-то она постоянно пила эту самую пыль.

— Я нашел любовницу Маслова, — бухнул тот.

Настя живо обернулась и посмотрела на него.

— Рина Савченко, очаровательная молодая дама. Сидит на больничном после нападения неизвестного. Адвоката убили в ее подъезде, чтоб вы знали. Незадолго до убийства к Рине в квартиру ворвался человек в маске. Угрожал пистолетом, требовал сказать, когда приедет ее любовник. Она сказала. Тогда бандит ее связал, заклеил рот и ударил по голове. Когда она очнулась, то стала бить ногами в дверь, и соседи услышали. Даже милицию вызывать не потребовалось — ее к тому времени и так набежал целый подъезд.

— А видеокассета? Сева не приезжал накануне гибели к этой девушке, Рине, ночью с «дипломатом» или портфелем?

— Не приезжал. Но я знаю, где он был той ночью. И «дипломат» нашел — ваш ключ к нему подходит. Только кассеты в нем нет.

Настя приоткрыла рот и уставилась на хмурого Никифорова.

— Чертовски странная история, — пробормотал тот. — Фокус-покус а-ля адвокат Маслов.

Настя подумала, что в этом деле с «КЛС» вообще одни сплошные фокусы-покусы.

— Расскажите толком, — попросила она.

— Вы кофе-то наливайте.

— Вот ваш кофе. Несладкий, без молока, но с пенкой. Такой любите?

— Люблю, — агрессивно подтвердил тот. Видимо, фокус-покус с «дипломатом» его достал.

— Ну? — спросила Настя, ерзая на табуретке. — Так как вы нашли «дипломат»?

— Соседей в подъезде Маслова милиция не допрашивала. Ведь убийство-то не там произошло. Я покрутился на месте, поговорил с людьми. И нашел одного типа. Живет на первом этаже, ночами почти не спит — статейки сочиняет. Матерый такой журналюга, злой и умный. Ну, а поскольку умный, то за воротник закладывает. Без этого у нас уму не выжить — заклинит. Вы у Маслова когда-нибудь были?

— Да, — кивнула Настя, не сводя с него настороженных глаз.

— Видели, рядом с домом — большая гостиница? Так вот, журналюга этот у себя спиртное не держит, чтобы, значит, не соблазняться. А ночью, если работы выше крыши и если уж совсем припрет, топает туда пропустить стопарик или пивом нагрузиться. В гостинице круглые сутки жизнь бурлит — дискотека «Петарда», соответственно, бар, девочки и все такое.

Никифоров с удовольствием отхлебнул кофе и, прислонившись спиной к подоконнику, вытянул ноги, как набегавшаяся собака. Настя глядела на него, не мигая.

— В ту ночь захотелось ему, как водится, пивка выкушать. А уж третий час шел, заметьте. Выходит он из квартиры, слышит — дверь в подъезде хлопнула, прямо перед ним тоже кто-то из дому подался. Уже на улице увидел он Маслова с «дипломатом».

— Все-таки с «дипломатом»! — не удержалась и воскликнула Настя. — Значит, я правильно догадалась.

— Угу, — пробормотал детектив, глядя в чашку. — Правильно. Маслов тоже в гостиницу пошел.

— Его пропустили?

— А чего его не пустить? Он охране сказал, что идет в бар. Только один из парней заметил, что, вместо того, чтобы свернуть налево, к бару, Маслов в конце холла свернул направо, к лифтам.

— Они его задержали?

— Он уже успел уехать. Лифт остановился на третьем этаже. Охранник поднялся туда ножками, бегом, значит. Выскакивает к номерам и видит, как Маслов заворачивает к лестнице в другом конце коридора. Причем уже с пустыми руками. А «дипломат» стоит в самой середине коридора, возле стены, на ковре, сиротливо так. Охранник посмотрел на «дипломат» и решил, что там не иначе как взрывное устройство. А поскольку у него ни телефона, ни рации — с голыми руками мы гостиницы охраняем, — он архаром вниз, Давай звонить куда следует.

— А Маслова-то они поймали в конце концов?

— Не-а. Он каким-то образом из гостиницы улизнул. Наверное, пока охранники, выпучив глаза, бегали с первого этажа на третий, он успел до дому дойти и спать лег. Короче. Приехали специалисты, подобрались к «дипломату», вскрыли его, а там ничего нет — пусто. То есть вообще ничего.

Настя выглядела озадаченной:

— А куда же делась кассета? Может, Сева отдал ее кому-нибудь из жильцов третьего этажа? А «дипломат» в коридоре так, для отвода глаз, бросил?

— Каких глаз? — спросил Никифоров. — За ним ведь никто не следил.

— А может, он думал, что следят.

— Тогда бы он отдал кассету вместе с «дипломатом», это логичнее.

— Так или иначе, кассету кто-то вытащил.

— Что само по себе кажется виртуозным трюком. Охранник вниз спустился, а туда, на третий этаж, сразу второй побежал, своими глазами поглядеть на «дипломат». Он так там и стоял, а в коридоре пусто было.

— Может, кто-то из жильцов третьего этажа в эти несколько минут из номера вышел?

— Не вышел, — покачал головой Никифоров. — В ту ночь весь третий этаж пустовал. Поздно вечером уехали спортсмены-юниоры из Волгограда — целый вагон юниоров и сопровождающих. Новых постояльцев вселять стали только наутро.

— Значит, кто-то пришел заранее, сидел в пустом номере и ждал.

— Значит, сидел и ждал, — не слишком уверенно подтвердил Никифоров. — Только вот что странно: как же они договорились? Он же заранее не знал, что ему кассету принесут.

— Но дома у Маслова кассеты нет, — покачала головой Настя. — Милиция искала. А уж как я искала! Куда-то ведь он ее дел! Может, все-таки у старушки?

— У какой такой старушки? — буркнул Никифоров. — У той, что за котом присматривает?

— Я же вам рассказывала, что в кошачьем корме ключ нашла.

— Ну да, ну да. Старушка вроде обычная. В разведке раньше не работала, я проверял. Не стала бы она после

убийства Маслова кассету от жены да от милиции скрывать. На кой ей это надо? Она бы даже испугаться толком не сумела, разве она чего понимает в кассетах?

— Значит, Маслов всех провел?

— Провел. — Никифоров одним глотком допил кофе, облизнулся и спросил: — Как вы думаете, я аварию отработал?

Настя задумчиво посмотрела на него и сказала:

— Ладно, живите, папочка. Считайте, что с крючка вы благополучно соскочили.

— Как я рад, — пробормотал Никифоров. — Если по-честному, я еще ни разу не ввязывался в дело о заказном убийстве. Лучше бы и дальше мне без этого обходиться.

Закрыв за ним дверь, Настя глянула в зеркало на свою озадаченную физиономию:

— Раньше я тоже ни во что подобное не ввязывалась.

Она вернулась на кухню, захватив по дороге тетрадь, в которую вписала Медведовского Леонида Леонидовича и его зачеркнутую жену Ларису Львовну. Название фирмы, которую возглавлял Медведовский, «Восток — Спецпроект», звучало солидно. Она включила компьютер, почти тотчас же нашла название в сети и присвистнула: Медведовский — птица высокого полета. Просто так к нему вряд ли подступишься.

Однако попробовать все же необходимо. Раз Медведовский занимает такое положение, он уж точно не беден, у него охрана, связи и наверняка большое желание жить. Поскольку милиция не хочет ее слушать — она лично все расскажет Медведовскому, предупредит его. Погибли две супружеские пары подряд — мыслимое ли дело! Причем одна почти на ее глазах. И вообще — ей есть, что рассказать этому Медведовскому.

Перед тем как умерла Инга Харузина, она тайком встречалась в лесу с поросенком-Авруниным. Тот получил инструкции по поводу действий в «Садах Семирамиды» непосредственно от Ясюкевича. Их обоих Настя собственными глазами видела в офисе фирмы «КЛС», служащие которой обыскивали дачу Макара Мерлужина накануне гибели его жены. И в ресторане Любочка ужинала все с тем же Ясюкевичем.

Дальше. Незадолго до смерти Инги Харузиной был застрелен ее муж. А после смерти Любочки погиб Макар. Если выяснится, что Лариса Львовна, которую Ясюкевич аккуратно зачеркнул в своем списке, тоже мертва, как думает Настя, надо предупредить Медведовского об опасности. Недаром же он попал в список Ясюкевича!

В конце концов, это Настин гражданский долг. Хороша она будет, если промолчит, а потом в каких-нибудь «Новостях» услышит сообщение об очередном заказном убийстве! Так, как это было с Севой Масловым. Нет, Настя грех на душу не возьмет. Как это там говорится: предупрежден — значит, вооружен. Она должна вооружить Медведовского. Вот только как к нему пробиться?

Связи у нее были только на телевидении. Вернее, связи были у мамы, но Настя вполне могла ими воспользоваться. Еще раз. Жаль, что затея с Шинкарем провалилась. Теперь ей надо выйти на более высокий уровень, на Медведовского. Может, именно благодаря ему милиция обратит-таки внимание на фирму «КЛС» и как следует ее потрясет?

* * *

Ерасов, весь в белом, приехал в офис в кондиционированном автомобиле, поэтому выглядел свежим и хрустящим, как молодой капустный лист. Лишь когда он вошел в кабинет и увидел физиономии собравшихся, глаза его потемнели, а над губой выступила росинка по-

та. Такие физиономии ему не нравились. Они предвещали неприятности, а этого добра в жизни Ерасова уже и так было выше крыши, больше он не хотел.

— Ну? — спросил он, усевшись за стол и улыбаясь пробирающей до костей улыбкой. — Что на сей раз?

— Женщина, — сказал его помощник Леша Алексеев, оказавшийся, как и положено, ближе всех к шефу.

— Какая... женщина? — раздельно и очень спокойно переспросил Ерасов.

— Мы как раз пытаемся понять — какая, — брякнул маленький вертлявый мужчина, руки которого свободно лежали на коленях.

— Которая сорвала операцию с Шинкарем, — пояснил помощник.

— Что это за операция? — без выражения спросил Ерасов. Он вникал не во все детали, доверяя это Ясюкевичу.

— Шинкарь — телеведущий, — ответил все тот же Алексеев. — Его надо было пугнуть, собрать кое-какую грязь. Попросили у Марии Сергеевны умную девочку. Она сказала, что пришлет Наташу. Пришла Наташа, Никита Петрович дал ей адрес, дал ключ, но операция сорвалась. Когда наши ребята подъехали, никакого Шинкаря в квартире не было. А был там ОМОН.

— Ну, дальше, — нетерпеливо сказал Ерасов, словно кто-то медлил, или мялся, или не мог подобрать нужных слов.

— Никита Петрович позвонил Марии Сергеевне, тут-то и выяснилось, что никакой Наташи она не посылала. А позвонила Никите Петровичу прямо в кабинет и велела обратиться к Нонне.

— А кто трубку брал? — тут же спросил проницательный Ерасов.

— Вероятно, та самая Наташа и брала. Так называемая Наташа, — поправился Алексеев. — Она как раз поджидала Никиту Петровича в его кабинете. Одна.

— Ну, и что вы предприняли?

— Мы просмотрели видеозапись за тот день, нашли эту даму, сделали фотографии и раздали их всем служащим.

Леша Алексеев достал из папки отменного качества фотоснимки и положил на стол поближе к шефу. Тот протянул руку и взглянул. От комментариев воздержался.

— Выяснилась очень неприятная вещь, — продолжал между тем его помощник. — Эту женщину опознали несколько человек. Во-первых, именно она была вместе с ОМОНом в той квартире, где ждали Шинкаря. Решила играть в Наташу до конца. Зачем? Во-вторых, она подходила к одной из наших легальных бригад на улице, когда они мыли витрины спортивного магазина, и попросила у водителя визитку фирмы. В-третьих, ее заметили в одной из квартир, когда чистили ковры. Заказ делала не она, но, пока наши люди работали, постоянно находилась возле хозяйки.

Ерасов поднял верхний снимок и уже гораздо более внимательно посмотрел на изображенную там Настю.

— Простовата что-то она для той роли, которую вы ей отводите.

— Сейчас она выглядит не так, — неожиданно подал голос Ясюкевич.

Ерасов вскинул на него глаза. У него дернулась щека — почти незаметно.

— Она остригла волосы и носит узкие очки в черной оправе, — продолжал тот, ни на кого не глядя.

— Откуда ты это знаешь? — спросил Ерасов. Ему хотелось затопать ногами, но он сдержался.

— Она приходила ко мне в центр, — невыразительным голосом ответил тот. — Записалась в группу под именем Анастасии Кругловой, заплатила сразу. Телефон дала вымышленный. Уверен, что сегодня вечером она не придет. Вообще больше не придет.

— Почему? — требовательно спросил Ерасов.

— Она попросила меня поработать с ней индивидуально. — На щеках Ясюкевича проступили круглые малиновые пятна. Только это и выдавало его подлинные чувства. Голос же по-прежнему был ровным. — Я пригласил ее домой.

— Та-а-ак... — довольно зловеще протянул Ерасов.

— А до этого был случай на бульваре, — признался Ясюкевич. — Мы с Аврулиным обсуждали очередную операцию, когда вокруг нас начал крутиться один мужик. Мы его поймали, поговорили с ним по душам, и оказалось, что его подослала женщина, по описанию похожая на эту, — он дернул подбородком в сторону фотографий. — Подослала, чтобы он подслушал, о чем мы говорим.

— И он подслушал?

— Он был сильно под градусом, и мы ему помогли забыться — добавили еще.

Над верхней губой Ерасова проступило несколько капелек покрупнее:

— Ну, и кто из вас может спрогнозировать, что она будет делать дальше?

Ясюкевич потер усы и выдавил:

— После ее ухода у меня пропала папка.

— Просто папка? — ласково переспросил Ерасов.

— В ней был список клиентов.

Ерасов открыл рот, оскалив при этом зубы. Однако сказать ничего не успел, потому что зазвонил его мобильный телефон.

— Да? — спросил он, пытаясь раздавить в себе гнев. — Кто?

Он некоторое время слушал, потом жестко приказал:

— Задержите ее.

Отключившись, он сделал секундную паузу и, обведя глазами присутствующих, сообщил:

— Насмерть перепуганный Медведовский только что звонил по контактному телефону. Она у него в офисе.

# 11

Настя была невероятно настойчива, и мамина подруга Жанна во второй раз взялась ей помогать. Во-первых, Насте дали возможность поговорить с неким анемичным типом, у которого имелось журналистское досье на Медведовского. Он долго и нудно рассказывал ей о фирме «Восток — Спецпроект», пока она его не перебила:

— А что случилось с женой этого парня?

— Два месяца назад она отправилась в Италию отдохнуть и утонула. На многолюдном охраняемом пляже. Жуткая история.

Настя согласилась, что история действительно жуткая. Потом Жанна долго учила ее, как вести себя с Медведовским и что ему говорить.

— Смотри, не ляпни лишнего. И хорошенько запомни, на кого конкретно ты работаешь. Скажешь, что задумано интервью, эдакая беседа в неформальной обстановке, и тебя послали прозондировать почву. Как он вообще относится к такой идее? Скажешь, что детали с ним будут обговаривать позже, тебя прислали для предварительного разговора, поняла?

Настя не собиралась обсуждать с Медведовским мифическое интервью, но покорно кивала. Ее радовало, что накануне Люся с семейством отбыла в Сочи и не надо ни о ком беспокоиться. Ее приводило в ужас воспоминание, как они по пьяной лавочке вызвали из «КЛС» бригаду чистить ковры и при них придумывали подходящую смерть Люсиному мужу. А потом еще провал операции с Шинкарем, где она тоже засветилась по полной программе. Нет-нет, просто отлично, что Люся уехала, забрав загипсованного мужа и крикливых близнецов.

Офис фирмы «Восток — Спецпроект» застрял где-то на верхних этажах стеклянного параллелепипеда, в котором поршнями ходили вместительные лифты, таская туда-сюда озабоченный люд. Настя задрала голову и оглядела блестящую громаду, внутренне настраиваясь на успех. Она сто раз читала, что настраиваться нужно именно на успех, только тогда будет все, как надо.

Внизу, в просторном холле, к ней подбежала женщина с бантом под подбородком и каким-то растерзанным списком и нервно спросила, не на конференцию ли она. Настя ответила, что нет, и прошла к лифтам мимо молодого человека с горящим взором, который стоял перед широко раскрытой дверью с красочным плакатом в руках: «Участники конференции — сюда!»

Участники неведомой конференции поодиночке и парами бродили от киосков с прохладительными напитками к фонтанчику и обратно и потихоньку втягивались в разверстую, бархатно-алую пасть конференц-зала. Все они были важные и одновременно взвинченные. Вероятно, важность объяснялась необходимостью выслушать какой-нибудь доклад, а взвинченность — ожиданием бурных прений. Однако двери лифта закрылись, отрезав Настю от всего виденного, и мысли ее тотчас же перескочили на предстоящую встречу с Медведовским.

Вступив в царство массивных дверей «Восток — Спецпроекта», она невольно замедлила шаг и побрела по мягкому ковру, терявшемуся в перспективе коридора. В конце пути ее встретила пожилая тощая секретарша. Она была такая сухая и яростная, что в ее присутствии невольно думалось о противопожарной безопасности. И голос у нее оказался под стать внешности — трескучим, словно сухой хворост.

— Леонид Леонидович ждет вас, — сообщила она, прострочила хвостик какой-то фразы на клавиатуре компьютера и поднялась, чтобы лично проводить Настю к двери главного кабинета на этаже.

Переступив порог, Настя остановилась. Вот уж чего она не ожидала, так это увидеть в кабинете гендиректора еще двух человек. Они сидели за длинным столом и просматривали бумаги. И еще она не ожидала, что Медведовский столь импозантен. Насте это не понравилось — отношения с красивыми мужчинами в последнее время у нее явно не задались.

Медведовский сидел в кресле, положив на стол красивые руки, обернутые белоснежными манжетами. Грива русых волос делала его похожим на льва, который спокойно обозревает свои владения. Завидев Настю, он чуть приподнялся и весьма любезно предложил ей садиться. Миролюбиво улыбнулся и заявил:

— Ну-с, можете начинать. Что там у вас за предложения?

— Простите, — сказала Настя, покосившись на посторонних людей, — но мне хотелось бы побеседовать наедине.

— Да бросьте! — небрежно отмахнулся Медведовский с видом утомленного владыки. — У моих помощников то и дело возникают вопросы. Пусть они сидят.

— Нет, — уперлась Настя. — У меня тоже есть к вам вопросы деликатного свойства. Вам самому не понравится, если я задам их при посторонних. Тем более что я рассчитываю на правдивые ответы.

Помощники принялись в три раза усерднее листать бумаги. Медведовский некоторое время задумчиво обозревал Настину блузку, затем неохотно приказал им:

— Ладно, идите.

Они взлетели вверх, словно бумажки, попавшие в вентилятор. После чего их утянуло в открывшуюся дверь.

— Приступайте, — предложил Медведовский, слегка приправив фразу монаршим неудовольствием.

Настя решила сбить с него спесь одним ударом.

— У меня есть информация, — резким тоном заявила она, — что ваша жена была убита.

Эти слова произвели на владельца кабинета сокрушительное впечатление. За какие-то секунды он покрылся гипсовой бледностью, а волосы у него на макушке стали дыбом.

— Что-о?! — шепотом переспросил он, отлепляясь от мягкой спинки и вытягиваясь в своем кресле, словно радист, поймавший вражеский радиосигнал.

— Вы все поняли правильно. — Настя чувствовала, что, если начать жалеть Медведовского, он просто не дослушает. Поэтому продолжила наступление: — Вы когда-нибудь слышали о фирме «КЛС»?

— «КЛС»? — завороженно повторил тот. — Нет, никогда. Что это такое — «КЛС»?

— Можно сказать по-другому: фирма «Клин Стар».

— Что они производят? — механически спросил Медведовский.

— Чистоту, — коротко ответила Настя. — Убирают помещения. Официально, я имею в виду. А неофициально выполняют поручения особого свойства. Убивают за деньги.

Она выложила на стол визитку фирмы, которую выпросила у шофера.

— А моя жена... — промямлил Медведовский, повертев визитку в руках. По всей видимости, у него отказал язык. — При чем здесь моя жена?

— Дело в том, что ваша семья оказалась в их черном списке. Не знаю, по какой такой причине. Сначала они избавились от вашей жены, а теперь примутся за вас. Собственно, я пришла предупредить. Телеинтервью — это просто повод.

— Откуда... Откуда у вас эти сведения? — Медведовский явно пытался взять себя в руки.

— Я ведь журналист, — не моргнув глазом, соврала

Настя. — А в руки журналистов попадает всякая информация. Я не стану называть вам свои источники.

— Но...

— Поверьте мне, — с нажимом сказала она. — Я знаю о гибели двух семей, которые попали в поле зрения этой фирмы. Харузины и Мерлужины. Это реальные люди. К сожалению, никого из них больше нет в живых. И вас, Леонид Леонидович, судя по всему, ожидает та же участь.

— Боже мой! — воскликнул тот. — Но надо ведь что-то делать! Почему вы не пошли в милицию?!

— У меня нет доказательств. Я понадеялась на то, что делать что-нибудь будете вы. У вас положение, связи, влияние, охрана, наконец. А у меня ничего.

Медведовский неожиданно вскочил на ноги и принялся бегать по кабинету, вцепившись двумя руками в волосы. Настя была рада хотя бы тому, что он с позором не выставил ее из кабинета, поверил сразу. Может быть, подозревал о чем-нибудь? Или просто сильно испугался?

— Мне надо... Надо позвонить. Связаться с кем-нибудь, — пробормотал он наконец, беспомощно поглядев на Настю.

— Действуйте, — одобрила она, кивнула головой и тоже поднялась с дивана.

— Нет-нет, — испугался он. — Вы должны остаться. Сейчас я отдам необходимые распоряжения, и вы расскажете мне все в подробностях. — Его голос с каждой секундой обретал потерянную в начале разговора твердость. — Для того чтобы защититься, я должен знать детали. Вы согласны?

— Да, — сказала Настя. — Хорошо, я останусь.

Увидев, как быстро Медведовский взял себя в руки, она подумала, что, вероятно, именно с его помощью удастся посеять панику в рядах «КЛС». Человек такого

уровня вполне может устроить бандитам небольшое землетрясение. И земля загорится у них под ногами!

Не желая, по всей видимости, отдавать распоряжений в присутствии Насти, Медведовский бросился вон из кабинета, обронив на ходу:

— Скажу Эльвире, чтобы она принесла вам кофе.

Насте принесли кофе в такой крошечной чашечке, что ей пришлось раз двадцать опрокидывать в нее кофейник, чтобы напиться. Медведовский прибегал в кабинет и убегал обратно, поглядывая на Настю дикими глазами. При этом постоянно говорил:

— Сейчас, сейчас!

Посидев некоторое время в бездействии, она подошла к окну и полюбовалась открывшимся видом. Потом решила освежиться и отправилась на поиски туалета. Взрывоопасной Эльвиры в приемной не было, и Настя бодрым шагом двинулась к слегка приоткрытой двери в коридор.

Хорошо, что она не вышла туда сразу! Потому что по коридору прямо на нее шел Ясюкевич. Он шел быстро и сосредоточенно смотрел себе под ноги.

Настю будто окатили ледяной водой, она в ужасе отпрянула назад. Деваться было решительно некуда — только обратно в кабинет Медведовского. Она вбежала туда и в панике стала озираться по сторонам. В кабинете имелся один-единственный шкаф, загнанный в самый угол. Шкаф, как ему и положено летом, оказался пуст. На вешалке болтался один только зонт, подвешенный за хвостик. Настя влезла внутрь и, ломая ногти, прихлопнула за собой дверцы. Прислушалась. Прошло несколько секунд, которые громко отсчитало ее сердце, и Ясюкевич появился в кабинете.

Настя не видела его, но хорошо слышала. Он прошел совсем близко, словно большой осторожный кот. Скрипнуло кресло. На минуту в помещении повисла ватная тишина. Потом стукнула дверь, и голос Медведовского воскликнул:

— Слава богу, что вы уже здесь! Я так перенервничал!

— Где она? — Ясюкевич так рявкнул, что Настя чуть не упала в своем шкафу.

— Не знаю, — испугался тот. — Я оставил ее тут... Просил подождать... А сам побежал вас встречать, предупредить охрану...

— Как она представилась?

— Ни...никак.

— Кретин! — процедил Ясюкевич. — Форменный кретин.

Повисла небольшая пауза, потом Ясюкевич снова заговорил, по всей видимости, в телефонную трубку:

— Так, ребята. Из офиса она ушла. Ушла только что. Начинайте искать с верхних этажей. Она могла от страха забиться под крышу. — Он оборвал связь и снова обратился к гендиректору: — Что она тебе сказала?

— Она все про вас знает! — Голос Медведовского трепетал от ужаса, словно бумажный флажок от ветра. — Она показала мне вашу визитку. Сказала, что вы убиваете людей...

— Мою визитку?

— Нет, фирмы. Фирмы!

— Посмотри на снимок, — перебил его лепет Ясюкевич. — Это она? Да не трясись, гляди внимательнее!

— Она, точно, — ответил Медведовский, неожиданно обрадовавшись Настиному снимку. — Только теперь у нее короткая стрижка и очки. Узкие такие очки...

— Я знаю, — оборвал Ясюкевич, и Настя помертвела.

«Откуда у них моя фотография? — пронеслось в ее голове. — Как они меня вычислили?!»

— Вот что, Медведовский, — приказал между тем Ясюкевич. — Возможно, она еще в здании. Возьми не-

сколько фотографий, иди предупреди охрану внизу, чтобы ее задержали. Под любым предлогом. Скажи, что она украла у тебя важные документы. А я отдам распоряжения своим людям.

— Ага, — пробормотал Медведовский и вышел.

Ясюкевич принялся ходить взад и вперед мимо шкафа и отдавать расторяжения по телефону:

— Ищите ее в каком-нибудь укромном местечке в туалете, за портьерами, в шкафу...

Когда он сказал — в шкафу, Настя зажала рот двумя руками. Какого же маху она дала! Медведовский-то, выходит, с ними заодно! Значит, это не бедные родственники «заказывают» супружеские пары, ее расчеты оказались неверными. В реальной жизни все не так, а как — она не могла сообразить. Она понимала еще меньше, чем прежде. Впрочем, голова ей не служила сейчас, как положено. Голова отказалась думать, а только смотрела и слушала. При этом была такой пустой, словно никаких мозгов в ней сроду не водилось.

Снаружи несколько раз тоненько чирикнул сотовый.

— Да! — нервно ответил Ясюкевич, снова проходя в опасной близости от шкафа. — На каком этаже? На десятом? Хорошо, я сейчас подойду, ничего не предпринимайте.

Послышались приглушенные ковром шаги, закрылась дверь, и наступила тишина. Обливаясь потом, Настя выбралась из шкафа и, подлетев к двери, выглянула в приемную — никого. Теперь дверь в коридор. Сквозь щелку она увидела, что Ясюкевич прошел половину коридора и повернул к лифтам. Настя вслушивалась так, что у нее кровь шумела в ушах от напряжения. Вот, кажется, лифт пришел. Теперь двери закрылись. Он уехал! На десятый этаж.

Настя подумала, что никто, кроме Ясюкевича, не знает ее хорошо. Так хорошо, чтобы с первого взгляда, с лету, сообразить, кто перед ним. Она сняла и сунула в сумочку «засвеченные» очки, прихватив со стола Эльвиры другие — большие, в старомодной оправе грязно-розового цвета. Попеременно то приседая, то приподнимаясь на цыпочки, она добежала до лестницы, опасаясь, что навстречу ей сейчас выйдет кто-нибудь опасный, кто крикнет ей: «Стой!» — и бросится в погоню — сильный и страшный. «Интересно, что они собираются со мной делать? Ударят по голове? Сделают укол и на носилках вынесут из здания? Сразу убьют? Или попытаются сначала вытянуть из меня все, что я знаю? А что, если я под пытками скажу, что знаю? И разболтаю им про Люсю, про Никифорова... Господи, какой ужас!»

Настя просквозила один пролет по лестнице и неожиданно остановилась, как будто налетела на препятствие. Кто-нибудь из людей Ясюкевича должен стоять на этой чертовой лестнице. Это ведь выход, а выходы они должны перекрыть! Настя попятилась в незнакомый коридор и быстро пошла к лифту. Здесь оказалось довольно оживленно — на площадке топталось целых четыре человека, и Настя подумала, что, может быть, ей и повезет добраться до первого этажа. Но как потом она выберется на улицу?

Когда двери лифта открылись, Настя напряглась, ожидая увидеть в нем своих преследователей. Однако кабина была благословенно пуста, и у нее вырвался невольный вздох облегчения. В лифт вошли по очереди злобно сопящий дядька с красной, словно обваренной кипятком, лысиной и женщина, которая что-то тихо и озабоченно говорила ему. Затем внутрь ступила сосредоточенная девушка, прижимающая к груди папку, за ней высоколобый молодой человек с криво застегнутыми пуговицами и драным портфелем в руке. Настя вошла последней и спросила:

— Всем вниз?

Они нестройно ответили:

— Да.

Лифт поехал, и Настя, к неудовольствию пассажиров, полезла в глубь кабины.

— Извините, — нервно улыбалась она. — Мне нужно поправить ремешок на босоножке. Простите.

Мягкий толчок — и лифт остановился. Двери поехали в стороны. Поверх голов Настя сразу увидела шофера микроавтобуса — того, который приезжал к Мерлужиным на дачу. Хорошо, что он не видел ее тогда, этот шофер.

— Послушайте! — потянула она за локоть нескладного молодого человека с портфелем. — Вы не поможете мне дойти до туалета? Кажется, я подвернула ногу. Надо сделать холодный компресс.

— Конечно! — растерялся тот и неуклюже подставил руку, оттопырив тощий локоть. — Держитесь за меня.

«Они ищут девушку в единственном числе, — подумала Настя, направляя своего спутника по тому пути, который казался ей наименее опасным. — Поэтому на меня пока не обратили внимания. Как умно я придумала! И оделась неброско. — На ней была юбка цвета мышиной шерстки и делового покроя блузка. — В таком виде я похожа на одну из участниц конференции».

Участники конференции почему-то до сих пор не закрыли дверь в зал. Они роились внутри — все с одинаковыми папками в руках, создавая равномерный гул, похожий на гудение турбины.

— Ой, а проводите меня туда! — сказала Настя, кивнув подбородком в конференц-зал. — Я там посижу немного.

Молодому человеку было без разницы, куда ее деть. Он довел ее до кресла и, рассеянно кивнув, удалился. Настя смотрела, как он движется к выходу из здания, как двери раскрываются перед ним, как он выходит на улицу и исчезает в мировом пространстве. «У меня такой финт не пройдет, — отрешенно подумала она. —

Меня задержат еще на подступах. Вон тот нервный тип, шныряющий между колонн. Или вон тот, который стоит, словно изваяние, и водит глазами по сторонам. Или шофер, которого я знаю в лицо».

Не успела она подумать про шофера, как он вошел в конференц-зал и остановился у двери. На нем был светлый костюм и неприятный глазу рябой галстук. Он заложил руки за спину и стал внимательно разглядывать присутствующих, медленно переводя взгляд с одного на другого. Настя поняла, что сидеть отдельно от толпы нельзя, он ее сразу заметит. Поэтому тихонько поднялась и присоединилась к ближайшей группе людей, что-то горячо обсуждавших.

— В условиях неразвитости правовой системы России к чему это приведет? — обратился к Насте какой-то мужчина с козлиной бородкой. — К экологической катастрофе, вот к чему!

— Я тоже так считаю, — горячо согласилась она.

— Кстати, мы незнакомы, — мужчина посмотрел на нее поверх очков. — Саничев Василий Петрович, фракция «Яблоко».

Настя тоже посмотрела на него поверх очков, потому что очки Эльвиры были настоящие, с диоптриями, и в них она не различала лиц.

— Левитан Мария Никифоровна, — в свою очередь сообщила она, протягивая ладошку. — «Женщины-центристки».

Краем глаза Настя заметила, что шофер двинулся с места и медленно пробирается через толпу как раз в ее направлении. Она поспешно перешла к следующей группе. Здесь говорили о территориях, свободных от проблемы йододефицита.

— Таких территорий в России нет! — заявила дама, похожая на собаку, и рубанула ребром ладони воздух. Настя как раз оказалась в ее воздушном пространстве.

— Вот вы кто? — грубо спросила женщина, наставив на нее палец с желтым собачьим когтем.

— Врубель, — тотчас же ответила Настя. — Бэлла Врубель. Движение «Женщины против расизма».

— Очень хорошо! — гавкнула та. — Во всем мире недостаток йода в рационе восполняется за счет йодированной соли. Сейчас в мире восемьдесят процентов всей соли йодировано. А у нас? У нас потребность в ней — более пятисот тысяч тонн в год! Разве мы ее удовлетворяем?

— Конечно, нет! — возмутилась таким ужасным положением дел Настя. И зачем-то добавила: — Мы вообще никогда и никого не удовлетворяем.

Стоявшие кругом плохо одетые мужики, из числа тех фанатов науки, кто еще в юности променял и без того неярко выраженное либидо на красный диплом и кандидатский минимум, ни смешком, ни возгласом на двусмысленность не отреагировали.

Тем временем неутомимый шофер продолжал грести в ее сторону. «Только не смотреть на него!» — приказала себе Настя. Заложила вираж и присоединилась к следующей группе дискутирующих.

— Постановление было принято правительством еще в девяносто втором году! — рассуждал узколицый молодой человек, собравший вокруг себя порцию сочувствующих. — И до сих пор оно работало. А тут вдруг Верховный суд признал, что взимать штрафы за загрязнение окружающей среды незаконно! Вы представляете, к чему это может привести? К беспределу! Ведь так? — обратился он к Насте.

«И почему на меня все сразу обращают внимание?» — раздражилась та. Вероятно, от страха в ее внешности проступило что-то энергичное, государственное.

— Так, — подтвердила она и поправила очки.

— А вы, простите?.. — спросил молодой человек.

Все, кто стоял в кружке, повернулись и внимательно посмотрели на нее.

— Ангелина Васнецова. Женское движение «Идущие в ногу», — без запинки ответила Настя.

— Во что только они не объединяются! — сердито сказал какой-то старик, покачав большой седой головой.

— Кто?

— Женщины, — ответил тот. — Вот что такое «Идущие в ногу»? С кем вы идете в ногу? И, главное, куда?

— Куда все, туда и мы, — трусливо сказала Настя.

— Мы идем за нашим президентом, — сообщил старик.

— И мы в том же направлении, — поспешно заявила Настя. — Только отдельной группой.

Извинившись, она нырнула под чей-то локоть, и ее тут же попытались вовлечь в диспут о целесообразности создания единой государственной пожарно-спасательной службы.

— Пожарные в бедственном положении! — горячо выступила Настя, в ужасе заметив, что шофер подобрался слишком близко. Пожалуй, он даже слышит ее голос.

— Совершенно с вами согласен! — обрадовался мужчина, оказавшийся слева. — Очень приятно познакомиться. Борисов. ГУ ГПС МЧС. А вы?

Шофер, словно дух, материализовался у нее за спиной. Она почувствовала его дыхание на своей шее.

— Ге, — леденея, ответила Настя.

— В каком смысле? — набычился спасатель Борисов.

— Людмила Петровна, Ге — это моя фамилия.

Оказавшийся отходчивым Борисов без передышки продолжил:

— А вы знаете, госпожа Ге, что правительство уже подготовило постановление о выделении денег на закупку пожарной техники?

— Да что вы говорите! — вздрогнув, воскликнула она и схватила его за пиджак. — Какое у нас мудрое, ответственное правительство! Кто бы мог подумать?

Шофер прошел мимо, так подробно обшаривая глазами каждую молодую женщину, словно выбирал себе любовницу. В двух шагах от Насти у него затрещал мобильный.

— Да? — негромко спросил он. — Что за Эльвирины очки? Какие они?

Одним движением руки Настя сдернула с носа очки и засунула их в сумочку. После них в глазах у нее двоилось. «Господи, подскажи, как выбраться отсюда! — взмолилась она. — Поджечь разве что-нибудь? Позвонить в милицию и сказать, что в здании заложена бомба? Так этих бомб уже никто не боится, все двинутся к выходу чинными рядами без всякой паники».

Взяв под руку даму с расплывшимся лицом, одетую примерно, как она сама, Настя представилась ей Еленой Малевич из группы «Молодые аграрницы России» и покинула конференц-зал, глядя по сторонам с наглым отчаянным любопытством. Ее спутница бубнила что-то о торфяных пожарах, но Настя не слушала.

Так. Все возможные выходы перекрыты. Сколько же народу в распоряжении этой растреклятой «КЛС»! Вон стоит человек перед входом в ресторан. Возле женского туалета тоже стоит. У лифта теперь уже двое. Все одеты самым банальным образом, но Настя сразу же могла отличить их по глазам — ищущим. Несколько раз она ловила на себе пристальные взгляды. Еще бы! Ведь у них есть ее описание. От стрижки и одежды, которая сейчас на ней, никуда не денешься!

А если денешься? В поле ее зрения попал магазинчик готового платья с растопыренными манекенами в витрине. «Какая прелесть эти офисные здания! — зажигаясь радостью, подумала Настя. — Чего тут только нет!» Хорошо, что она взяла с собой деньги. Можно пойти, купить какой-нибудь сарафан, легкомысленную летнюю шляпку и скрыться. Лучше всего просочиться через главный вход, там, где меньше всего ждут.

Отделавшись от дамы, озабоченной торфяными пожарами, она фланирующей походкой вошла в магазинчик и сразу же увидела мужскую спину возле кассы.

— У вас в примерочных кабинках никто не оставлял одежды? — негромко спрашивала спина у растерянной продавщицы. — Может быть, купили новую, а старую попросили завернуть?

Настя попятилась. Ложбинка, идущая вдоль позвоночника, незаметно превратилась в русло, по которому непрерывным потоком тек пот. Через минуту она снова очутилась в холле, среди мельтешащей людской массы. Приблизилась к фонтанчику и, намочив руку, протерла лицо. Нет выхода! Еще немного, и ее обнаружат. Подойдут с двух сторон, схватят за руки, вызовут Ясюкевича. Дальше представлять не хотелось. Еле переставляя глиняные ноги, она подошла к книжному лотку и принялась бешено перелистывать страницы, хватая одну книгу за другой. Продавщица неодобрительно смотрела на нее.

«А может быть, мне как раз привлечь к себе внимание? — пришло в голову Насте. — Никто не ожидает, что я высунусь, ведь так?»

Рядом с киоском, расставив ноги на ширину плеч, стояла пара милиционеров в форме. Оба были примерно Настиного возраста и довольно дюжие. «Если уж они повяжут, — прицинилась к ним Настя, — то типы из «КЛС» вряд ли меня у них отобьют. Побоятся, что засветятся. Если я, допустим, нахулиганю, милиционеры выведут меня из здания и повезут на своей машине в отделение. По дороге я от них откуплюсь. Или в отделении откуплюсь. Или объясню все, в конце-то концов!»

— Эй вы, козлы! — сказала им Настя, положив обратно на прилавок книгу обложкой вниз. — Чего засты-

ли, как елки у Кремля? Вы должны тут дежурить? Так идите, дежурьте! Вам не за то зарплату платят, чтобы вы подошвы простаивали!

Стражи правопорядка посмотрели сначала на Настю, потом друг на друга, потом снова на Настю. Она стояла в воинственной позе, уперев руки в бока и наклонив голову, словно бодливая корова.

— Какая-нибудь феминистка с конференции, — задумчиво сказал один милиционер, поправляя ремень.

— Да не, просто дребанутая, — не согласился второй, лениво почесав руку.

— Вишь, униформа на ней, — заспорил первый. — И злобный нрав так и прет наружу. Они там, на конференции, друг дружку разогрели, ща начнут выходить, на простой народ кидаться.

— Ты чего это про меня сказал? — прищурилась Настя, подходя ближе. — Какая я тебе феминистка? Ты чего женщин оскорбляешь, мент заплесневелый?

Милиционеры не успели больше и рта раскрыть, как сзади подскочил какой-то живчик и воскликнул:

— Ошибаетесь! Она не из этих, не из феминисток! Она из группы «Идущие строем». Или «В ногу». Верно я говорю, Ангелина?

— Это которые книжки на площадях рвут? — спросила сзади лоточница, подгребая к себе поближе те брошюрки, которые только что листала Настя.

— А вы читали Сорокина? — встрял какой-то человек с головой в виде огурца. — Я бы его тоже порвал.

— Кого бы ты порвал? — набросилась на него сердитая Настя. — У тебя сил не хватит даже листок из записной книжки вырвать!

— Ангелина... — задумчиво пробормотал первый милиционер, глядя вдаль. — Не Маня, не Катя — Ангелина! Еще есть Хакамада. Все у них, у политиков, с вывертом. Не живут, как простые люди!

— Глядите, что там? — заинтересовалась лоточница, привстав на цыпочки.

Все посмотрели на улицу, где по кругу ходило человек шесть-семь воинственно настроенных личностей с самодельными плакатами в руках. На плакатах с разной степенью корявости было написано: «Долой Болотова! Даешь Перехватова!»

Милиционеры страшно заинтересовались.

— Пойди приведи какого-нибудь, — предложил первый второму.

Тот не стал спорить и отправился на улицу. Через некоторое время он вернулся, ведя в фарватере белокурую оторву в шортах и босоножках без пятки. Она была загорелой, длинноногой и, по всему видать, страшно распущенной. Плакат «Нет — Болотову!» несла на плече, словно котомку.

— Ну? — спросил первый мент, который, видно, был у них за главного. — По какому поводу митингуем?

— А я откуда знаю? — пожала плечами девица и вытянула изо рта жвачку. — Мне заплатили, чтобы я немножко поносила эту штуку. — Она потрясла плакатом. — Вот я и ношу.

— Орать будете? — строго спросил страж порядка. — Помидорами кидаться? Бутылки бить?

— Мне ничего такого не говорили, — равнодушно ответила девица и выдула пузырь.

— А документы у вас есть? — нахмурился тот.

— Да чего ты ко мне пристал! — рассердилась девица, изо всех сил работая челюстями. — С какой стати я тебе документы буду показывать? Я ведь не лицо кавказской национальности!

— Вы держите в руках плакат неясного содержания.

— У нас что, запрещено картонки к палкам приделывать? — повысила голос блондинка.

— Да! — поддержала ее Настя. — У нас нынче, менты дорогие, демократия! Если вы знаете, с чем ее едят.

— Знаем, знаем, — закивали менты. — А документики все же позвольте.

Блондинка совершенно точно не хотела показывать им свои документы. Она бросила плакат на пол и начала качать права, вопя во всю глотку. Настя сразу же приняла ее сторону и вертелась рядом, поддакивая и подвизгивая.

— Я свободная гражданка! — кричала блондинка, наскакивая на милиционеров. — Я могу ходить с чем хочу и как хочу. Хоть голая!

Сказав так, она внезапно загорелась свежей идеей и стащила с себя желтую майку. Под ней обнаружился кружевной лифчик, который блондинка, не задумываясь, расстегнула. Дело было минутное. Сдернув бюстгальтер, она ловко прикрутила его к верхушке плаката. Все вокруг уставились на ее грудь. Кто-то ахал, кто-то смеялся, кто-то тупо молчал. Но на грудь смотрели все. И никто не смотрел на лицо.

— Эх, да что там! — крикнула Настя, мгновенно оценив ее почин. — Поддерживаю такую демократию! Моя страна — моя демократия!

Она рванула на себе блузку и, зажмурив глаза, махом обнажилась до пояса. Толпа зашевелилась и загалдела.

— Что там такое? — спросил голос откуда-то с задворок.

— «Идущие вместе» очередную акцию устроили! — сообщила лоточница. — Голые будут ходить!

— В знак чего?

— Как всегда. Путина поддерживают.

— А ему это надо?

Настя была уверена, что милиционеры немедленно скрутят их с блондинкой, заставят прикрыть нагое тело и повезут в участок. В конце концов, они находятся в центре столицы! В этом дурацком офисном здании наверняка полно иностранцев! Однако милиционеры вовсе не собирались делать ничего подобного. Они выбрались из толпы и заняли место наблюдателей где-то с самого края. Настя не могла поверить, что осталась стоять в одной юбке на глазах у десятков людей.

— Пошли! — кивнула ей блондинка и протянула плакат, куда прикрутила и Настин лифчик тоже. Та с благодарностью схватила транспарант и выставила перед собой, словно щит, загородив лицо. Сумочку пришлось повесить на шею и перекинуть за спину.

— Вот придурки! — кричала блондинка, пробираясь к выходу. Настя, ни жива, ни мертва, семенила за ней.

Типы из «КЛС», которые стояли у входных дверей, ее, конечно, не остановили. Они увидели только плакат и идущую под ним голую женскую грудь, которая, судя по всему, страшно куда-то торопилась.

«Это ужасный сон! — думала Настя, очутившись на улице. — Наяву такого со мной произойти просто не могло!» Она зажала плакат между коленок и принялась напяливать на себя скомканную кофточку. Вокруг нее продолжали ходить разномастные личности, скандируя:

— Пе-ре-хва-тов! Пе-ре-хва-тов!

Сунув плакат кому-то из них в руки, Настя на дрожащих ногах кинулась прочь. Верхняя часть ее шелкового гарнитура, словно знамя, реяла над толпой.

\* \* \*

— Ну? — придержав все остальные слова, катавшиеся у него на языке, спросил Ясюкевич у одного из своих людей, уже час бегавших по офисному центру.

— Ее нет! — запыхавшись, сообщил тот. — Нигде нет.

— Продолжайте искать, — процедил Ясюкевич. — Вот уж воистину: всякая молодость резвости полна. Кстати, мы теперь знаем, кто она. Вот, возьми распечатку.

— Анастасия Шестакова, — прочитал тот и заметил: — Не такая уж молодость, тридцать лет.

Ясюкевич насупился. Когда он сажал ее в свою машину, думал, что ей не больше двадцати пяти. Облажался.

Идентифицировали Настю моментально. Бригада, которая чистила у Люси ковры, сразу же опознала ее на фотографии. Нашли квиточек об оплате, выехали по адресу. Хозяев дома не оказалось, но приятный молодой человек Леша Алексеев поговорил с соседями и узнал, что на снимке — Люсина подруга Настя Шестакова. Дочка той Шестаковой, которую по телевизору показывают. Той Шестаковой, которая дикторша.

Дочку «дикторши Шестаковой» разработали за час. Потом вся ее простая биография была занесена в компьютер, распечатана и разослана заинтересованным лицам.

— Господи! — воскликнул Леша Алексеев, когда прочитал этот листочек в первый раз. — Посмотрите, где у нее дача! Вот откуда она всплыла! Она видела, как наши приезжали к Мерлужиным!

— Ну, видела, — пожал плечами маленький вертлявый Никита Петрович. — Видела, как комнату обыскивали. И что дальше? Зачем она ввязалась?

Ясюкевич промолчал. Он никому не сказал, что встретил Настю еще и в ресторане, когда ужинал с Любочкой. Не сказал, что Любочка разговаривала с этой девкой. Он понимал, что это будет уже слишком. Чересчур. Ерасов ему не простит. Хотя при чем здесь он, Ясюкевич? Просто дурацкое стечение обстоятельств.

— Поднимайте всех, — приказал он, хлопнув ладонью по дорогому столу Медведовского. — Установите ее связи, пошлите людей по всем адресам, где она только может появиться.

— Да она небось еще носится по зданию! — отмахнулся его человек. — По логике-то вещей.

— Не знаю, не знаю, — пробормотал Ясюкевич. — Это хитрая гадина! — добавил он, вспомнив, как Настя кидалась на него с поцелуями, а потом выяснилось, что она утащила папку. — Кроме того, женщины не признают никакой логики, и в этом их сила.

# 12

«Тойота» стояла в тихом переулке в двух минутах ходьбы от офисного центра. Если бы Настю слушались ноги и она вбежала бы в этот переулок, как ей, собственно, и хотелось сделать, ее бы скрутили в две секунды. Скрутили и увезли.

Однако ноги Настю не слушались. Поэтому прежде, чем повернуть, она на минуточку остановилась и прислонилась спиной к каменной стене. Думать о том, что случилось, не хотелось. А о том, что предстоит, и подавно.

Неожиданно зазвонил телефон. Громко, словно находился где-то поблизости. Может быть, из открытого окна так хорошо слышно? Настя вздрогнула и невольно напряглась.

— Алло, — произнес незнакомый мужской голос. Голос находился не над ней, а за углом. Как раз там, куда она направлялась. — Нет, у нас все тихо, — негромко сообщил голос. — Она не появлялась. «Тойота» стоит, как стояла. Конечно, мы ее узнаем. Серая юбка, белая кофточка, короткие волосы. Возможно, очки. Настя, говорите? Ладно, окликнем, если подвернется возможность. Хорошо-хорошо, доложусь.

Настя медленно повернулась и пошла прочь. Лопатки сами собой устремились навстречу друг другу: у нее было полное ощущение, что сейчас кто-нибудь схватит

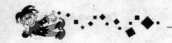 

ее за шиворот. Что, если люди из «КЛС» оцепили весь квартал? Может быть, они патрулируют улицы в темных машинах, и это всего лишь иллюзия, что она вырвалась на свободу?

Она шла, ускоряя шаг, и наконец побежала. Выскочила на Гоголевский бульвар, впрыгнула в подошедший троллейбус и упала на сиденье. Через пару остановок вышла и, часто оглядываясь, добрела до метро. Кубарем скатилась вниз по эскалатору и влетела в поезд перед тем, как захлопнулись двери. Доехала до «Маяковской», поднялась на поверхность, зашла в сад «Аквариум» и, сев на скамейку, расплакалась.

Домой нельзя. Мама за границей, Люся в Сочи. Идти к Шишкину? Лучше застрелиться. Поскольку у нее в сумочке лежало двести долларов, она решила вообще ни к кому из знакомых не соваться, а снять номер в гостинице. Можно даже уехать в ближайшее Подмосковье, в Химки, например, и поискать гостиницу там. Даже если типы из «КЛС» начнут проверять постояльцев, делать они это будут, конечно, в Москве.

Настя зашла в Сбербанк, отыскала глазами обменный пункт и встала в очередь. Ей было здорово не по себе. Каждый раз, когда кто-то входил с улицы, она втягивала голову в плечи и зажмуривалась, как ребенок, который от всех ужасов прячется под одеяло. Молодой парень в вельветовом костюме бросил на нее один заинтересованный взгляд, второй, потом не выдержал и подошел.

— Простите, — тихо сказал он, — вы доллары продаете?

— Да, — растерянно кивнула Настя.

— А мне надо купить. Поможем друг другу? У вас сколько?

— Две бумажки по сто.

— Можно посмотреть?

Настя оглянулась по сторонам. Народу было полно,

и у двери стоял охранник с кобурой под мышкой. Она отдала двести долларов, парень посмотрел купюры на просвет и сказал:

— Только у меня вся сумма будет десятками. Ничего?

— Как это — десятками? — рассердилась Настя. — По десять рублей? — Тот кивнул. — Вы что, с ума сошли? Двести долларов десятками! Отдайте мои деньги.

Она выхватила у него из рук свои двести долларов и прижала их к груди, бормоча:

— Совсем народ ополоумел. Ходят, ищут дурочек из переулочка.

Когда подошла ее очередь, она сунула в окошко деньги и паспорт. Девушка приняла поданное, подняла голову и внимательно посмотрела на нее через стекло. Настя ответила сердитым взглядом. Девушка опустила глаза, немножко повозилась и выдала обратно документ и шестьдесят два рубля с копейками.

— Это что такое? — не поняла Настя, держа веером паспорт, синенькую пятидесятирублевку и заклеенную скотчем десятку.

— Как что? — рассердилась девушка. — Вы мне дали два доллара, я вам русский эквивалент.

— Не два, а двести долларов! — закричала Настя. — Двести!

— Какие двести? Два доллара! Вот они, у меня в руках, я их еще не убирала. — На лице девушки поверх очаровательного румянца выступили свекольные пятна. — Пожалуйста, не надо так шутить!

Настя быстро повернулась и обежала глазами помещение. Парень в вельветовом костюме исчез. Она выскочила на улицу, но его не было и там. Она метнулась в одну сторону, в другую, и только тут поняла, каким образом ее надули. Одно движение — и мошенник подменил купюры. А поскольку цвет один что у доллара,

что у сотни, Настя ничего не заметила. Зачем она дала ему свои деньги в руки? Что на нее нашло?

На шестьдесят два рубля не снимешь гостиничный номер не то что в Химках, а даже и в каком-нибудь Урюпинске. На шестьдесят два рубля не поужинаешь. На шестьдесят два рубля можно съесть мороженое, покататься на метро и купить газету, чтобы постелить ее на облезлой лавке.

Настя довольно долго горевала и рвала на себе волосы. Потом решила, что, раз она такая дура, придется обращаться за помощью к знакомым.

Первым ей на ум пришел Купцов. Конечно, он потерял из-за нее свою винтовку, но почему-то Насте казалось, что он не откажет ей в приюте. В конце концов, он ведь был в ней так заинтересован! Сам набивался помогать, опекать и даже обещал ухаживать. Да что там — жениться обещал!

Без машины передвижения по городу превратились в настоящий кошмар. В метро было нечем дышать, а троллейбусы, ползавшие по улицам, напоминали раскаленные консервные банки. Тратиться на маршрутку было жалко. И то сказать, поездка стоила столько, сколько целая булочка! Вдруг ей придется голодать? На самом деле Настя в это, конечно, не верила. Уж как-нибудь она выкрутится.

Очутившись в знакомом подъезде, она взлетела вверх по лестнице и остановилась перед дверью.

— Что ж, попытка номер три, — пробормотала она себе под нос и поднесла указательный палец к звонку.

Однако позвонить не успела. За дверью неожиданно зазвучали голоса — оба мужские, и оба знакомые. Один, без вопросов, принадлежал Купцову. А второй... Второй был голосом Мистера Вселенная.

Иван! Да быть того не может. Настя припала к двери правым ухом, вслушиваясь изо всех сил.

— Если она появится, ты мне сразу звонишь, понял? И сделай это незаметно, понял? — настаивал Иван.

— Да понял, понял, — буркнул Купцов. — Только она не появится. Не нравлюсь я ей совсем.

— Я ей тоже не нравлюсь, — успокоил его Иван, — так что не комплексуй.

— Я не комплексую, — промямлил тот.

— Игорь, она нам нужна, — с нажимом сказал Иван. — Я понимаю: тебе не нравится то, что мы собираемся с ней сделать, поэтому ты виляешь. Но возьми себя в руки.

— Взял.

— Она вышла из офиса Медведовского и просто растворилась в воздухе. Не понимаю, как ей это удалось!

Настя белкой взлетела на следующий этаж и замерла, едва осмеливаясь дышать. Значит, Купцов — из компании врагов?! А она верила ему! Верила, что он незнаком с Иваном! Почему, почему она такая доверчивая? Господи, но как оперативно действует эта «КЛС». И что такое с ней собираются сделать, что пугает даже странного Купцова?

В его подъезде она провела больше часа, боясь высунуть нос на улицу. Вдруг он увидит ее из окна? Она бы и дольше стояла, держась руками за подоконник, если бы с работы не пошли жильцы. Пришлось пересилить себя и выйти.

Радуясь, что у нее есть телефонная карточка, она позвонила маминой подруге Жанне и напросилась ночевать. Но когда приехала на Каширку и приблизилась к дому, сердце глухо забилось о ребра. Возле подъезда дежурила машина, внутри которой сидели два типа. Один был ей хорошо знаком — шофер! Такие же неприметные машины стояли возле дома Шишкина и подруги из банка — не слишком близкой, но все-таки подруги.

К двенадцати часам ночи у Насти не осталось ни знакомых, ни денег, чтобы ездить и проверять адреса. В мрачной круглосуточной забегаловке она выпила стакан чаю с печеньем и отдала последние десять копеек нищему, скрючившемуся у входа. Все. Финита ля комедия.

Застегнув блузку под горло, Настя побрела по улице, прижимая к боку сумку с пустым кошельком. Ей казалось, что хуже уже не будет. Она ошиблась. Возле нее начали останавливаться машины, оттуда выходили пьяные или просто дикие мужики и пытались увезти ее с собой, вопя и сквернословя. Потом на Настю напали две гарные проститутки и драли ей волосы, пока она не вырвалась и не убежала.

Обливаясь слезами, она вышла на хорошо освещенный бульвар, от души надеясь, что здесь на нее не кинутся бомжи или просто бандиты и не пырнут ножом просто за то, что у нее плохая походка. Вместо бомжей на бульваре она увидела довольно много гуляющих и вдобавок ко всему встретила наряд милиции. Первым ее порывом было броситься навстречу милиционерам, расплакаться и попросить защиты. Но потом она сдержалась. Ночью, в рядовом отделении, одна, без денег и покровителей...

Сжав зубы, Настя прошла мимо с видом деловой девушки, спешащей домой после напряженного трудового дня. И тут услышала, как кто-то из ментов сказал:

— Смотри, девица пошла. Похожа на ту, из ориентировки. Ну, ту, которая из сумасшедшего дома сбежала. Серая юбка, белая блузка. Волосы короткие, очки.

— Очков на ней не было.

Желудок заворочался у Насти внутри, словно живое существо. Совершенно ясно — он задумал вывернуться наизнанку. Это происки Ясюкевича! Он выдает ее за сумасшедшую, ее ищет милиция! Нырнув в кусты, она почувствовала себя совсем плохо. Ее кидало то в жар, то в холод, голова кружилась, руки дрожали. Настя опустилась сначала на колени, потом встала на четвереньки. Желудок отчего-то медлил.

Тут за ее спиной послышалось глухое ворчание. Настя даже не успела испугаться, когда чей-то четвероногий друг, отпущенный с поводка, бросился на нее и вцепился в то самое место, которое оказалось у него прямо перед носом.

* * *

Олег Самойлов засунул кассету в автомагнитолу и нажал на кнопку. Салон автомобиля наполнился мощным голосом Фредди Меркьюри. В глубокой темноте таинственно светились огоньки приборной панели. Было два часа ночи. Самойлов пощелкал зажигалкой и с удовольствием затянулся. Правая его рука свободно лежала на руле. Сделав еще пару затяжек, он потянулся левой рукой к окну, чтобы стряхнуть пепел, как вдруг...

Что-то светлое выпрыгнуло с тротуара прямо ему под колеса! Самойлов вывернул руль, ударил по тормозам, но это ничего не изменило. Он почувствовал удар так, словно сам был автомобилем, и, оглянувшись, увидел тело, лежащее на асфальте. Тело, похожее на тряпичную куклу. Очень большую куклу. Улица в центре Москвы была узкой и безлюдной. В окнах окрестных домов не горел свет. Никто не высунулся, чтобы узнать, что случилось.

Самойлов рывком распахнул дверцу, выскочил из машины на чернильный асфальт и несколькими прыжками приблизился к сбитой женщине. Она лежала на боку, подогнув одну ногу. Рука с тонким серебряным кольцом на пальце безжизненно повисла. Самойлов упал на колени и подсунул ладонь под коротко стриженную голову. Женщина застонала и открыла глаза.

— Господи, вы живы? — дрогнувшим голосом спросил он.

Она некоторое время непонимающе смотрела на него, потом всхлипнула:

— Вы меня сбили.

Она приподнялась на локтях и села. Самойлов наклонился и одним рывком поднял ее на руки.

— Вам надо в больницу.

— Нет! — испуганно вскрикнула она. — Нет, не надо в больницу. Со мной все в порядке.

Луна солировала в небе, переливаясь перламутром. Ей аккомпанировали фонари, давая ровный, невыразительный свет. В этом свете глаза женщины блеснули так ярко, словно были залиты ртутью. Самойлов почувствовал, что под легкой кофточкой у нее нет белья.

Пока он нес ее к машине, она тихонько хныкала, уткнувшись ему в рубашку. Она была довольно высокой, но легкой, почти ничего не весила. А может быть, ему так только казалось. От страха.

Самойлов засунул ее на переднее сиденье своей машины, захлопнул дверцу и сходил за ее сумочкой. Сел и бросил ее женщине на колени. Захлопнул за собой дверцу — слегка помятую, небрежно подкрашенную белой краской. Потом включил мотор и подал машину к тротуару. Заглушил мотор. Стало слышно, как где-то далеко переругиваются два голоса — мужской и женский.

— Если бы это случилось за границей, вас бы посадили в тюрьму, — спокойно сказал он, повернувшись к женщине всем корпусом.

— Меня? — ахнула она, отшатнувшись. — Я попала под вашу машину!

— Вы бросились под мою машину. Еще счастье, что я ехал медленно. Вы сделали это специально. Хотели покончить счеты с жизнью? А? Ну, давайте, отвечайте.

Он начал сердиться. Нервы были как натянутые струны, готовые лопнуть в любую секунду.

— Дайте мне сигарету, — попросила она.

Когда она закуривала, у нее дрожали губы и пальцы. Самойлов отчетливо понял, что ненавидит ее.

— Почему вы прыгнули под машину? — резко спросил он, не собираясь давать ей поблажки. Несмотря на то, что у нее были разодраны щека и локоть — в кровь.

— У меня не осталось другого выхода, — призналась она, зыркнув из-под растрепанной челки.

— А я должен был — что? Похоронить вас?

— Я не собиралась умирать.

— А что же тогда?

— Я думала, что все будет, как в кино «Девушка без адреса». Там героиня попала под автомобиль и получила кров и работу.

— Ничего себе заявки! — рассвирепел Самойлов. — Это вы, выходит, так нищенствуете? Слышал я о таких делах! Сколько срубаете за ночь?

— Я не занимаюсь этим профессионально, — возмутилась она, доставая из сумочки платок и прикладывая к царапине. — Это случилось впервые. Потому что я в отчаянии.

— Теперь я тоже в отчаянии, — отрезал Самойлов. — Единственное, что я могу для вас сделать, — это подбросить до дому.

— Мне нельзя домой.

— Черт! — выругался он. — Бедная маленькая овечка вышла замуж за серого волка?

— Я не замужем, — заявила эта сволочь и выпустила дым себе в коленки.

— Ну, вот что! — отрезал он. — Не знаю, на что вы там рассчитывали, когда кидались под колеса, но вы напугали меня до смерти.

— Я знаю.

— И я не собираюсь выполнять ваших требований. Ни одного.

Самойлов завел мотор и тронул машину с места. Пассажирка молчала, продолжая сосредоточенно дымить. Он выехал к станции метро и остановился возле перехода. Сказал:

— Вылезайте.

— Но метро не работает!

— Ничего, посидите перед входом.

Она не поверила, что он собирается избавиться от нее просто так. Однако он повторил неприятным голосом:

— Вылезайте.

Кинув на него косой взгляд, она поняла, что он выкинет ее силой. Открыла дверцу и, понурив плечи, стала спускаться в подземный переход. Выглядела она, как бомж. В мятой одежде, с поцарапанной щекой и сведенными коленками. Он смотрел ей в спину и жалел, что не так воспитан, чтобы напоследок надавать ей пощечин.

Оставшись один, Самойлов глубоко вздохнул и огляделся по сторонам. Надо было купить сигарет. Чует его сердце, после выходки этой ведьмы он обкурится. Прямо напротив него стоял слабо освещенный киоск, из тех, что работают день и ночь. Самойлов увидел в витрине продолговатые пачки и, нашарив в нагрудном кармашке купюру подходящего достоинства, вылез из машины.

\* \* \*

Наблюдатель набрал номер сотового телефона и, когда ему ответили, тихо сказал:

— Это я.

— Где она? — спросил напряженный голос.

— Залезла в машину, — хихикнул наблюдатель. — Без спроса хозяина.

— В каком смысле?

— Ну... Он отошел, чтобы купить сигарет, она выскочила из подземного перехода и забралась на заднее сиденье.

— И что это за машина?

— Да та же самая. Темно-синие «Жигули» с подкрашенной дверцей.

— О, черт!

* * *

Сильнее всего у Насти болел зад, укушенный мерзкой таксой. Когда хозяин коротколапого создания услышал из кустов женские вопли, то свистом подозвал своего любимца, подхватил его на руки и был таков. Как Настя ни просила, он не остановился. Бежать за ним она не могла. Во-первых, было больно. Во-вторых, желудок решил все же избавиться от той бурды, которую она съела накануне.

Теперь она лежала на заднем сиденье синих «Жигулей» и держала дверцу двумя руками, ожидая, когда мимо проедет что-нибудь достаточно шумное, чтобы можно было ее захлопнуть. Ей повезло. Мигая огнями, на поворот медленно пошла машина, укладывающая асфальт. Настя негромко захлопнула дверцу и сползла еще ниже. Если этот тип ее заметит и выкинет на улицу, она пропадет. Она рассчитывала остаться на ночь в его машине и хотя бы как следует выспаться. Ей нужны силы, чтобы действовать дальше.

Безжалостный мерзавец сел за руль и принялся потрошить только что купленную пачку сигарет. Потом скомкал целлофановую обертку и, не глядя, бросил через плечо. Обертка упала Насте на лицо, пришлось ее сдуть. «Неаккуратная свинья!» — подумала она.

Когда свинья включила музыку, Настя немного расслабилась. Теперь хоть можно шевелиться, не опасаясь, что тебя обнаружат. Внезапно в салоне раздался звонок.

Убаюканная, Настя едва не вскрикнула. Вечно ее пугают эти мобильники!

— Да? — сказал мерзавец, приложив трубку к уху и подвергая таким образом опасности их жизни. Всякому известно, что за рулем нельзя разговаривать по телефону! — Что — Самойлов, что — Самойлов? Я тебе сказал, что закончу перевод к пятнице. В выходные ты все посмотришь, а я займусь комментариями.

«Интересно, с какого языка он переводит? — подумала Настя. — Самойлов... Неприятная фамилия».

— Да, я сейчас еду на дачу, — продолжал тот как ни в чем не бывало. — Отрешусь там на несколько дней от мира.

«Отрешусь? — испугалась Настя. — А я что буду делать? Жить в соседнем лесу и питаться зайцами?» Она приподняла голову и увидела, что по обеим сторонам дороги стоит стена деревьев — мистически темных, внушающих подлинный ужас. Блеклая луна неохотно светила в небе, обливая верхушки белой глазурью. «Если он выкинет меня здесь, я умру от разрыва сердца», — невольно подумала Настя и еще сильнее вжалась в обивку. У обивки был очень мужской запах — сигарет и кожи.

Ей казалось, что они уехали от Москвы за сотни километров. Наконец автомобиль завернул в какую-то деревню. Самойлов загнал его во двор неразличимого в темноте дома и заглушил мотор. Пока он открывал двери и зажигал внутри свет, Настя выползла из машины и нырнула за низкое строение — не то баню, не то большую конуру. Затаившись, она ждала, пока этот тип устроится на ночь. Наконец он заперся изнутри. Это было ясно по тому, как лязгнула щеколда. На всякий случай Настя подкралась к окну и заглянула внутрь.

Взгляду ее открылась просторная комната, отделанная сосной. Она казалась такой уютной! Особенно диван и кресла, накрытые клетчатыми пледами. Кухня была тут же, отделенная от комнаты низкой стойкой. Самойлов засовывал в холодильник привезенные продукты. Он уже стащил с себя рубаху, оставшись в новеньких тесных джинсах. Настя наконец смогла как следует рассмотреть этого типа.

На вид она дала бы ему лет сорок пять — сорок семь. Он был крупный и крепкий, с резкой, яростной, мужской внешностью. Короткие черные волосы, прямой рот, недружелюбные брови. Обращали на себя внимание сильный торс и красивые руки. Он был совсем не похож на Киану Ривза.

Настя вернулась к тому строению, за которым до сих пор пряталась, и стала искать дверь. Нашла и осторожно вытянула вперед руки. Через некоторое время ей удалось на ощупь определить, что она попала в сарай. Здесь стоял верстак, на котором лежали молотки, отвертки и гвозди. Настя сдвинула все это добро в сторону и улеглась на голые доски, решив, что сарай Самойлова все же лучше, чем уготованная ей психушка.

Проснулась она от боли. Уже наступило утро. Солнце проникало острыми лучами во все щели сарая. От верстака страшно ломило все тело, плюс к этому нестерпимо ныл собачий укус. И еще хотелось есть. Выглянув наружу, Настя увидела, что Самойлову принадлежит прелестный деревянный коттедж с маленькой верандой. На этой-то веранде он сейчас собирался завтракать. Вовсю пахло поджаренной с луком яичницей и кофе. Сам Самойлов плескался и фыркал где-то за домом.

Не в силах устоять против соблазна, Настя выскочила из своего укрытия и помчалась к дому. Взбежала на веранду, метнулась к накрытому столу и схватила то, что оказалось ближе всего, — ломоть черного хлеба и кусок сала. Через пару минут с этим салом в зубах она и была обнаружена.

— Так-так, — сказал Самойлов, резко распахнув дверь сарая. — Вот, значит, как обстоят дела.

Он был так взбешен, что сейчас мог бы одним взглядом сваривать металлические конструкции. Настя вытащила сало изо рта и быстро прожевала то, что там уже было.

— Чего ты от меня добиваешься? — жестко спросил Самойлов, делая два обманчиво мягких шага в Настином направлении.

Она соскочила с верстака и попятилась.

— Ты знаешь, что в округе на многие километры никого нет?

Настя смотрела прямо на его подбородок и молчала. Она уже знала, что разжалобить его невозможно. Конечно, он не бандит, а переводчик. Интеллигентный человек. Но такие женщины, как Настя, для него все равно, что пеньки вдоль дороги.

— Сейчас ты выметешься отсюда, — заявил Самойлов, — и ножками пойдешь куда глаза глядят. Поняла?

Он схватил ее за руку чуть выше локтя и неожиданно замолчал. Потом взял за вторую руку и свирепо спросил:

— А ты почему такая горячая, а?

— У меня жар, — сообщила Настя, прижимая сало к грязной юбке. — Меня вчера собака укусила. Надо было продезинфицировать, но... У меня не было такой возможности.

— Куда тебя собака укусила? — с подозрением спросил Самойлов, окидывая поникшую фигурку людоедским взглядом.

— Туда, — Настя мотнула головой себе за плечо.

— В задницу, что ли?!

Настя обреченно кивнула. Неожиданно Самойлов схватил ее двумя пальцами за шею и, сильно надавив, повел к дому. Возле мусорного бака притормозил и велел:

— Брось эту гадость.

Настя послушно выбросила остатки сала.

— Давно бродяжничаешь? — спросил недружелюбный хозяин, проводя ее мимо остывающей яичницы.

— Один день, — выдавила из себя Настя. — Вообще-то я бухгалтер.

— Бухгалтер! — усмехнулся Самойлов. — И где же ты бухгалтерствуешь?

— Сейчас нигде.

— Понятно.

— Можно я позвоню маме? — наливаясь слезами, спросила она.

— У нас и мама есть? — преувеличенно удивленным тоном спросил Самойлов. — И где же она?

— В Финляндии. Так можно, я ей позвоню?

— Ты очумела? Знаешь, сколько стоит минута разговора с Финляндией? Я таких денег не зарабатываю. Это, наверное, ты на пустых бутылках огребаешь миллионы и разваниваешь по Финляндиям. Ладно, не болтай ерунды, а раздевайся.

— Лучше дайте мне йод и вату, я сама.

— Щас! — с чувством сказал Самойлов. — Я выйду, а ты сопрешь все, что сможешь найти и вынести? Нет уж, лапочка, твоей задницей я займусь лично.

Он приказал ей снять юбку и лечь на диван. «Ну и черт с ним, — подумала Настя. — Меня вчера полгорода видело с голой грудью. Пусть один завалящий переводчик увидит с голым задом». Она легла животом на диван и стала ждать, когда он бесцеремонно сдернет с нее трусики и обрушит на рану Ниагару из перекиси водорода.

Самойлов действительно держал в руках бутыль с перекисью и, играя желваками, смотрел на распластавшееся на диване довольно тощее тело. У мерзавки был такой беззащитный затылок, что ему стало не по себе.

— Я передумал, — заявил он. — Сейчас ты примешь

душ, переоденешься, и я отвезу тебя к местному доктору. Не хочу, чтобы ты загнулась где-нибудь у меня под забором.

Он дал ей мыло, полотенце и впихнул в самодельную душевую кабину, повесив на деревянную перекладину толстый халат. Настя пустила чуть теплую воду, едва не завизжав от боли — царапины на лице, на локте, на коленях горели так, словно их прижигали каленым железом.

— Не знаю, во что тебя одеть, — заявил Самойлов, когда Настя появилась на веранде, волоча за собой длинные полы. — Поедешь так.

Она покорно полезла в его машину — босая и в мокром халате, с наскоро вытертой головой. Самойлов завел мотор, поехал по каким-то проселкам, и автомобиль прыгал на выбоинах, словно кенгуру. Насчет десятков километров безлюдья он преувеличивал. Минут через десять они въехали в большой поселок и остановились возле чистенькой больнички на две-три койки.

Настя никак не могла выбраться из машины, но Самойлов ей не помог, просто держал дверцу и ждал, пока она справится. Навстречу им вышел пожилой доктор, похожий на Чехова, одетый, чин-чином, в медицинский халат.

— Привет, Олег Алексеевич! — поздоровался он и пожал Самойлову руку. — Что случилось у вас?

— Вот, женщину вчера собака укусила, теперь у нее жар.

— Идите, голубушка, сюда, — предложил доктор и широко распахнул дверь в белоснежный кабинет.

Он не стал разводить писанину, как ожидала Настя, а решил сразу же приняться за лечение.

— А что у вас с лицом? — спросил он.

— Еще с локтями и коленями, — буркнул Самойлов. — Она попала под машину.

— Не забудь сказать, кто меня сбил! — со слезами в голосе заметила Настя, глядя на него, как на фашиста.

Доктор живо повернулся к Самойлову:

— Так это вы ее сбили, Олег Алексеевич?

— Она хотела подзаработать и прыгнула мне под колеса.

— Он врет. — Взгляд Насти загорелся. — Я переходила улицу, а он несся на дикой скорости.

— Отлично, — подбоченился Самойлов. — Решила врать? Думаешь, тебе кто-нибудь поверит?

Он так взъярился, что в глазах доктора мелькнуло подозрение. Почувствовав это, Настя запахнула халат поглубже и заявила:

— И это не собака меня укусила, а он!

— Кто? Олег Алексеевич? — уточнил удивленный доктор.

— Слушайте ее больше! — вознегодовал Самойлов. — Я не кусаю женщин за задницы. Кроме того, я думаю, можно отличить след человечьих зубов от собачьих!

— Я не дам устраивать моей заднице экспертизу! — выплюнула Настя. — Я и так натерпелась от вас! Выше крыши, вот.

— И зачем, интересно, я тебя покусал? — насмешливо спросил Самойлов, сложив руки на груди.

— Ты меня домогался!

— А! Вот! Отлично. Дошли до самого главного. Так я и знал, что этим все закончится. Какая женщина не воспользуется случаем!

— Идите, милая, за ширму, — предложил доктор. — И ложитесь на кушетку.

Настя послушно удалилась, везя по полу хвост халата. Рукава болтались на уровне колен. Самойлов смотрел ей вслед убийственным взглядом. Доктор кашлянул и, понизив голос, спросил:

— А почему она в таком виде, Олег Алексеевич?

— Ее одежда испорчена, а для женщин у меня ничего нет.

— Так, может быть, вы пока пойдете и купите ей что-нибудь? Какое-нибудь платье. — В голосе врача было столько укоризны, что Самойлов рассердился еще пуще. Однако сдержался и спросил:

— Как вы думаете, док, какой у нее размер? Пятьдесят второй?

— Сорок шестой, — ответил тот. — Впрочем, можем спросить у нее.

— Не надо. Вы не представляете, что будет. Когда она узнает, что я согласился на платье, велит прикупить мне еще тонну всякой дребедени. В довершение всего пошлет в аптеку за прокладками и тальком для подмышек. Нет, док, не надо спрашивать, я куплю на глаз.

Отправившись в магазин, он приобрел длинный старушечий сарафан коричневого цвета с красными цветочками, резиновые шлепанцы и самое откровенное нижнее белье, какое только нашлось в отделе. Довольный собой, он принес покупки в больницу и передал за ширму. Зашуршала бумага, потом наступило молчание. Самойлов ждал, когда она завизжит, но ничего такого не дождался.

— Я сделал ей укол и наложил лекарство на... укус, — сказал доктор. — Вы должны хорошо за ней ухаживать, Олег Алексеевич. Вот рецепт, купите в аптеке мазь. Когда будете менять повязку, прикладывайте мазь к ране. Ею же можете обрабатывать и царапины.

— И когда она заживет? — с подозрением спросил Самойлов. — Вся? Целиком?

— Давайте договоримся так. Я заеду к вам в коттедж послезавтра вечером, все равно еду мимо. Думаю, к тому времени можно будет сказать что-то определенное.

— Послезавтра?! — потрясенно переспросил тот.

— Попоите ее куриным бульоном. И следите за температурой. Кстати, как ее зовут?

Самойлов мрачно посмотрел на доктора и пожал плечами:

— Понятия не имею.

В этот момент Настя как раз появилась из-за ширмы. Самойлов самодовольно усмехнулся. Сарафан оказался слишком длинным, а шлепанцы слишком большими. Жаль, он не видел, как смотрится на ней нижнее белье. Однако, судя по всему, у него еще все впереди — ему придется менять ей повязки. С ума сойти!

— Как тебя зовут? — спросил он, когда они ехали обратно с мазью и засунутой в пакет курицей.

— Анастасия.

Самойлов долго думал, какое бы уничижительное прозвище образовать из Анастасии. Настька? Она сразу поймет, что он специально. Настюха? Слишком ласково. Настена? Это даже нежно. Настасья? Пожалуй, Настасья. Ни рыба, ни мясо.

Когда они приехали, Настя вылезла из машины и, глядя Самойлову в глаза, совершенно серьезно спросила:

— Я буду спать в сарае?

— Можешь занять диван, — процедил тот. — Конечно, если не боишься, что я снова буду тебя — как ты там выразилась? — домогаться.

— Послушай, у меня большие неприятности, — твердо сказала Настя. — Мне пока некуда идти. Ты совершишь благородный поступок, если предоставишь мне кров. Ненадолго.

— Конечно, предоставлю, — сердито ответил тот. — Иначе док настучит на меня в ментовку. Ты ведь этого и добивалась, верно?

Настя ничего не ответила, вошла в дом и спросила:

— Можно я полежу?

Видимо, ей и в самом деле было плохо. «Господи, она превратила меня в какого-то монстра!» — подумал Самойлов неприязненно и принялся мыть посуду.

— Я есть хочу, — неожиданно заявила Настя с дивана.

— Сейчас сварю курицу, — буркнул он.

— Я очень хочу, — пожаловалась та. Она сдерживала целое озеро слез. Это стало понятно даже такому бесчувственному чудовищу, как Самойлов.

— Могу сделать бутерброд, — рявкнул он. — Без масла.

Когда она наелась и заснула, свернувшись калачиком, он взял мобильный телефон и вышел на улицу. Прежде чем позвонить, ушел далеко за ограду, на луг. Не потому, что боялся ее разбудить. Просто не хотел, чтобы она слышала, о чем пойдет разговор.

## 13

После укола температура стремительно падала, Настя потела, и снился ей сон, похожий на явь. Будто она бегает по нескончаемым коридорам, а за ней охотится Купцов со своей винтовкой. И Люсин муж Петя тоже охотится за ней. В руке у него костыль, а лицо такое неприятное. Был в этом сне Ясюкевич с колючими усами. И шофер, который снял свой галстук и, соорудив из него петлю, шел на Настю с нехорошей улыбкой. А сыщик Никифоров бился в запертое окно и все что-то говорил ей, кричал. Настя силилась расслышать, что он пытается ей сказать. Она дергала раму изо всех сил. Дергала, дергала и проснулась.

Самойлов обернулся, потому что она вскрикнула и села в постели. Челка у нее стала дыбом, как растопыренная пятерня.

— Чего случилось? — спросил он, не желая признавать, что все это время беспокоился, как бы она не отдала концы. От заражения крови, например. А может, та такса была бешеная. Еще не хватало, чтобы после всего, что эта ведьма ему сделала, она еще и умерла у него на руках!

— Я вспомнила, что он сказал, — прохрипела мокрая как мышь Настя.

— Кто?

— Никифоров. Он сказал: «Старуха бы даже испугаться толком не смогла, разве она чего понимает в кассетах?»

— Я должен расценивать это как бред укушенной женщины? — вздернул брови Самойлов.

— Понимаете, у меня появилась версия. — Он молча смотрел на нее, ожидая продолжения. — Вы должны отвезти меня в город.

— Мы перешли на «ты», — напомнил Самойлов. Он чувствовал себя полным идиотом, потому что сварил ей курицу и еще приправил бульон петрушкой.

— Может быть, если ты отвезешь меня в город, — поправилась Настя, — все это закончится, и я съеду с твоего дивана.

— Может быть? — недовольно спросил тот. — Из-за может быть я должен тащиться в Москву? Ну уж нет. Я приехал сюда поработать и буду работать.

— Мне нечем тебе заплатить, — сказала Настя, глядя на него в упор.

Она спала в его боксерской майке с большим круглым вырезом и сейчас, взмокнув, была все равно что голой. Он окинул ее откровенно оценивающим взглядом и насмешливо согласился:

— Да уж. Тебе действительно нечем мне заплатить.

Она видела, что он всячески старается выказать свое отношение к ней. Так мелко для настоящего парня! Он ненавидел ее всего лишь за то, что она прыгнула под его машину.

— Ну, хорошо, — смилостивился Самойлов совершенно неожиданно. — Что мы будем делать в городе?

— Мне надо поговорить с одним человеком.

— Ага. А я вроде как буду шофер. Понятно.

— Я не могу тебе рассказать все. Это очень долго и... небезопасно.

— Док убьет меня, если я потащу тебя в Москву в этих шлепанцах.

— Ерунда, — заявила Настя. — У меня много обуви. Только сейчас она недоступна. И одежда тоже. И вообще вся моя жизнь.

— Надеюсь, ты собираешься что-нибудь сделать для того, чтобы все исправить? Давай, действуй, не будь нюней, не раскисай.

Насте очень хотелось раскиснуть хоть ненадолго, но Самойлов был для этого неподходящей компанией. Он повез ее в Москву и по дороге заставил-таки зайти в обувной магазин, где по собственному выбору купил жутко дорогие австрийские босоножки на шпильке. Даже старушечий сарафан сразу стал смотреться по-другому.

— Пусть только док попробует что-нибудь сказать, — пробормотал он, бросив шлепанцы в урну.

В машине Настя обдумывала версию, которая пришла ей в голову некоторое время назад. Проверить ее стоило непременно.

— Мне нужно позвонить, — сказала она, тайком любуясь босоножками.

— Возьми мой мобильный, — смилостивился Самойлов. — Тариф безлимитный, так что говори сколько хочешь, ты меня не разоришь.

С его точки зрения, это был верх благородства. Настя достала из сумочки записную книжку и набрала номер Никифорова.

— Привет, папочка! — поздоровалась она. И опрометчиво добавила: — Это девушка, которую вы чуть не убили своей машиной.

Самойлов страшно возбудился и спросил:

— Что? Еще один?!

Настя отмахнулась от него и продолжала говорить в трубку:

— Нет-нет, вы меня полностью удовлетворили!

— Вот, значит, что меня ждет, — пробормотал Самойлов.

— Я просто хотела уточнить, как фамилия того журналиста, который видел Маслова в гостинице. И номер его квартиры.

Никифоров ответил, и она поспешно нацарапала в записной книжке: «Николай Дергунов, квартира 37». Самойлов с любопытством скосил глаза.

— Веди машину! — прошипела Настя.

— Ты даже не знала, к кому едешь! — укоризненно заметил он, когда Настя попрощалась с сыщиком и вернула мобильный.

— Теперь знаю.

— Что грозит бедному Дергунову? — небрежно поинтересовался Самойлов. — Будешь подкарауливать его на тротуаре? Потом сиганешь под колеса и раскинешь лапки? Считаешь, что мужчина из чувства вины сделает для тебя что угодно?

— Конечно! — раздраженно ответила та. — Ты же везешь меня, куда я сказала.

Это было рискованное заявление, но придирки Самойлова безумно ей надоели. К счастью, они уже приехали на место. Время было подходящее — восемь вечера. Журналюга, как называл его сыщик, уже должен быть дома.

— Значит, ты идешь в квартиру тридцать семь? — уточнил Самойлов.

— Да. А ты жди меня здесь.

У Самойлова в ответ на это заявление дернулась щека, однако он ничего не сказал. Когда Настя вышла, сдал назад и приткнул «Жигули» возле палисадника, засаженного чахлыми кустами.

Дергунов оказался дома. Он открыл дверь после первого же звонка и молча уставился на гостью. Был он мал ростом, небрит, нечесан и хмур. Настя сразу поняла, что он один из тех людей, вокруг которых всегда пасмурно.

— Николай? — на всякий случай спросила она.

— Я, — развязно ответил тот. — Чего надо?

— Видеокассету.

— Какую видеокассету? — равнодушно спросил Дергунов.

— Вы знаете, какую, — повела бровями Настя. — Ту, которую вам передал Сева Маслов.

В лице журналиста ничто не дрогнуло, только глаза пробежали по Насте и уперлись в ее глаза.

— Зайдите. — Он неохотно отступил и, перед тем как захлопнуть дверь, выглянул на лестничную площадку.

— Я одна, — заверила его Настя. — Так как насчет кассеты?

— Да нет у меня никакой кассеты! — сердито ответил Дергунов.

— Зачем вы меня тогда позвали в квартиру?

— Затем, чтобы вы не орали на весь подъезд.

Настя молчала, Дергунов тоже молчал. Ситуация складывалась довольно странная.

— Вы вообще кто такая? — спросил наконец журналист.

— Никто. То есть я не власть и не бандитка. Я подруга Тани Масловой, Севиной жены. Сева Тане все рассказал, весь свой план.

— Какой такой план? — спросил Дергунов, но спросил как-то вяло, без нажима.

— Таня должна была сама прийти за этой кассетой, но она хотела как можно скорее увезти из города сына. Она очень боится.

Дергунов слушал, наклонив голову и глядя на гвоздик, вбитый в плинтус.

— Недавно в автокатастрофе погиб Севин друг, адвокат Мерлужин. Через несколько дней после его смерти Севе домой принесли видеокассету. Это Мерлужин просил передать, если с ним что-то случится. Сева посмотрел кассету, и ее содержание показалось ему таким важным, что он решил ее хорошенько спрятать. Он взял пустой «дипломат», запер его на ключ, а ключ засунул в коробку с кошачьим кормом. Коробку наутро отдал соседке. А в ту ночь он с пустым «дипломатом» и кассетой за пазухой появился у вас на пороге. Просто спустился на первый этаж.

Дергунов перенес тяжесть своего тела с одной ноги на другую, но взгляда от гвоздика не оторвал.

— Итак, — продолжала Настя, — он отдал кассету вам и попросил подержать ее у себя. А сам с запертым «дипломатом» отправился в гостиницу. Поднялся на третий этаж и оставил «дипломат» в коридоре. Из гостиницы вышел с пустыми руками. Таким образом он пытался запутать возможных наблюдателей. Если бы за ним следили, то подумали бы, что он передал кассету одному из постояльцев. В гостинице их сотни — попробуй всех проверь!

На следующий день Севу застрелили, — закончила Настя. — Когда вы узнали о его смерти, вы просмотрели кассету и сильно испугались.

— Да, — сказал Дергунов и вскинул голову. — Я сильно испугался. Я лично влезать в подобное дело не хочу. Я не знаю, почему Сева оставил кассету именно мне. Я не занимаюсь криминалом.

Настя едва сдерживала себя, так ей хотелось получить эту кассету в руки. Она тоже боялась, и еще посильнее, чем Дергунов, потому что уже влезла в это дело по самые уши и теперь надо было как-то вылезать. По крайней мере, ей хотелось вылезти.

— Сева оставил кассету вам потому, что только вы, как журналист, могли понять ее ценность.

— Ценность! — презрительно повторил тот. — Чем она ценна? Тем, что Маслов заплатил за нее жизнью?

— Его убили не из-за кассеты, про нее никто не знает. Кроме вас, Тани и меня.

— А что Таня-то будет с ней делать?

— Думаю, если спросить Таню, — честно ответила Настя, — она предпочтет ее сжечь. Мужа не вернешь, но она хочет сохранить свою жизнь и жизнь Коли.

Дергунов повернулся и вышел из коридора. Через минуту появился снова, неся в руке черную коробку. Он весь покрылся потом, как будто бы это была бомба, готовая взорваться в любую секунду.

— Я рассчитываю, что вы никому и никогда не назовете мое имя, — отчеканил он, протягивая Насте кассету.

Она молча приняла ее и засунула в сумочку. Тщательно застегнула «молнию» и подняла голову.

— Обещаю, что никому про вас не расскажу.

Дергунов обошел ее и, ни слова не говоря, открыл дверь. Настя кивнула и, не попрощавшись, ступила за порог. Дверь захлопнулась. Теперь пришел ее черед покрываться потом. Господи, у нее в руках разгадка! Скорее бы добраться до видеомагнитофона! Интересно, есть у Самойлова в коттедже видеомагнитофон? Она не успела ознакомиться с его интерьером.

Настя вышла на улицу и вдохнула полной грудью. Самойлов неподалеку копался в багажнике своих «Жигулей». Прямо возле подъезда стояла задрипаная серая «Волга» с проржавевшим днищем и открытой задней дверцей. Когда Настя проходила мимо нее, сзади кто-то взял ее за локоть. Она удивленно обернулась и в ту же секунду очутилась лицом к лицу с шофером из «КЛС».

— Молчи, — произнес он и тихонько ткнул ей в живот чем-то острым.

Настя медленно опустила глаза и увидела, что это нож — с коротким, страшно заточенным лезвием.

— Садись в машину, — велел шофер и медленно, почти нежно провел лезвием по ее талии.

Настя так испугалась, что как-то сразу разучилась пользоваться легкими. Она стала задыхаться, раскрыла рот, делая короткие судорожные вдохи, пытаясь вобрать в себя живительный воздух, но воздух не шел, отказывался идти внутрь. Шофер положил руку ей на затылок и сильно нажал. Настя согнулась, ее толкнули в спину, и она повалилась на заднее сиденье «Волги», попав в чьи-то сильные и нелюбезные руки.

— Тихо, душечка, — сказали ей в ухо.

Перед Настей мелькнуло незнакомое лицо, почти такое же, как у шофера, — спокойное и холодное.

Самое ужасное, что вокруг было полно людей, они все так же шли по своим делам, словно ничего не происходило. И Самойлов стоял буквально в двух шагах. Что он забыл там, в своем багажнике? Неужели он не видел, что с ней сделали?!

Через секунду выяснилось, что Самойлов видел. Он поднял голову, захлопнул багажник и эластичной походкой направился к «Волге». В руках у него была бейсбольная бита.

Шофер еще не завел мотор. Он обернулся, чтобы переброситься с напарником несколькими словами, поэтому увидел Самойлова слишком поздно. Однако все же успел заблокировать дверцы и поднять стекло.

Дальше все было как во сне. Самойлов молча подошел, коротко размахнулся и ударил битой по стеклу. Раздался звон, шофер припал к рулю и закрыл голову руками. В него брызнули осколки. Тут же в разбитое окно влетел каменный кулак, и голова шофера некрасиво дернулась. Он упал вправо, на свободное сиденье.

Тип, который держал Настю, отчаянно завозился рядом и извлек откуда-то из-под себя пистолет. Несмотря на то, что перед ее глазами плыл красный туман, Настя рванулась к нему и буквально упала на оружие.

Рука Самойлова тем временем выдернула кнопку блокировки дверей. Он рванул дверцу на себя и ударил еще раз. Раздался вскрик, и поверженное тело свалилось на Настю. Она закричала, и тут Самойлов, который уже обошел машину, потащил ее на улицу. Она мертвой хваткой вцепилась в сумочку.

Насте казалось, что она умирает — легкие все еще не работали, она задыхалась. Двор вокруг них вымер, словно перед началом грозы. Все попрятались, кто куда.

Самойлов швырнул Настю на переднее сиденье «Жигулей», на заднее бросил биту, прыгнул за руль и тут же стартовал. Он не смотрел ни на Настю, ни в зеркальце заднего вида, только давил на газ и вращал руль, совершая поворот за поворотом. Через пятнадцать минут бешеной гонки завел автомобиль на большую стоянку и только тут заговорил:

— Ну что? Твой неожиданный визит того стоил?

Настя усиленно закивала головой. Губы у нее посерели, а вокруг рта образовался голубой ободок. Ей по-прежнему остро не хватало воздуха.

— Машину придется бросить. Идти можешь?

— Могу, — выдавила она из себя. — Мне нужен видеомагнитофон.

— Приглядела новый эротический фильм?

— У меня важная видеозапись.

— Где это — у тебя?

— У меня в сумочке.

— Ну, сама посуди: где я тебе сейчас возьму видеомагнитофон? — воззвал к ее здравому смыслу Самойлов.

— А у тебя что, нет?

— В коттедже нет.

— А в квартире?

Самойлов остановился и прищурил глаза:

— Теперь ты все поворачиваешь так, чтобы попасть ко мне домой. Чует мое сердце — ты аферистка. И стоит запустить тебя в квартиру, как тотчас же появятся твои дружки. Скажут, что я тебя сначала переехал машиной, потом изнасиловал и за это должен им много-много денег.

— У меня нет дружков, — вяло ответила Настя. Дышать стало легче, зато перестало слушаться тело. — У меня вообще никого нет.

— Ну, тут ты, девушка, сама виновата, — с неожиданной злостью сказал Самойлов.

Она хотела спросить, что он имеет в виду, но передумала.

— А если ты отвезешь меня к себе в коттедж, а потом сгоняешь за магнитофоном? — предложила она.

— Ага. И за телевизором. Знаешь что?

— Что?

Настя посмотрела ему в лицо и увидела, что он борется с искушением бросить ее прямо здесь и прямо сейчас. Поиграв желваками, он сказал:

— Ладно, проехали. Так чего ты от меня хочешь?

— Видеомагнитофон, — упрямо повторила Настя.

— Хорошо, — процедил он. — Только у меня условие: я тоже посмотрю эту пленку.

— Не думаю, что тебе понравится, — заявила она, понимая, что выбора все равно нет.

Самойлов отвернулся и поднял руку.

* * *

— Ты на месте?

— Да.

— Где их наблюдатель?

— В поле моего зрения.

— Ты их слышал?

— Слышал. Девица раздобыла какую-то ценную видеозапись.

— Отлично. И куда отправилась?

— Самойлов повез ее домой.

— Отлично. Подожди. Как домой? К ней домой?

— К себе домой.

— А! В общем, так. Их надо разбить — Самойлова и девицу. Разъединить. Сегодня пусть все идет как идет, а завтра парня отсеките. Девица должна остаться одна. С кассетой или без нее, но одна.

— Принято.

— Конец связи.

* * *

Сначала на экране ничего не было — серые полосы по черному фону. Настя напряженно смотрела на них, зажав ладони между колен и наклонив тело вперед. Самойлов сидел по правую руку от нее в расслабленной позе.

— Надо было сначала принять душ, — сказал он, раздумывая, не содержит ли вся кассета такие вот полосы.

В это время экран мигнул, и на нем появился Макар Мерлужин. Он посмотрел в камеру и суетливо обтер рот ладонью. Потом приблизил лицо к зрителям и сказал:

— Сева! Я должен по-быстрому все рассказать. Я так вляпался, ты себе не представляешь! Теперь раздумываю, что лучше: удариться в бега или пойти куда следует. Только боюсь, в обоих случаях меня того... уберут.

Он схватил кухонное полотенце и вытер лоб. Судя по всему, он находился у себя дома и разговаривал с камерой, пристроенной на столе.

— Ты, Сева, о моей главной проблеме давно знаешь. Я имею в виду Любочку. В ее головке кое-что застряло. Не то, что нужно. В последние полгода она совсем с катушек слетела. Стала неразборчива в связях, «травку» нюхала. И развестись с ней нельзя было — она со злости могла пустить мою жизнь под откос. Я ведь, Сева, чтоб ты знал, уже года два, как беру клиентов частным порядком, без ведома начальства. То есть нарушаю корпоративную этику. Любочка могла сделать так, чтобы босс меня из фирмы выкинул и профессиональную репутацию мою навеки загубил.

В общем, как-то раз, случайно, зашел у меня разговор о... моей проблеме с одним особым клиентом. И он сказал, что все легко решается. За деньги. Понимаешь? Будто бы есть специалисты высокого класса, и никто никогда ничего не узнает. Он дал мне контактный телефон. Сказал, что этот номер рассчитан на один звонок. Я позвонил, и мне просто сказали, как передать деньги.

Макар отвлекся, налил из-под крана воды в стакан и, громко глотая, выпил. На несколько секунд приложил стакан ко лбу и снова наклонился к камере.

— А потом что-то на меня нашло. Какое-то наваждение. Я перестал спать и есть. Я не мог работать. Все думал — как они это сделают? Когда? Будет ли ей больно? Не то чтобы я хотел увидеть... В общем, я стал за ней следить, за Любочкой. Но они, видимо, тоже следили за ней, готовились. И они... они засекли меня.

Макар уткнулся носом в полотенце и на некоторое время замолчал. Настя покосилась на Самойлова — тот выпрямился и теперь шарил рукой по дивану в поисках сигарет. Макар между тем оторвался от полотенца и поднял заплаканное лицо.

— Ох, как я испугался, Сева! Как испугался! Меня на улице взяли, засунули в машину и куда-то привезли. Не то в лабораторию, не то в больницу. Они пристегнули меня к креслу и стали задавать вопросы. Я боялся, что они начнут меня пытать, и все рассказал, как на духу. Я вообще не чаял, что меня отпустят. Но они отпустили, а потом... Потом я узнал, что Любочка умерла.

И теперь, Сева, я чувствую, что надо мной сгущаются тучи. И не понимаю, отчего это. Если бы они хотели убить меня, то вряд ли выпустили бы на свободу, правда? Раз я уже был у них в руках? Ведь так?

Вопрос был риторическим, потому что, останься Сева жив, он все равно не смог бы ответить.

— А они как будто бы, наоборот, доверяли мне. И вот еще что, Сева. Пока я болтался в этой лаборатории или больнице, кое-что подслушал и подсмотрел. И подумал: дай-ка я подстрахуюсь. На всякий случай. Вдруг со мной что? А у тебя в руках хоть какая-то вещь, чтобы торговаться. Ты ведь поторгуешься за меня, Сева, а?

Теперь информация. Двенадцатого числа, в среду, по маршруту Москва—Нижний Новгород—Москва с Речного вокзала отправляется теплоход. Среди туристов будет некая Наталья Кратова. Это жена небезызвестного Семена Кратова. Ну, ты знаешь: он сейчас в политику полез. Как он начинал — история темная. Но теперь об этом никто не вспоминает. Кроме его жены. У жены на Кратова есть какой-то компромат. Он бы с ней уже сто раз развелся, а она не пускает. Не то сильно любит, не то не хочет менять социальный статус. И компроматом этим его шантажирует. Ну, почти все, как у меня с Любочкой.

Последнее время у них с Семеном страшная напряженка началась. Он обратился к киллерам и отправил ее в турпоездку, чтобы быть подальше от событий. Я сам слышал, как эти типы разговаривали об убийстве. Сказали, подготовят специально для Натальи Кратовой «операцию на воде». Утопят, наверное. И за самоубийство выдадут. Им почему-то важно, чтобы все это не в Москве случилось. Наверное, они уже кого-то таким же образом убрали, а слишком часто один и тот же прием применять в одном месте боятся. На Петровке все-таки головы сидят, а не горшки.

Наверное, они для того, чтобы Любочку убить, тоже операцию разрабатывали. Не знаю, как они это делали, Сева. Любочка предсмертное письмо оставила. Длинное такое, подробное. Для чего? Как она его написала?

И буквы такие ровные, красивые. Если бы ее заставляли, она бы так не смогла написать, это ведь ясно, да?

В общем, Сева, вот все, что я хотел тебе сказать. Только еще одно. У этих типов, которые меня допрашивали, на рубашках были вышиты буквы — «КЛС». Не знаю, что это означает. А когда меня отпустили и я приехал в загородный дом, соседка сказала, что рано утром ко мне приезжали какие-то типы на автобусе с надписью «КЛС». Вероятно, это какая-то фирма. Но я ничего не смог выяснить. Впрочем, мне было не до этого.

Я пленку, Сева, оставлю одному мужику, он мне услугу должен. Он не знает ничего, так, проходной персонаж, можешь на нем не циклиться. Если я эту пленку у него лично в оговоренный срок не заберу, он тебе ее принесет. Раз ты ее смотришь, значит, Сева, что-то неладно со мной. Ты займись этим, хорошо? Может, больницу эту поискать или лабораторию? Вдруг они меня опять туда забрали?

Макар исчез так же внезапно, как и появился, и по экрану снова побежали черные полосы.

Самойлов поднял пульт и вытянул вперед руку. Экран погас.

— Ну? — спросил он. — И каким боком тебя это касается?

— Я кое-что видела, — потерянно ответила Настя. — Я видела, как микроавтобус фирмы подъехал к даче Макара Мерлужина. Оттуда вышли люди в комбинезонах и вошли в дом. Это я — та самая соседка.

— И? — напряженно спросил Самойлов. — Что эти типы делали в доме у Мерлужиных?

— Они начали обыскивать Любочкину спальню. Они делали это так тщательно! И все были в перчатках. Кажется, они заметили, что я на них смотрю. Послали одного типа проверить. Но я сделала вид, что сплю.

Настя слегка приврала и поэтому покраснела. Са-

мойлов не обратил на ее смущение никакого внимания, задумчиво сказав:

— Видимо, в ее вещах было что-то, что могло их скомпрометировать.

— Видимо, — согласилась Настя. — Я Макару рассказала про это.

— А он?

— Испугался. Заверил, что все нормально, и свернул разговор.

— Но ты все не могла успокоиться из-за обыска и решила вывести «КЛС» на чистую воду! — с едва уловимой насмешкой в голосе произнес Самойлов.

— Вовсе не из-за обыска. Я встретила Любочку накануне ее гибели. Она ужинала в ресторане с тем самым психологом, о котором говорил Макар. Его фамилия Ясюкевич.

— Откуда ты узнала фамилию?

— Ко мне случайно попала его визитная карточка.

— Случайно?

— Ну... Я вела разведдействия, — неопределенно сказала Настя. — А потом со мной начали происходить всякие странные вещи.

— Например? — С тех пор как Настя получила на руки видеокассету, Самойлов как будто немного смягчился.

— Вот посмотри на меня, — призвала его Настя и, поднявшись на ноги, развела руки в стороны, как бы предлагая обозреть себя со всех сторон. — Как я тебе? Не красотка, верно?

Самойлов молчал, уставившись куда-то ей в живот неподвижным крокодильим взглядом. Она приняла его молчание за согласие и с воодушевлением продолжала:

— И вдруг совершенно неожиданно ко мне начинаются клеиться потрясающие мужики. И уж поверь мне: раз я говорю потрясающие, значит — потрясающие.

— Ясное дело! Каждая юбка считает себя великим экспертом по мужчинам, — съязвил Самойлов.

— А что тебя так задевает? — удивилась Настя и тут же нахмурилась: — Не знаю, зачем я тебе вообще все это рассказываю.

— Затем, что у тебя нет денег, тебе негде ночевать, а я поддался примитивному шантажу и выполняю все твои прихоти.

— Ну, если ты считаешь прихотью попытку спасти свою жизнь...

— Ладно. Давай, рассказывай, каким образом потрясающие мужики связаны с угрозой твоей жизни? — раздраженно перебил ее Самойлов. — Опасная пленка попала к тебе в руки только сегодня. До этого ты ничем не располагала. Ах да! Видела психолога в ресторане. Уверяю тебя, на суде это не будет считаться уликой. Психолог не должен был сильно расстроиться.

— Он не разрешил Любочке зайти со мной в туалет! — выпалила Настя.

— Скажет, что не мог на нее насмотреться.

— Забыла сказать: еще я побывала в офисе фирмы «КЛС».

— Похвальный порыв, — одобрил Самойлов. — И что ты там узнала?

— Узнала, что Ясюкевич — тот самый психолог — собирается научить одного типа по фамилии Аврунин, как проводить «операцию на воде».

— Что? — удивился тот. — Значит, ты в курсе, что это за операция?

— В том-то и дело, что нет! Я до сих пор не знаю всех тонкостей. Каким-то образом эти гады убеждают женщин писать предсмертные письма, а потом убивают их.

— Может быть, гипноз? — предположил Самойлов. — Подавление воли?

— Гипнозом занимался второй потрясающий мужик, которого ко мне подослали.

— Что значит — подослали?

— То и значит. Скажи, вот какая тебе женщина нравится больше всего на свете? — спросила Настя.

— Ты ее не знаешь.

— Да нет, я имею в виду что-нибудь общечеловеческое. Джина Лоллобриджида, или Николь Кидман, или Ольга Кабо, например?

— Фанни Ардан.

— Ага, — тут же «запротоколировала» Настя. — Она такая же дикая и такой же черной масти, как ты.

— Что значит — дикая?

— В ней много жизни, энергии, секса...

Самойлов тут же приободрился и спросил:

— Ты хотела что-то сказать по поводу женщины, которая мне нравится.

— Да, точно. Представь: сидишь ты в своем коттедже, листаешь словари, и вдруг стучат в дверь. Ты открываешь, а там — Фанни Ардан. Ну, или почти Фанни. Женщина, очень на нее похожая, отчего у тебя просто дрожь по спине. И вот эта Фанни рассказывает тебе, как она у тебя очутилась — вполне приемлемая версия, надо сказать. А потом начинаются чудеса. Она ластится к тебе, садится на коленки, обещает любить до гроба. Заметь — ни с того ни с сего.

— Ну и что? — непонимающе уставился на нее Самойлов.

— Как — ну и что? Ты разве не удивишься такому повороту событий?

— А почему я должен удивляться?

— Потому что ты не Дэвид Духовны! — рассердилась Настя. — И даже, смею тебя заверить, не Джордж Клуни! Ты гораздо страшнее.

— Мерси.

— Будем реалистами, мон шер. Даже если ты классный парень, ей надо узнать тебя поближе, чтобы влюбиться, не так ли?

— Ты сама сказала: во мне много энергии, секса...

— Фу, ну ладно. Одна Фанни Ардан — пусть. Пусть она ошалела от твоей энергии. Но четыре Фанни подряд! Это как? Причем раньше они что-то за тобой по улицам не бегали, за штаны не хватали.

— Хоть убей, не пойму, что ты хочешь сказать.

— То, что кто-то начал подсылать ко мне шикарных мужиков. Как только я забраковывала одного, тут же появлялся следующий. Вероятно, мне на телефон поставили прослушку. И как только я описывала своей подруге внешность мужчины, который мог бы мне понравиться, он материализовывался, словно фантом из бороды Хоттабыча. Думаю, меня таким образом пытались контролировать. И, конечно, это дело рук какого-то мужика.

— Аргументы?

— Так плохо думать о женщине может только мужик.

— Ну, что такого он думал, когда подсылал этих типов?

— Что, как только в поле зрения женщины с примитивной внешностью появляется красивый кавалер, у нее слетает крыша. Красавец тут же становится ее любовником. Ну, а для любовника эта кочерыжка сделает все, что тот от нее потребует. Все расскажет, всем поделится...

— Кочерыжка — это, стало быть, ты? — на всякий случай уточнил Самойлов.

— Это просто образное сравнение.

— Ты где-то подцепила комплекс неполноценности. Кстати, ты так и не уточнила: сколько всего было красавцев?

— Трое. Ой, что я говорю? Если считать Юхани, то четверо. Впрочем, он был не то чтобы красавец...

— Юхани? — недоверчиво переспросил Самойлов. — Похоже на кличку чего-то пушистого.

— Он не был пушистым, а был самой настоящей гадиной. Я думала, он финн, а он оказался вшивой подделкой.

— Выходит, ты сразу почуяла чей-то злой умысел в появлении всех этих шикарных парней?

— Точно. С ними вообще-то было много мороки. Один меня загипнотизировал, наговорил всяких глупостей и скрылся в трубе. Я почти сразу его разоблачила. У него оказалась слабая легенда. Второй — на самом деле он был первым — убежал прямо из моей постели. Я пыталась его найти, а оказалось, что он не живет там, куда водил меня знакомиться с мамой. А живет там совсем другой тип, который подрался с третьим красавчиком... Потом они вообще стали ходить парами...

— Остановись! — призвал Самойлов. — Оставим эту тему, она пустая. Лучше расскажи, как случилось, что ты ударилась в бега.

— Это неприятное воспоминание, — скривилась Настя. — Я напросилась к Ясюкевичу домой, чтобы покопаться в его письменном столе. Конечно, предлог был совсем другой. Я сказала, что мне нужна психологическая поддержка, и все такое...

— Как же он клюнул на такую кочерыжку, как ты? — равнодушно спросил Самойлов, пристраивая пепельницу на коленку и закуривая.

— Черт его знает! Тем не менее он посадил меня в машину и повез домой.

— И как ты выкрутилась? Ты ведь выкрутилась? — вскинул он на нее глаза.

— Ну конечно! Я убежала, но мне не удалось положить на место папку, которую я просматривала. Когда он это обнаружил, поднял тревогу. Как-то очень быстро люди из «КЛС» меня вычислили. Разве я могла подумать, что у них вдруг окажутся в руках мои фотографии? И столько убийц в распоряжении? Может, они связаны со спецслужбами?

— Может, — кивнул Самойлов. — Расскажи, что было дальше.

— Дальше я отправилась к тому типу, о котором прочитала в этой папке, — к Медведовскому. Я думала, его собираются убить. Были все признаки. А он оказался с ними заодно. Вернее, как я теперь понимаю, он сейчас в таком же положении, что и Макар. Он — клиент. Пока я в его кабинете растекалась мыслью по древу, он позвонил типам из «КЛС». Они приехали во главе с Ясюкевичем и принялись ловить меня по всему офисному зданию. Перекрыли входы и выходы.

— Как же ты оттуда выбралась?

— Это долгая история...

— Нет, ну мне интересно.

— Разделась до пояса и вышла, — гордо ответила Настя. — Нестандартный ход. Все смотрели на мое тело и забыли про лицо.

— И я еще удивляюсь, что ты бросилась под колеса моих «Жигулей»! — пробормотал Самойлов.

— Я побежала к своей машине, но там меня ждали. Ждали меня у дома подруги, у дома бывшего жениха, у дома маминой подруги... Вот так я и стала бродяжкой.

Самойлов затушил сигарету и сказал:

— Я уже знаю так много, что мне даже как-то не по себе. Я теперь как будто бы с тобой заодно.

Насте очень хотелось, чтобы он был с ней заодно. Он совершенно точно перестал смотреть на нее волком и, кроме того, защитил ее, когда возникла необходимость. Да что там: он бился за нее не на жизнь, а насмерть! Настя не сомневалась, что, попади она в руки Ясюкевича, ей точно пришел бы каюк.

— Кстати, сегодня двенадцатое число, — сообщила Настя.

— Уже тринадцатое. Третий час ночи.

— Вчера теплоход с Наташей Кратовой на борту отправился к Нижнему Новгороду.

— Ты хочешь догнать теплоход?

— Почему бы и нет? Можно позвонить на Речной вокзал и узнать, где у них будут остановки. Добраться туда по суше и поговорить с Наташей. Предупредить ее. Или вообще снять с теплохода от греха подальше. Вдруг, если у них провалится загадочная «операция на воде», они убьют ее примитивным образом? Вот хорошо бы схватить их за руку!

— Нереально, — покачал головой Самойлов. — Чтобы схватить за руку, нужно плыть на том же теплоходе. Мы уже не плывем.

— Но Наташу в любом случае надо спасти. Это наш гражданский и человеческий доллг.

— Давай позвоним в милицию, — предложил Самойлов.

— Тогда я за свою шкуру не дам и ломаного гроша. «КЛС» представила все так, будто я психически нездорова и сбежала из клиники. Я сама слышала, что милиционеры получили ориентировки. Меня ловят.

— Что ж, значит, надо спасать Наташу Кратову своими силами. Кстати, у тебя нет температуры? — Он поднялся и положил руку ей на лоб. — Подожди, так я не понимаю. Надо губами.

Он взял ее за плечи, притянул к себе и приложил губы ко лбу. Долго не отпускал. Настя стояла неподвижно и дышала ему в пуговицу на рубашке, размышляя о том, почему некрасивые мужчины нравятся ей гораздо больше, чем все остальные.

— Температуры нет, — сообщил Самойлов странным голосом. — А как там поживает мой укус?

— Совсем не болит, — поспешно заверила его Настя. — Извини, что я при докторе на тебя наехала.

— Ты защищалась.

Было удивительно приятно, что он сменил гнев на

милость. На какую-то минуту Настя вдруг испытала чувство защищенности. Оно было непривычным, словно чужое платье, взятое напрокат. Краешком сознания Настя понимала, что его скоро придется вернуть.

— Как ты думаешь, меня поймают? — будничным тоном спросила она.

Самойлов тут же отпустил ее и повалился на диван, закинув руки за голову.

— Если не будешь высовываться, то нет.

— А Наташа Кратова? Если я поеду наперерез теплоходу, будет считаться, что я высовываюсь?

— Естественно. Поэтому я поеду с тобой. — Настя хотела возразить, но он быстро добавил: — У тебя все равно нет денег на дорогу. И я обещал доку, что в пятницу покажу ему твой заживший румяный зад.

Он дождался, пока она выйдет из душа, и велел ложиться в маленькой комнате. Достал из шкафа постельное белье, вышел и плотно прикрыл дверь. Настя поглядела ему в спину и тут же заснула, едва успев закрыть глаза.

Проснулась она оттого, что Самойлов ходил по комнате и довольно громко произносил какие-то фразы. Она постаралась сосредоточиться.

— Мы можем перехватить теплоход в Угличе. Он там долго стоит, мы вполне успеем.

— Это ты со мной разговариваешь? — спросила Настя, моргая. У нее были сонные розовые щеки, а одно ухо, с той стороны, где она прижималась к подушке, сделалось ярко-малиновым.

Прежде чем войти, Самойлов стучал в дверь, но она не отзывалась, тогда он испугался, что вдруг ее там нет, — и вошел. Настя спала на правом боку, нелепо остриженная и, несмотря на пережитые события, свежая и спокойная. От нее пахло его собственным шампунем и еще чем-то неуловимо-нежным.

Самойлов позвал ее, но она не желала просыпаться.

Тогда он протянул руку, чтобы потрясти ее за плечо, но почему-то не посмел дотронуться и насупился. Стоять и смотреть, как она спит, было нелепо, да и неудобно. Поэтому он принялся рассказывать, что успел узнать. От звука его голоса она и проснулась.

— Машину я заправил и уже подогнал к подъезду, с ней все в порядке, — вещал Самойлов. — Если мы хотим успеть, то должны выехать прямо сейчас. Можешь устроиться на заднем сиденье и досыпать. Завтрак я сложил в сумку.

Глаза Насти неожиданно увлажнились, и второе ухо отчего-то тоже стало малиновым.

— Я тебе так благодарна, — тихо сказала она.

— Это ты молодец! Ведь надо соображать, под какую машину прыгать, — заявил Самойлов. — Я пойду, а ты одевайся.

Она стояла у подъезда и ждала, пока он уложит сумку. Посмотрев на нее краем глаза, он понял, что ее одежда совсем не подходит для поездки. А уж обувь тем более. И что на него нашло тогда в магазине? Он просто сумасшедший. Сумасшедший, разучившийся контролировать собственные эмоции.

Настя не захотела спать на заднем сиденье. Она достала карту и расстелила у себя на коленях, чтобы подсказывать Самойлову, как правильно ехать.

Утро только занималось, и, выбравшись из Москвы, «Жигули» помчались по шоссе, точно снаряд, наведенный на цель. Видеокассета с рассказом Макара Мерлужина лежала в сумке на заднем сиденье.

Они некоторое время перекидывались фразами, словно подлаживаясь к дороге, потом стали обсуждать все, что узнали во время просмотра кассеты. Сегодня Самойлов гораздо настойчивее расспрашивал Настю обо всем, что с ней случилось за последние дни. Как будто бы раньше он делал это по обязанности, а теперь в нем пробудился подлинный интерес.

— Почему ты не уехала в Финляндию? — небрежно поинтересовался он. — Когда почувствовала опасность, я имею в виду?

— Что толку? — Настя пожала плечами. — Жену Медведовского утопили в Италии. Правда, никакого самоубийства не организовывали. На этот раз сработали под несчастный случай.

— А почему ты не вышла замуж? — неожиданно спросил он.

— Когда? — опешила Настя. — Когда почувствовала опасность?

— Да нет, вообще. Почему ты не замужем?

— А ты почему не женат?

— Я был. Два раза. У меня есть дети. Ну так как?

Настя не нашлась, что сказать. Сама толком не знала, почему так получилось, что она до сих пор одна.

— У меня работа неподходящая, — наконец, заключила Настя. — С утра до ночи я пылюсь в бухгалтерии. А там одни тетки. Мне не с кем даже пофлиртовать, не то что замуж выйти.

— Для флирта работникам даются выходные дни, — не отставал Самойлов.

— Видимо, у меня не только работа, но и характер неподходящий, — вздохнула Настя.

— Уже горячее, — одобрил тот.

— Вообще-то у меня был жених, но я сейчас думаю, как хорошо, что дело не дошло до брака.

— Почему?

— Он меня раздражал. Меня вообще раздражает большинство мужчин, — она покосилась на Самойлова. — Они золотыми буквами вписали себя в лучшую половину человечества и с тех пор активно вырождаются.

Самойлов хмыкнул. «Непонятно, сколько он спал, — подумала Настя. — Успел все узнать про теплоход, собрал сумку, съездил за машиной и еще побрился».

На самом деле Самойлов вообще не спал, но он к этому привык и чувствовал себя не хуже, чем обычно.

Они ехали и ехали, километры уносились назад, в серый пасмурный день, и вдоль шоссе стояли дома — бесконечное множество.

— Господи, сколько же на земле людей! — неожиданно сказала Настя.

Самойлов метнул на нее быстрый взгляд и добавил:

— И всем хочется счастья.

# 14

Теплоход лежал в темной воде и терпеливо дожидался пассажиров, как старый мудрый пес отлучившихся хозяев. От него исходил особый металлический запах, наводящий на мысль о путешествиях и просторах, раскинувшихся там, за поворотом реки. Настя первой взбежала на борт, почувствовав под ногами гулкую пустоту.

— Все ушли на экскурсию, смотреть «Дивную» церковь, — сообщил ей один из членов команды, вышедший навстречу.

— Я из Москвы приехала, — начала Настя, и тот сразу посуровел:

— Родственница?

— Чья? — не поняла Настя.

— Да так. Я думал — родственница. У нас женщина утонула.

У Насти подогнулись колени, и она некрасиво плюхнулась на одну из скамеек, расставленных вдоль палубы.

— Она записку оставила, — как будто оправдываясь, сказал мужчина. Глаза у него были больные. — Сама за борт прыгнула. Даже не знаем, где точно это случилось. Ее по всей реке теперь ищут. Наташей звали. Говорят, у нее двое детей-школьников.

— Перестаньте, — зло прервала его Настя, и он обиженно замолчал.

Она вытерла рукой влажный лоб и пригладила волосы. Несмотря на близость реки, казалось, что на этой палубе жарче, чем в Москве. Солнце так и липло к воде и ко всему, что плавало в ней.

— Все остальные туристы, говорите, осматривают сейчас «Дивную» церковь? — равнодушно спросила Настя. — А далеко она?

Мужчина объяснил, как найти церковь, и Настя заторопилась. Поджидавший на берегу Самойлов все понял по ее лицу.

— Опоздали? — коротко спросил он, сморщившись, как от кислого.

— Наташа оставила предсмертную записку, — дрожащим голосом ответила Настя. — Поедем к церкви, туристы сейчас там. Хочу посмотреть, не узнаю ли я случайно кого-нибудь из них.

Молча двинулись к машине. Капот раскалился, до него было не дотронуться, а внутри оказалось невыносимо душно. Самойлов рванул с места так, словно хотел загнать внутрь «Жигулей» весь имеющийся в Угличе ветер. Настя некоторое время крепилась, а потом ткнулась носом в колени и заплакала:

— Это я виновата! Надо было звонить в милицию, чтобы связались с теплоходом. Надо было кричать, что женщину хотят убить! Какой ужас, Олег!

Она впервые назвала Самойлова по имени, а он впервые испытал острый приступ жалости к ней.

— Ничего, — произнес он и неловко похлопал ее по плечу. — Это не ты виновата. Ты не убиваешь людей, Настя.

Приезжие цепочками обвивались вокруг «Дивной» церкви, задирали головы вверх и вполуха слушали женщину-гида, которая выводила свою соловьиную песнь, не особенно заботясь о том, внимают ей или нет.

— Узнаешь кого-нибудь? — спросил Самойлов, останавливаясь поодаль.

— Узнаю, — процедила Настя.

Взгляд ее уперся в круглую, словно сковорода, лысину поросенка-Аврунина. На лысине рос легкий пушок, который игриво шевелил ветер. Настя достал из сумки расческу с круглой ручкой и, тихо подойдя сзади, ткнула ею Аврунину в бок. Наклонилась и тихо сказала:

— Стой, сволочь, не рыпайся.

Аврунин дернулся и поднял испуганную мордочку. Он был совсем не похож на серийного убийцу. Самое большее, на что тянула его физиономия, — это на мелкую кражу в супермаркете.

— Подними рыло и посмотри на меня, — процедила Настя.

Аврунин послушался и осторожно вывернул шею. Он был такой маленький, что смотрел на Настю снизу и видел только ее подбородок. Настя наклонилась ниже и спросила:

— Узнаешь?

Он открыл розовый ротик и издал некий неопределенный звук.

— Что ж ты такой беспамятный, Аврунин! Я вот тебя везде узнаю. Ну, вспоминай, вспоминай! Тебе наверняка дали мою фотографию.

Аврунин кивнул и мелко-мелко затрясся. Настя еще глубже воткнула расческу в складки сала поверх ремня, и наклонилась к его уху:

— А ведь я за тобой особо слежу, Аврунин. Я, конечно, не видела, как ты убиваешь, но дам суду такие показания, что прокурор пальчики оближет. Я тебя, Аврунин, закидаю косвенными уликами по самую макушку. Помнишь, как ты в «Садах Семирамиды» обрабатывал Ингу Харузину? Помнишь, да? — удовлетворенно констатировала она, почувствовав вибрацию. — Помнишь, Инга услышала шорох, ты поднял шишку и швырнул ее за деревья? Вижу, что хорошо помнишь. Так это я там стояла, Аврунин. Стояла и слушала.

— Вы меня с кем-то путаете, — пискнул тот, шевельнув торсом. Он смотрел на Настю собачьими глазами. И даже готов был извиниться, если бы это принесло ему какую-нибудь пользу.

— Передай своему боссу, — сказала Настя, — что его предприятие закрывается. Навсегда. А сам он отправляется в ад.

Она отделилась от него, трясясь от ярости, и быстро пошла к островку деревьев, под кронами которых прятался от солнца Самойлов. Аврунин остался стоять в той же позе, не смея шевельнуться, хотя Насте было все равно, обернется он или нет. Самойлов наблюдал за тем, как она на ходу пытается взять себя в руки, и подумал, что, пожалуй, он рад, что она сунулась под колеса именно его «Жигулей», а не какого-нибудь другого человека. Другого мужчины.

— Что теперь делать? — спросила Настя, когда они снова оказались на забитом машинами шоссе. — Если я пойду в милицию, мне вряд ли кто поверит. Ясюкевич и компания наверняка подготовили липовые документы. По ним я считаюсь неполноценным членом общества. Они поймают меня, и я стану почетной пациенткой психиатрической больницы, где мне зачистят мозги в считаные недели.

С другой стороны, если я не пойду в милицию, то останусь один на один с целой бандой киллеров. Не могу же я прятаться от них вечно? Значит, наша встреча неминуема, а финал предсказуем.

— Не драматизируй, — бросил Самойлов. — Приедем и спокойно во всем разберемся. Не думаю, что Ясюкевич такой большой авторитет, чтобы по одному его заявлению за тобой гонялась вся милиция. Кроме того, в милиции не идиоты сидят! С чего они будут совершенно нормальную женщину передавать в психушку?

— А если Ясюкевич кого-нибудь из них купит? Разве не бывает таких случаев? — насела на него Настя.

— Бывает, конечно. Но почему ты считаешь, что с тобой должно произойти самое плохое?

— Уверяю тебя, ничего хорошего со мной тоже не произойдет.

— Оказывается, ты пессимистка! — укорил ее Самойлов. — А ведь сначала такой не показалась. Готова была даже здоровьем рисковать, лишь бы не пропасть окончательно. И ведь нашла выход. Конечно, я его не одобряю...

— А я ведь даже не знаю, кто за всем этим стоит! — с неожиданной злостью воскликнула Настя. — Кому принадлежит эта киллерская контора?

Самойлов заколебался, но потом неохотно заявил:

— Пока ты спала, я это выяснил. — Настя вскинула голову, и он равнодушно пожал плечами: — Подобные вещи узнают у хакеров. Если есть кто знакомый.

— У тебя есть?

— Есть.

Самойлов достал откуда-то из-под сиденья свернутую в четыре раза компьютерную распечатку. Настя выхватила ее и поспешно развернула.

— Геннадий Витальевич Ерасов, — вслух прочла она. — Так вот как тебя зовут, дружок! Смотри-ка, ты довольно молод, судя по году рождения. Столько еще можешь дел натворить... — Она повернулась к Самойлову и спросила: — А почему у него три адреса?

— Богат, — коротко ответил тот.

Настя, не спрашивая разрешения, убрала компьютерную распечатку в свою сумочку.

— Как же так? — потерянно спросила она. — Про этого типа все известно. Кто он, что он, чем занимается. И он живет себе припеваючи. Охотится на людей и даже, наверное, находит это волнующим. Мне кажется, иметь такой, с позволения сказать, бизнес может только человек с глубоко травмированной психикой.

— Напрасно ты думаешь, что всем известно, чем он занимается. Если бы было известно, его лавочку уже давно бы прикрыли. Конечно, у нас беспредел, но пока что киллерским конторам не раздают лицензий на отстрел граждан.

Настя некоторое время задумчиво смотрела в окно, затем предложила:

— Давай я поведу. Тебе надо поспать.

— Нет, сначала ты поспи, я потом.

Он не будил ее до самой Москвы, и Настя вынырнула из душного сна совершенно разбитая. Машина стояла возле большого супермаркета, в двух шагах от дома, где жил Самойлов.

— Мы почти на месте, — обернулся и доложил он. — Сейчас закупим провизию и запремся в квартире. Будем вырабатывать стратегический план.

Заметив, что она ни чуточки не воодушевилась, добавил:

— Тебе должно быть передо мной неудобно, потому что ты втянула законопослушного гражданина, то есть меня, в скверную историю.

— Мне неудобно.

Настя вылезла из машины и стала осторожно разминать конечности.

— Я слежалась, как старое пальто, — пожаловалась она.

— Хочешь, я сам сбегаю в магазин? — предложил он. — Оставайся. Придешь немного в себя.

— Ладно, — кивнула Настя, и Самойлов оставил ключ в замке зажигания.

Настя стояла и смотрела, как он идет, энергично шагая по широкому пандусу. И тут что-то ее обеспокоило. Она не сразу поняла — что. А когда поняла, ничего сделать уже было нельзя.

К Самойлову с двух сторон двигались люди. Они вынырнули невесть откуда, словно их надуло ветром. Четверо ничем не выделяющихся из толпы мужчин, по двое с каждой стороны.

Он тоже заметил их слишком поздно. Настя видела, как они взяли его в «коробочку» и стали теснить назад, на дорогу, куда уже подкатил низкий темный автомобиль. Он даже не остановился — только притормозил.

Самойлов обернулся назад, к Насте, и крикнул:

— Беги! Уезжай!

Он предлагал ей бросить его. Он требовал практически невозможного. Ей понадобились несколько секунд и вся ее сила воли, чтобы решиться. Проклиная все на свете, она таки забралась на водительское место и, суетясь, путаясь, начала разворачиваться, слепо тычась в чужие бамперы.

Ей некогда было смотреть, что происходит сзади. Только выезжая со стоянки, она обернулась и увидела, что темного автомобиля нет возле магазина. И Самойлова тоже нет. Странно, что за ней никто не гнался, хотя она была вся как на ладони.

Настя остановила «Жигули» на обочине и стиснула руль. Она опять осталась одна. Конечно, кое-что изменилось. Теперь у нее есть кассета — все-таки вещественное доказательство. В ее жизни появился Самойлов, как бы она к этому ни относилась. И еще. Теперь она знала имя своего врага.

* * *

Настя загнала «Жигули» на большую стоянку и заглушила мотор. По городу ездить больше нельзя. Уже поздно, ее в любой момент может остановить милиция, и тогда она снова будет уязвима — без прав, без денег и без надежды выбраться из передряги целой и невредимой. И вытащить Самойлова.

Она стала думать о Самойлове, и все у нее мешалось в кашу. Как их выследили? И, главное, кто? Если бы это был Ерасов, то он, конечно, велел бы забрать и Настю. Впрочем, возможно, типы, которые напали на него, Настю не видели? Или она все-таки им не нужна? Настя терялась в догадках. Через некоторое время она решила, что это происки «КЛС». В самом деле: до тех пор, пока Олег не связался с ней, ему ничто не угрожало. Значит, причина в ней. А у нее один враг — «КЛС» во главе с Ерасовым.

«Наверное, дело было так, — неожиданно догадалась Настя. — Самойлов обратился к хакерам с просьбой найти сведения о Ерасове. Хакеров быстро вычислили, пришли к ним и потребовали сказать, для кого информация. Хакеры дали имя и адрес Самойлова. Когда типы из «КЛС» явились к нему домой, мы с ним уже ехали в Углич. Тогда Ерасов решил оставить засаду — в квартире и возле магазина. Наверное, они точно знали, где Самойлов отоваривается. Небось рылись в его помойном ведре и нашли там фирменные пакеты супермаркета.

«Одну женщину из-за меня уже убили, — тоскливо подумала Настя. — Теперь ни за что ни про что достанется Самойлову». Она всем сердцем надеялась, что он жив. Может быть, его захватили в качестве приманки? Для нее.

Насте очень хотелось переложить на кого-нибудь бремя, которое совершенно неожиданно пало на ее плечи. Ах, как права была Люся, когда призывала ее выйти из игры, пока не поздно. Вот теперь уже точно поздно. Самое ужасное, что у нее нет выбора. Она просто не может бездействовать.

Перво-наперво она решила обследовать «Жигули». Вдруг у Самойлова есть что-то, что может пригодиться? Настя принялась за дело и не пропустила ни одного квадратного сантиметра площади.

Находки были потрясающими. Во-первых, пять стодолларовых купюр, втиснутые в коробочку из-под лекарства и засунутые в аптечку. Во-вторых, мобильный телефон. Но самое главное — пистолет. Настя ничего не понимала в оружии. Настолько, что даже не могла проверить, заряжен он или нет. Впрочем, даже если бы она точно знала, что он не заряжен, все равно воспользовалась бы им в качестве орудия устрашения.

Устрашать она собиралась Ерасова. Она не задавала себе вопрос, сможет ли до него добраться. Она спрашивала себя: как? Как до него добраться? Как встретиться один на один с главой фирмы, которая занимается заказными убийствами? Жизненный опыт ничего ей не подсказывал. Здесь требовался опыт другого рода, а его-то как раз и не было. Настя стала вспоминать фильмы и книги подходящего жанра, но не преуспела. В них одни группировки боролись против других группировок. Она не знала ни одной.

Тогда она решила опираться на логику и действовать в соответствии с ней. Сначала следует выяснить, по какому из трех указанных в распечатке адресов реально проживает Ерасов. Или он постоянно перемещается из одной квартиры в другую? Заодно нужно посмотреть, что у него за охрана, как он проводит свободное время и появляется ли в офисе своей фирмы. В общем, за Ерасовым надо понаблюдать. Причем сделать это незаметно.

Настя подремала несколько часов, потом начала составлять конкретный план действий. Прежде всего — поменять деньги. И не так, как она сделала это в прошлый раз! Потом зайти в магазин и купить удобную одежду и обувь. Заниматься слежкой на таких каблуках и в сарафане, который оборачивается вокруг лодыжек, совершенно немыслимо. Если придется убегать, ее догонит даже ребенок. Еще что-то требовалось сделать с волосами. В тот раз она погорячилась. Надо же было постричься так коротко! Теперь ей светит только головной убор или парик.

Когда первые автомобили начали трогаться с места, развозя своих хозяев по служебным кабинетам, «Жигули» незаметно влились в общий поток. Сейчас нельзя ничем выделяться, нужно двигаться в толпе, слиться с ней.

Доллары Настя всегда меняла в отделениях Сбербанка, и на этот раз не изменила себе. Правда, в кошелек положила не все, а только две сотенные купюры. Остальное богатство сунула в эластичный гольф, который привязала морским узлом к бретельке бюстгальтера. Такой способ хранения сокровищ она подсмотрела у одной ушлой старухи. Тогда он показался ей страшно смешным, и она с удовольствием рассказывала о «сейфе» своим знакомым. Но вот настали и для нее черные времена.

Перед окошком обменного пункта стояли три человека. Настя пристроилась в хвост очереди и прижала к себе сумочку с такой силой, словно собиралась навсегда вдавить ее в живот. Неожиданно кто-то тронул ее за локоть. Она резко обернулась и увидела перед собой тощего юношу с жидкими усиками.

— Девушка! — начал он, но Настя его не дослушала.

— Уйди, гадина! — воскликнула она, наступая на него грудью. — Не подходи ко мне! Чтобы через минуту духу твоего здесь не было!

Юноша отступил. Его острый кадык нервно забегал по тощей шее. Девушка, менявшая деньги, возилась и возилась. Мужчина, стоявший впереди, несколько раз вздохнул, переступил с ноги на ногу, потом повертел головой по сторонам и обернулся к Насте.

— Послушайте, — обратился он к ней и наткнулся на полный ненависти взгляд.

— Пошел к черту! — тихо сказала Настя.

Проходивший мимо мужик в учительских очках укоризненно заметил:

— Дама! Вы же в общественном месте!

— И ты пошел к черту, — накинулась на него Настя.

Тут она увидела, что молодой человек с усиками не ушел, а топчется неподалеку, бросая на нее косые взгляды. Настя согнула палец и поманила его к себе. Тот быстро подошел, словно ждал приглашения.

— Если сейчас же не испаришься, я тебя сдам органам, — пообещала Настя, понизив голос.

— Но за что?

— Рожа мне твоя не нравится, вот за что.

— Но мне надо доллары поменять!

— Десятками? — ехидно спросила та.

В это время к ним ленивой походкой подошел охранник.

— Что случилось? — спросил он, засунув большие пальцы за ремень.

— Что случилось, что случилось? — напала на него Настя. — У вас тут мошенники по банку разгуливают, а вы глазами хлопаете. Вот аферист в чистом виде.

— Ваши документы, — потребовал охранник.

— Вы не имеете права проверять у меня документы! — возмутился молодой человек.

— Значит, сейчас я вызову милицию. Она-то имеет такое право.

— Почему вы ко мне прицепились? — рассердился молодой человек.

Настя краем уха слушала перебранку. Тут как раз подошла ее очередь обменивать деньги. Она обменяла и вышла из банка с чувством глубокого удовлетворения. Позади нее все еще кричали и ссорились.

Следующим пунктом программы был вещевой рынок. Здесь она приобрела джинсы, футболку, кроссовки и забавную панаму, похожую на шляпку поганки. На всякий случай она решила купить парик. И купила —

глубокого каштанового цвета, с крутыми локонами, падающими на плечи. Парик был большой, а Настино лицо — маленькое. В нем она походила на школьницу, которая собирается попробовать себя на панели.

— Так, — сказала она самой себе, засунув руку под парик и почесав лоб, — теперь надо поесть и двигать на первую квартиру Ерасова.

Она подбадривала себя тем, что дело сдвинулось с мертвой точки, и старалась не думать о том, где сейчас Самойлов и что с ним.

Оставив «Жигули» на соседней улице, Настя достала из «бардачка» сигареты и гуляющей походкой обошла вокруг дома. Дом был новый, улучшенной планировки, внизу сидел консьерж и не пускал внутрь посторонних.

Настя завернула в сквер, разбитый напротив, и, присев на скамейку, лениво обозрела фасад. На втором этаже женщина средних лет мыла окна. Она расставила на подоконнике бутылочки с чистящими средствами и энергично работала тряпкой. Настя подумала: а вдруг это прислуга Ерасова? Судя по всему, у него непременно должна быть прислуга. В самом деле, шутка ли — три квартиры? Даже если в двух из них не жить, надо же вытирать пыль и проветривать. Сам он наверняка этим не занимается. Для таких вещей нанимаются специальные люди.

Настя торопливо поднялась и, дойдя до ближайшего магазина, купила большую коробку конфет. Вернулась к дому и, войдя в подъезд, подала коробку консьержу.

— В четвертую квартиру, Ерасову, — сказала она, убрав из голоса всякие интонации. Пусть консьерж думает, что она обычный курьер, что она устала от беготни по городу, и ей нет дела до того, что и кому она привозит.

У нее все получилось так, как надо. Консьерж кивнул и принял коробку. Потом постоял, подождал, пока она выйдет. Настя отошла в сторону и стала следить за

мойщицей окон. Некоторое время наверху ничего не происходило. Потом движение тряпки замедлилось, и женщина повернула голову, поглядев внутрь квартиры. Положила тряпку на подоконник и отошла. Через пару минут вернулась с коробкой конфет в руках. Повертела ее, наклонилась и положила куда-то, вероятно, на стол. После чего снова принялась за работу.

«Так и есть, — подумала Настя. — Это его экономка!» С экономкой непременно следовало вступить в контакт. Если получится — завязать отношения. Конечно, дама могла оказаться излишне бдительной. Но попытка, как говорится, не пытка.

Настя сбегала к машине, сняла парик и водрузила на нос очки. Как вступить в контакт с экономкой? И как нужно выглядеть, чтобы внушить ей доверие?

Женщина вышла из подъезда только в пять часов вечера. Голодная Настя, которая все это время боялась уйти со своего поста, последовала за ней, урча животом. Прежде чем соваться к объекту, необходимо понять, что у него за характер. Хотя бы в общих чертах.

«Какой длинный и тернистый путь к цели!» — подумала Настя. Она очень надеялась, что экономка окажется обычной женщиной, со всеми присущими ей слабостями. Что ее не дрессировали и не запугивали. Только в этом случае она может завязать новое знакомство.

«Вдруг она клептоманка? — мечтала Настя, входя вслед за экономкой в магазин и виляя между полками с продуктами. — Вот бы мне удалось поймать ее за руку! Тогда бы она у меня не отвертелась! Я бы смогла задать ей любые вопросы о Ерасове!» Мечтам ее не суждено было сбыться: экономка расплатилась за каждую покупку и с двумя сумками направилась к остановке троллейбуса. Настя обрадовалась, что не пришлось бросать машину и спускаться в подземку.

Троллейбус укатил аж за метро «Речной вокзал».

Здесь экономка сошла и, резво шагая, скрылась в подъезде типовой пятиэтажки, глядящей окнами на шоссе. Настя вбежала следом, чтобы заметить номер квартиры. Потом стала придумывать, как выкурить экономку из дому или, наоборот, попасть к ней. В голову лезли дикие вещи, вроде инсценировки налета с применением оружия.

Можно, конечно, позвонить в дверь и сказать, что она переписывает население. Но что, если запуганное население в лице экономки потребует у Насти документы? Настя слышала, будто переписчиков снабдили кучей бумаг, призванных доказать их государственный статус.

В конце концов она решила сделать ставку на простую человеческую алчность. Легкие деньги — тот самый соблазн, против которого не сможет устоять ни одна, даже самая верная экономка.

Настя заперла машину и решительно шагнула на тротуар.

— Кто там? — в лучших отечественных традициях спросили из-за двери.

— Я из фирмы «Арктур косметик», — нежным голоском пропела Настя. На самом деле она чувствовала себя серым волком. А хозяйка выступала в роли сразу всех семерых козлят.

— Я ничего не покупаю, — поспешно ответила та.

— Да я ничего и не продаю! — не менее поспешно отозвалась Настя. — Мы всего лишь проводим анкетирование. Можете немного подработать. Деньги я плачу сразу. За сущую ерунду!

Дверь приоткрылась на ширину любопытствующей физиономии. На вид экономке было лет пятьдесят. Она завивала волосы щипцами, о чем свидетельствовали паленые концы, и чрезмерно увлекалась косметикой.

— А сколько платите?

— Триста рублей за пятьдесят вопросов, — сымпровизировала Настя.

— А что надо делать? — не отставала та.

— Да просто отвечать, и все! — широко улыбнулась Настя.

— А какие вопросы? — Это уже было отступление. Экономка сдавала одну позицию за другой.

— Ерундовые. Чем мажете лицо на ночь, сколько рублей в месяц тратите на мыло, и тому подобное.

— А вы одна?

— Как пальма в пустыне.

— И сразу заплатите?

— Деньги вот. — Настя показала триста рублей. В тот же миг крепость пала.

— Может быть, мы на кухне? — спросила экономка, взволнованно стуча шлепанцами по паркету.

Настя согласилась «работать» на кухне, где проглотила предложенный кусок пирога и выпила чашку чая.

— Целый день крутишься, — пожаловалась она, объясняя свой зверский аппетит, — и просто не успеваешь позаботиться о себе. И к тому же едва сводишь концы с концами.

Это было очень правильное замечание. Оно нашло отклик в чувствительном сердце трудящейся женщины.

— Кстати, как вас зовут? — спросила Настя, от фонаря назвавшаяся Надей Кузнецовой.

— Фая. То есть Фаина, — застенчиво призналась экономка. — А вам моя фамилия нужна?

— Да нет, — махнула ручкой Настя и достала из сумочки блокнот. — Вы интересуете фирму не как личность, а как потребитель товаров.

После десятка сумбурных вопросов и не менее сумбурных ответов анкетирование зашло в тупик. Настя решительно не знала, что еще спрашивать, поэтому отвлеклась от расспросов и искусно втянула Фаину в беседу на общие темы. «А я, оказывается, жутко коварная женщина! — со страхом подумала про себя Настя. — Вот так живешь и не подозреваешь, что ты способен лгать, изворачиваться, жить под чужим именем и не испытывать при этом никаких угрызений совести».

— А вы знаете, что до недавнего времени я работала няней в одной состоятельной семье? — «призналась» она, рассчитывая, что, если посплетничает о воображаемых хозяевах, Фаина, в свою очередь, расскажет что-нибудь о своих.

Задача была не из легких, однако у Насти все получилось. Экономка откликнулась на доброе слово и принялась болтать с таким воодушевлением и с такой быстротой, будто у нее где-то под языком была вмонтирована батарейка. Настя была счастлива.

Часа через полтора она выкатилась на улицу, обогатившись потрясающей информацией. Если бы Ерасов об этом узнал, он отстрелил бы Фаине ее паленую голову. Во-первых, она выболтала, что большую часть времени Геннадий Витальевич проводит в своем коттедже неподалеку от МКАД. А две городские квартиры — не более, чем вложенный капитал. Фаина имела доступ ко всем трем жилищам и давно изучила привычки хозяина.

Жемчужиной ее болтовни стал рассказ о молодой женщине, которую раз в неделю доставляют к боссу домой в шикарном красном автомобиле.

— Она артистка, — доверительно сообщила Фаина, и ее вытаращенные мушиные глазки выплеснули наружу порцию зависти. — Шофер подъезжает за ней к театру в субботу вечером. А в воскресенье увозит. Хозяин очень ценит эти свидания. Никогда не назначает на выходные деловых встреч. А она-то, она-то, Диана, является к нему все время то в одном образе, то в другом. Один раз переоделась индуской, нарисовала красную точку на лбу и глаза подвела до ушей. Настоящая артистка! Наверное, его это развлекает, потому он за нее так

держится. Мужчины, они ведь очень быстро начинают скучать! — со знанием дела добавила она.

— А эта Диана — настоящая артистка? Известная? — с загоревшимися глазами спросила Настя.

— Играла Зою в сериале «Месть без пощады». Знаете?

— Конечно! — с чувством воскликнула Настя, которая после незабвенной «Дикой Розы» не смотрела ничего длиннее двух серий. — Диана... Диана... Как же ее?

— Раткевич, — подсказала бестолковая Фаина.

— Раткевич, конечно! — обрадовалась Настя. — Кажется, она в Театре Маяковского играет.

— Нет, в театре-студии, — поправила та. — Недалеко от Трубной площади. Там еще над входом лампочки разноцветные мигают. Я один раз ходила ее смотреть, мне ведь интересно!

— Ну, и как она? — заинтересовалась Настя.

Фаина немного подумала, потом с одобрением заметила:

— Фигуристая.

«Судьба показывает мне тропинку, — думала Настя, подъезжая к Трубной площади. — Надо только осторожно шагать, чтобы не оступиться и не сломать шею». Совокупный мировой опыт доказывал, что именно с помощью женщины можно добраться до любого мужчины. Даже такого опасного, как Ерасов. Женщина — это его ахиллесова пята.

Настя пока еще плохо представляла себе, каким образом можно использовать Диану Раткевич. Для размышлений у нее есть сутки. Сегодня пятница. Значит, завтра после спектакля за девушкой приедет автомобиль ее любовника. Интересно, он посылает одного шофера или есть еще телохранитель? С другой стороны, зачем ей телохранитель, если остальные шесть дней в неделю она живет жизнью рядовой российской актрисы?

Как бы то ни было, а на Диану Раткевич стоило посмотреть. Настя довольно быстро нашла то, что искала. «АБВ» — мигали над входом разноцветные лампочки. А ниже шло более пространно: Театр-студия Андрея Актиненко.

Настя не знала, кто такой Андрей Актиненко, и никогда не слышала о его театре-студии. Теперь у нее появился повод ознакомиться с репертуаром и тщательно изучить афиши. Поскольку времени было вагон, а ночевать все равно предстояло в машине, Настя купила билет на вечерний спектакль. Как следовало из программки, Диана Раткевич исполняла в нем роль цыганки.

Когда она появилась на сцене, Настя едва не присвистнула. Это было тело! Оно просто вопило о том, что создано для любви и нечеловеческой страсти. Такое тело даже жаль растрачивать на повседневные нужды. Его надо обожать, поклоняться ему, служить ему беззаветно. Черные волосы, бесподобные зубы, высокая, словно накачанная воздухом грудь, талия и бедра, похожие на перевернутую рюмку — все было свежим, живым, настоящим. Ног под длинным платьем Настя не разглядела, но можно поспорить на последнюю рубаху, что они выточены господом как полагается.

Сам спектакль напоминал бред сумасшедшего. Когда сумасшедший бредил, он при этом находился в глубокой тоске. У тех немногих зрителей, которые сидели в первых рядах, от зевоты выворачивало скулы. Одна Настя честно старалась уловить смысл происходящего на сцене, так как уже решила, что встретится с Дианой под видом журналистки. Должна же у них быть хоть какая-то тема для обсуждения! К тому же ей не привыкать.

Спектакль окончился, и под вежливые аплодисмен-

ты публики актеры удалились за кулисы. Настя тоже решила пойти за кулисы. Никто не пресек этот ее порыв, никто не окликнул, не спросил, что ей нужно. Нравы здесь царили самые вольные. К молоденькой актриске тотчас же закатились два молодых человека с бутылкой шампанского. Они тоже просочились сюда из зрительного зала.

Попасть в интересующую Настю гримерку было пустячным делом. Мысль о том, что о ней кто-нибудь что-нибудь напишет, показалась Диане Раткевич по-настоящему волнующей. Она заинтересовалась до такой степени, что пригласила Настю к себе, даже не сняв костюма. Та важно сообщила, что ведет театральную рубрику в журнале «Московский сезон», и во второй раз за сегодняшний день представилась Надей Кузнецовой. Журнала такого и на свете не было, и Настя, из которой без затруднений вылетело это название, почувствовала себя лгуньей экстра-класса. Надо же: она уже врет, не задумываясь!

Настя устроилась на крохотном диванчике возле зеркала, Диана села напротив и с удовольствием принялась повествовать о своей жизни. Настя знала, что надо не перебивать, а кивать. Она кивала и кивала, пока не стала клевать носом. Диана тем временем так увлеклась подробностями собственной биографии, что даже не обратила внимания на то, что журналистка ничего не записывает.

— И напоследок личный вопрос, — встряла наконец в ее монолог Настя. — Почему столь привлекательная женщина не замужем?

— Ну... Возможно, — Диана повела плечом, — возможно, скоро мне сделают предложение.

— У вас есть жених?

— Просто любимый мужчина. Он — необыкновенный.

— Красивый? — с неподдельным любопытством спросила Настя.

— Очень!

«Вот черт! — расстроилась Настя. — Ерасов красивый!» Внезапно ей в голову пришла безумная мысль, которая отразилась на ее лице неподдельным испугом.

— Скажите, он блондин? — жестко спросила она. — Узколицый, с голубыми глазами?

— Шатен, — ответила Диана, и Настя от облегчения едва не свалилась под стул.

Она-то подумала: вдруг это Мистер Вселенная! Хотя вряд ли большой босс отправился бы обрабатывать Настю. Он не занимается мелочовкой. Для этого у него есть армия исполнителей.

Однако теперь, когда речь зашла о Ерасове, о ее враге, надо вытащить из Дианы все, что возможно.

— Он романтик? — привязалась к ней Настя.

Задавая этот вопрос, она рассчитывала, что Диана вспомнит о субботних свиданиях и выдаст какую-нибудь занимательную подробность.

— Он встречает вас после спектакля с цветами?

Видимо, цветами ее не баловали, поэтому ответ слегка запоздал:

— Он присылает за мной машину с шофером, — поспешила похвастаться Диана. — Мы едем в прекрасный загородный дом, садимся за низкий столик возле камина...

«В такую жару? — подумала Настя. — Вероятно, богатые сначала охлаждают своих любовниц при помощи кондиционера, а потом согревают их у камина. В самом деле: надо же как-то использовать все, что они купили».

— Чудесный романтический ужин при свечах...

Диана пошла вываливать на Настину голову все, что казалось ей достойным пера. Настя кивала, мысленно отбрасывая все эти розовые слюни, как пустую породу.

— Скажите, как можно с вами созвониться? — по-

интересовалась она, когда поток красноречия Дианы иссяк.

— Звоните мне на мобильный! — актриса достала из сумочки блокнот с отрывными листочками и нацарапала на нем номер. — Всегда к вашим услугам. Не отвечаю, только если нахожусь в постели или на сцене.

Прощаясь с ней, Настя сказала:

— Если у меня возникнут какие-то вопросы, я еще загляну завтра. Вы ведь не возражаете?

Диана не возражала. Визит журналистки из неведомого «Московского сезона» поднял ей настроение, и, уходя, Настя слышала, как та напевает: «Пусть в твои окна смотрит беспечный розовый ве-е-ечер...»

В сущности, вариант развития событий был только один. Вывести за скобки Диану Раткевич, переодеться в ее платье, прикрыв лицо какой-нибудь шляпкой или вуалью, и, как ни в чем не бывало, выйти из театра. Сесть в машину, ухитрившись не выдать себя шоферу, войти в особняк Ерасова и там, в каминной, наставить на него пистолет. Потребовать, чтобы немедленно привели Самойлова. И когда его приведут, передать ему оружие. Уж он-то будет знать, что делать дальше!

«Все это страшно смахивает на водевиль, — мрачно размышляла Настя, завернув в китайское кафе, где она рассчитывала задешево наесться сладкой свинины и обожаемых ею маринованных грибов. — Единственное, на что остается уповать, так это на эффект ожидаемости события. Шофер ждет, что из театра появится именно Диана Раткевич. Поэтому он не будет особо присматриваться к тому, кто оттуда выйдет на самом деле».

Теперь предстояло обдумать, каким образом убрать с места действия саму Диану. Ничего особо затейливого в голову не приходило. Ударить по голове и связать? Дать ей подышать хлороформом и оставить в шкафу в гримерке? Но где взять хлороформ? Может быть, его

---

продают в аптеке, но как Настя объяснит, для чего он ей нужен, если вдруг окажется, что купить его без рецепта нельзя? Продавцы в аптеках бывают такими настырными в расспросах!

Нет, лучше всего вызвать Диану куда-нибудь сразу после спектакля. Придется изобрести какую-нибудь особенную гадость, чтобы она убежала, не заботясь о том, чтобы предупредить любовника об изменившихся планах. Сказать, допустим, что у нее в квартире прорвало трубу и вода уже залила весь дом. Отлично, как раз то, что надо. Ей будет не до звонков Ерасову».

У Насти оставалось достаточно времени, чтобы в подробностях представить себе, как все будет происходить. Самыми яркими рисовались ей первые сцены с переодеванием. Самыми туманными — картины пребывания в каминной Ерасова и ужин при свечах. Нет, конечно, до ужина дело не дойдет. Как только они останутся наедине, она тотчас же достанет ствол и скажет, что желает видеть Самойлова.

«А что, если Самойлова уже нет в живых? — шевельнулся в груди у Насти маленький червячок, который, оказывается, все это время точил ее сердце. — Что, если я потребую привести его, а приводить будет некого? И охрана Ерасова отберет у меня пистолет, потому что я не сумею им воспользоваться?»

Насте не хотелось об этом думать, но она решила, что в ее положении лучше все-таки быть реалисткой. Да, конечно, ее план вполне может провалиться. Или вмешается судьба, и все пойдет не так, как она задумала. «Нет, на один пистолет полагаться нельзя, — решила она. — Кроме него, при мне должно быть еще какое-то оружие».

Утро субботы она потратила на то, чтобы должным образом экипироваться. В хозяйственном магазине купила массу полезных вещей. Например, маленькую отвертку — ею можно выколоть Ерасову глаз. Еще отвес

на длинной прочной леске — им можно Ерасова задушить. И крошечный распылитель, который она до краев наполнила ацетоном. Если в нужный момент брыз-
нуть им в рот, парализует не только органы речи, но и
мозг. У Насти был детский опыт. Она точно знала, что
при удачном попадании ацетона на язык человек надолго утрачивает координацию движений и принимает-
ся скакать, как рехнувшаяся макака.

Лишь после того, как все было приготовлено, Настя
поехала за МКАД отыскивать загородный дом Ерасова.
Она должна там все осмотреть. Нужно отлично ориен-
тироваться на местности, ведь этим вечером случиться
может что угодно! Кроме того, если им с Самойловым
придется уходить, у них под рукой должно быть верное
средство передвижения.

Жилище Ерасова отыскать не составило труда. Он
обосновался в коттеджном поселке на сто домов в особ-
няке с номером пять. «Это хорошо, что почти с краю, —
думала Настя, пряча «Жигули» в лесочке, куда привела
ее старая колея. — Можно быстро смыться. Особенно
если кого-нибудь из нас ранят».

Возвращаться в Москву пришлось на попутке. Она
сразу велела везти себя на Трубную, где принялась ме-
рить шагами бульвар, точно это была ее гостиная. За час
до начала операции Настя так разволновалась, что почувствовала тошноту. «Может, выпить таблеточку валиума? — подумала она. — Одна таблеточка сильно не
расслабит, зато я успокоюсь и не буду трястись, как
осина». Валиум она еще вчера выудила из аптечки Самойлова и переложила в свою сумочку.

Спектакль начинался в семь и заканчивался в половине десятого. «На поклоны особо рассчитывать нечего, — прикинула Настя. — Значит, в девять тридцать
пять Диана уже должна быть в своей гримерке. Не думаю, что шофер приезжает за ней именно в это время.

Ей ведь нужно снять грим, переодеться, привести себя в порядок перед встречей с любимым.

Конечно, если сообщить Диане по телефону, что у нее дома потоп, она воспользуется любым транспортом, чтобы как можно быстрее добраться до квартиры. Если в этот момент ей подвернется под руку автомобиль с шофером Ерасова, она помчится на нем. И тогда весь план провалится. Нет, Диана должна выйти из театра как можно раньше. Позвоню ей в девять тридцать две».

Настя подошла к служебному входу и спряталась за углом. В одной руке она держала мобильный телефон, а другую поднесла к глазам, чтобы следить за стрелкой часов. Как только сравнялось девять тридцать две, она решила — пора! И тут телефон издал тихий, умирающий писк. На дисплее появилась надпись: «Просьба зарядить батарею». Еще один писк — и трубка отключилась. Настя смотрела на нее, не веря своим глазам. Потом на ватных ногах вышла из-за угла и огляделась по сторонам.

Ближайший телефон-автомат торчал возле продуктового магазина. Настя нащупала в кармашке сумочки телефонную карту и, глубоко вдохнув, бросилась бежать. Операция не должна сорваться! Не должна! У самой Насти никогда не было мобильного телефона, поэтому она и не подумала о том, что аппарат может внезапно отрубиться.

Под стеклянным колпаком уличного телефона-автомата стоял парень в турецком спортивном костюме, с гладко выбритой башкой. Настю он приметил еще издали и сразу оценил ее разгон, поэтому заблаговременно повесил трубку и отступил в сторону.

— Чего, пожар? — сочувственно спросил он, когда Настя дорвалась до аппарата.

— Наоборот! — крикнула она, не в силах с лету восстановить дыхание. — Наводнение!

То, что она так сильно запыхалась, сыграло ей на руку. Когда Диана услышала ее предсмертные хрипы и неразборчивые вопли, то сразу же прониклась серьезностью момента.

— Соседей! Затопили! В квартире все плавает! С балкона льется! Караул! Кошмар! Катастрофа!

«Надеюсь, я успею перехватить ее еще в гримерке, — подумала Настя. — Мне ведь надо переодеться в ее тряпки! А что, если Диана бросится спасать свое добро прямо в театральном костюме, на который я так рассчитываю?»

Она не пробежала еще и половины дистанции, когда случилось ужасное. В конце улицы показался красный автомобиль. Он вполне подходил под данное экономкой Фаей определение «шикарный». Именно на таком шофер Ерасова возил Диану Раткевич к своему боссу.

«Все пропало! — в отчаянии подумала Настя. — Сейчас эти двое столкнутся, и мой план рассыплется, точно карточный домик». Этого нельзя было допустить. Поэтому вместо того, чтобы затормозить у театра, Настя полетела дальше, разогнавшись, словно торпеда. Пока красный автомобиль мирно стоял перед светофором, Настя шла на мировой рекорд по бегу на короткие дистанции.

Она успела. Зеленый еще только-только загорелся. Автомобиль плавно тронулся с места, и тут она выскочила прямо на дорогу и принялась размахивать руками у себя над головой. За рулем сидел жгучий брюнет, похожий на испанца, и смотрел на нее во все глаза. Ему отлично подошло бы имя Фернандо или что-нибудь в этом роде. Он смотрел, а Настя скакала.

Наконец шоферу зрелище надоело, и он попытался забрать вправо, чтобы объехать неожиданное препятствие. Настя обернулась назад и увидела, что Диана сбегает по ступенькам служебного входа и бросается на шоссе ловить попутку. Невооруженным глазом было видно, что она потеряла голову. Итак, надо выгадать еще только пару минут.

Чтобы не дать красному автомобилю улизнуть, Настя тоже подалась вправо и храбро легла ему под колеса. Шофер рассердился и вылез из машины. Настя лежала на спине, запрокинув голову, и наблюдала за тем, как Диана Раткевич садится в сильно потрепанную «Волгу» и захлопывает за собой дверцу.

— Ну, и что это значит? — спросил предполагаемый Фернандо, уперев руки в джинсовые бока.

Валяться на асфальте больше не было надобности, поэтому Настя тотчас поднялась на ноги и недовольно ответила:

— Что, что? Шла, упала, потеряла сознание... Езжай, дядя, куда ехал.

Шофер с большим чувством сплюнул и снова сел за руль. Сильно хлопнул дверцей. Настя же подхватилась и помчалась к зданию театра. Только бы Диана не заперла на ключ свою гримерку!

Она оказалась такой милой, что не заперла. По дороге Насте встретилась женщина в кружевном платье и шляпке с вуалью, которая взглянула на нее лишь мельком. А больше в коридорах не было никого. Наверное, актеры разоблачаются после спектакля, а обслуживающий персонал проверяет, все ли в порядке на сцене.

Схватив цыганское платье, брошенное на стул, Настя приложила его к себе. Счастье, что она ненамного тоньше любовницы Ерасова и примерно того же роста. Она стащила с себя джинсы и кроссовки и достала предусмотрительно прихваченные босоножки. Затем высыпала из пакета на столик перед зеркалом все, что нужно для вояжа.

Во-первых, чулки, чтобы засунуть за широкую резинку отвертку и флакончик с ацетоном. А также эластичный бинт, с помощью которого она собиралась

прикрутить к какой-нибудь части тела пистолет. Наконец, сам пистолет и парик, призванный придать голове нужный объем — ведь у Дианы длинные волосы!

Когда все было засунуто, прикручено и прилажено, Настя полезла головой в платье. И вот тут-то выяснилась одна совершенно ужасная подробность. Лиф платья был пошит таким образом, чтобы вместить в себя весь без исключения бюст Дианы Раткевич. Настя со своими параметрами там и рядом не валялась. Встав перед зеркалом, она критически оглядела уныло обвисший верх. Ежу понятно: надо подложить что-нибудь в бюстик, но что?

Настя попробовала засунуть в вырез платья носовой платок. Однако второго носового платка у нее не было, и она воспользовалась шелковой косынкой, болтавшейся на зеркале. Грудь получилась несимметричной и какой-то кособокой на вид. Вытащив все обратно, Настя в очаянии огляделась по сторонам.

На низком столике в углу стоял роскошный парфюмерный набор в плетеной корзинке. Флаконы и баночки были уложены в нарезанную на воздушные ленты гофрированную бумагу. Настя решила, что это лучшее из всего, что можно придумать. Но вот незадача — гофрированной бумаги хватило только на одну чашечку. Однако на самом дне корзинки обнаружилась разноцветная пенопластовая крошка, которая без колебаний была пущена ею в дело. Результат Насте понравился. Все в ее фигуре стало круглиться, как полагается.

Теперь нужно подумать, куда спрятать лицо. Можно набросить на голову косынку и завязать ее так, чтобы остались одни глаза. Если Диана постоянно переодевается, чтобы порадовать своего любовника и взбодрить его новизной, то он вряд ли сильно удивится, увидев ее в таком виде. Однако Насте казалось, что платок — не слишком удачная мысль.

Кроме цыганского платья и полагающихся к нему

аксессуаров, в гримерке не было никаких костюмов. Вероятно, они хранятся там, где им и полагается, — в костюмерной. Как отбить у костюмерши что-нибудь подходящее, Настя не представляла. Но тут она вспомнила о встреченной в коридоре женщине в шляпке с вуалью.

Ей потребовалось пятнадцать минут на то, чтобы обнаружить, где переодевается та женщина, дождаться, пока она выйдет из гримерки, и выкрасть шляпку. Настя посмотрела на часы и заторопилась — уже начало одиннадцатого. Еще не хватало, чтобы Диана позвонила своему любовнику. Надо торопиться! Насте главное — попасть в дом. А там — хоть трава не расти.

Как назло, вуаль оказалась недостаточно густой. Настя схватила эластичную сетку, в которой Диана хранила бигуди, выбросила их вон и подсунула сетку под шляпку. Получилось то, что надо. Ее физиономию вряд ли кто теперь разглядит. Что ж! Вперед!

* * *

Самойлов вошел в знакомый кабинет, обставленный дорого и с большим вкусом. Его босс сидел за длинным столом, скрестив на груди руки. Это был пожилой мужчина с сединой в волосах и длинными некрасивыми складками вокруг рта. На двери его кабинета висела табличка с фамилией Зараев.

— Садись, Олег, — предложил он, указав подбородком на стул.

Самойлов секунду колебался, потом все же сел, не коснувшись позвоночником спинки.

— Я что, под арестом? — холодно спросил он, глядя боссу прямо в лицо.

— Да что ты! Тебя просто ненадолго вывели из игры. И я тут совершенно ни при чем! — с нажимом добавил он, заметив, как Самойлов дернулся. — Это все милиция.

— Как же так получилось, что милиция вмешалась в самый последний момент? — процедил Самойлов. — Я разработал операцию, я посадил на крючок Шестакову, я вел ее за ручку и уже подвел к цели... И тут вдруг — раз, откуда ни возьмись появляется милиция!

— А вот про «откуда ни возьмись» я тебе могу объяснить, — повел бровью Зараев. — Ты — начальник службы безопасности. Сам подбирал людей. И лучше всех знаешь, какие у них остались связи.

— Хотите сказать, что, когда я начал следить за «КЛС», кто-то из моих людей стукнул ментам?

— Вот именно, — кивнул Зараев. — Я даже знаю, кто. Да и ты догадываешься. Позвонил этот человек своему покровителю Фокину и сказал: знаешь, Петр Иваныч, что-то интересное тут наклевывается. Самойлов начал разрабатывать одну фирму по уборке помещений. С чего бы это, а? А у Петра Иваныча уже и так по поводу этой фирмы подозрения возникали. Вот он и сел тебе на хвост.

— Но ведь нашей целью было сдать им «КЛС».

— И они нам верят! — хмыкнул Зараев. — Вот только наверху решили, что операцию надо довести до логического конца. И ты им в этом не помощник.

— Что значит — до логического конца? — спросил Самойлов, хотя и так знал.

— Это значит, — охотно принял подачу Зараев, — что Ерасова нужно заставить совершить преступление. На сегодняшний день прямых улик против него нет.

— Значит, Фокин хочет, чтобы Ерасов своими руками убил Анастасию Шестакову?

— Почему — убил? Попытался убить. Или приказал убить.

— Да им же всем наплевать на нее!

— Ну, что ты такое говоришь, Олег? Что ты кипятишься? Мое задание ты выполнил, досье на «КЛС» собрал. Да еще какое досье! Прокурор будет очень доволен.

— Разрешите, я от вас позвоню?

Зараев помедлил, потом неохотно кивнул. Самойлов резко придвинул к себе аппарат и начал нажимать на кнопки с такой скоростью, что тот едва не захлебнулся цифрами.

— Алло, наблюдатель? — тихо спросил Самойлов. — Ты на посту? Хорошо. Скажи, где она?

— Она, Олег Алексеевич, насколько я понимаю, собирается подменить любовницу Ерасова и отправиться прямиком в ад.

— Господи, зачем?

— Наверняка она думает, что вас схватили его люди. Что вы где-то там.

— Попробуй держаться рядом, — попросил Самойлов.

— Попробую. А вы, Олег Алексеевич?

— Я тоже попробую, — ответил он, прикидывая, как отвлечь и хотя бы на время вывести из строя приставленных к нему людей.

Он положил трубку и снова сел на стул. Было видно, что ему хочется выпустить пар, но он сдерживается.

— Шестакову надо страховать, — наконец произнес он ровным тоном. — Неужели вы не понимаете, в какой она опасности?

— С ней все будет в порядке, не волнуйся, — отмахнулся Зараев.

— Значит, ради того, чтобы отомстить Ерасову, вы готовы позволить ему убить еще раз? Пожертвовать невинным человеком?

— Я никогда никем не жертвую, — отрезал тот. — Кстати, если ты не забыл, Ерасов убил мою любимую женщину.

Самойлов поднялся на ноги и зло ответил:

— А теперь собирается убить мою.

* * *

Когда Настя шла по коридору к служебному выходу, ей навстречу попался мужчина в синей спецовке. Увидев ее, он остановился и открыл рот. Поскольку, одеваясь, Настя думала только о пользе дела, она не сообразила, что шляпка с вуалью плохо подходит к цыганскому платью. Примерно так же мог бы смотреться черный фрак в паре с голубыми джинсами. «Ладно, прорвемся! — решила Настя и, проходя мимо спецовки, гордо вздернула подбородок. — В конце концов, я еду спасать жизнь Самойлова и свою, разве сейчас до красоты?»

Как она и ожидала, увидев на ступеньках служебного входа разряженное чучело, шофер выскочил из машины и открыл ей дверцу. Настя влезла на заднее сиденье, подхватив подол. Устроившись наконец как следует, она сложила руки на коленях и напряженно выпрямилась. Шофер молчал, ожидая, по всей видимости, какого-нибудь знака. Не дождался и тронулся с места.

«Слава тебе, господи!» — возликовала Настя, довольная, что все идет, как она планировала. Однако буквально через десять минут выяснилось, что радоваться рано. Вместо того чтобы прямехонько катить в загородный дом Ерасова, шофер съехал на обочину, заглушил мотор и, повернувшись к своей пассажирке, сальным голосом спросил:

— Что с тобой сегодня?

— Что? — глухо переспросила Настя, задыхавшаяся под черной вуалью.

— Ты даже не поцелуешь меня?

«Поцелуешь? — про себя ахнула та. — Вот это номер! Неужели пошлая интрижка с шофером?! Или у Дианы вместо мозга силиконовый протез, или она не знает, кто ее любовник на самом деле. Иначе она не стала бы так рисковать. А уж шофер какой болван!»

— Ну, так что? — продолжал настаивать болван и протянул руку, чтобы потрогать у Дианы что-нибудь мягкое. Настя не могла допустить, чтобы он шуршал гофрированной бумагой, поэтому больно стукнула его по клешне и сказала в нос:

— У бебя басморк.

— Ну, ладно, ладно, — шофер ни капельки не обиделся.

Он повозился на переднем сиденье, и через минуту в его руках оказалась плоская бутылочка, наполненная коричневой жидкостью, а также маленький стаканчик.

— Сейчас глотнешь коньячку и приедешь к боссу как новенькая! Твой насморк сразу пробьет. Это такая вещь!

«Коньячку? — ужаснулась Настя. — Ни в коем случае нельзя пить коньяк! После валиума меня развезет, как грязь на дороге!» Однако противный Фернандо наполнил стаканчик до краев и сунул ей в руки.

— Пей! — приказал он, глядя ей прямо в вуаль.

Если начать отказываться, он непременно поймет, что голос не тот. Для того чтобы отвлечь его и вылить коньяк на пол, тоже нужно сказать хоть пару слов. Дескать, смотри, олень пробежал.

Раздосадованная Настя засунула стаканчик под сетку и выпила в три больших глотка. Это оказалось неожиданно приятно. Коньяк был такой крепкий и ароматный, что захватило дух. Три глотка тремя горячими горошинами скатились в желудок и рассыпались в нем на миллион горячих искорок. Настя откинулась на сиденье и блаженно вздохнула.

— То-то! — сказал шофер и, к ее невероятному облегчению, снова завел мотор. Больше он уже к ней не лез, а включил радио и стал петь вместе с ним какие-то ужасные песни с ужасными рифмами типа «уснула — обманула», «было — позабыла».

«Вон в том лесочке стоят мои «Жигули», — машинально отметила Настя, когда они свернули к поселку. — Вернее, не мои, конечно, а Самойлова». Ей каза-

лось, что она неожиданно попала на Марс, а бухгалтером в банке работала когда-то давным-давно, на другой планете. Она не чувствовала себя собой. Это было странно и слегка пугало.

Однако к тому моменту, когда они приблизились к цели своего путешествия, все ее страхи развеялись. Причиной тому, несомненно, был кстати выпитый алкоголь.

Автомобиль въехал в ворота, которые плавно закрылись за ним, и подкатил прямо к крыльцу, пальнув гравием по клумбе с астрами. Настя выбралась из машины на волю и сладко потянулась. Несмотря на грозящую опасность, ей почему-то было хорошо. То есть умом она понимала, что ее могут разоблачить и даже убить. Убить — скорее всего. Однако это понимание притулилось где-то в самом уголке сознания. А на первый план вышло плотское удовольствие дышать полной грудью, улыбаться и смотреть в вечернее небо, запрокинув голову.

В результате всех этих манипуляций ее фальшивая грудь стронулась с места и начала потихоньку ссыпаться вниз. Шофер с невероятным удивлением наблюдал за тем, как любовница хозяина плавными зигзагами продвигается к крыльцу, оставляя за собой тоненькую дорожку из пенопласта. «Наверное, она сегодня уже выпила с поклонниками», — решил он.

Настя тем временем поднялась на крыльцо и налегла на дверь. Подлая дверь не поддавалась. «Может, у меня должен быть с собой ключ?» — вяло подумала она. Почему-то сейчас ей было все равно, что у нее должно быть и чего не должно. Проклятая дверь по-прежнему не открывалась. Настя крякнула и ударила в нее правым плечом. Остатки пенопласта высыпались на пол, образовав под ногами небольшую горку. Она ее даже не заметила.

«Интересно, что это из нее сыплется?» — подумал

шофер, удивленно разглядывая разноцветные пенопластовые крошки. Настя разбежалась и с кряканьем врезалась в неподатливый дуб.

— Минутку! — сказал шофер, обогнул ее и потянул за ручку.

Чертова дверь плавно пошла на него, открыв взору большой холл, выдержанный в зеленых тонах. Холл был пуст, и, оглядевшись, Настя увидела четыре двери, ориентированные на четыре стороны света.

— Где тут камин? — громко спросила она, оборачиваясь к шоферу.

Она уже совсем не боялась, что ее голос покажется ему странным. Коньяк с валиумом образовали внутри ее некое загадочное химическое соединение. Теперь ей все было по фигу. Настя смутно понимала, что должна чего-то опасаться. Или кого-то.

— Камин в той комнате, где ждет босс, — поведал шофер, стараясь сохранять на лице невозмутимое выражение.

Ах да! Босса, вот кого надо опасаться. Опасаться босса. Настя некоторое время размышляла, потом велела:

— Веди меня к нему!

Вздохнув, верный Фернандо пересек холл и остановился возле одной из дверей. Настя последовала за ним, примерилась и ударилась в нее всем телом. Дверь неожиданно для нее распахнулась, и она ввалилась в просторную комнату, устланную белым ковром. «Белый ковер — подумать только, какой разврат!» — гневно подумала Настя.

В комнате царил полумрак. Плотные шторы были тщательно задернуты, и только над столом, накрытым к ужину, мерцал настенный светильник.

Ерасов стоял у камина с бокалом в руке. Настя сразу поняла, что это именно он. Не стоило и сомневаться. У него была подходящая внешность для человека, ве-

дающего убийствами, — сильная нижняя челюсть, красивый широкий лоб, яркие глаза с дробинкой вместо зрачка и осанка победителя.

— Бо-оже мой! — со смешком протянул Ерасов, увидев то, что явилось его взгляду. — Вот это сюрприз так сюрприз. Дорогая, ты превзошла себя. Я бы не узнал тебя, даже если бы лишился из-за этого ночи удовольствий.

Настя понимала, что нельзя давать ему себя разглядывать.

— Погаси свет! — бархатным басом велела она.

— Как мило, — сказал он. — Это у нас сегодня что-то новенькое?

Он взял с камина зажигалку и поднес огонек к свече, плававшей в широкой вазе, украшавшей стол. И лишь когда свеча занялась, погасил светильник. В комнате стало почти совсем темно. Только фитилек плескался в плошке. Таинственные блики пробегали по хрусталю и дивным фарфоровым блюдам. Шестым чувством Настя поняла, что сейчас самое время доставать пистолет. Ерасов не заметил подмены, да и в комнате, кроме них, никого нет.

Пистолет она при помощи эластичного бинта примотала к правой ноге чуть выше коленки. Это было неудобно и даже больно, но она готова была вытерпеть и не такое. Настя наклонилась и начала поднимать юбку, путаясь в ее воздушных складках и ярусах. Ерасов неслышно подошел к ней и положил руку на плечо, тихо сказав:

— Ну-ка, подожди.

Настя осталась стоять, согнувшись пополам и прислушиваясь к тому, как чертов пузырек с ацетоном проваливается под резинку и медленно ползет по ноге. Она попыталась его поймать, но он выскользнул и соскочил еще ниже, к щиколотке. Пока Настя била по нему рукой, колпачок отвернулся, и жидкость пролилась на ковер.

— Чем это от тебя так пахнет? — с подозрением спросил Ерасов и, взяв Настю за плечи, поставил ровно.

Потом вытянул вперед обе руки и провел по ее платью. Тут же его брови взметнулись вверх. Одна грудь была большой и хрустящей, другой не было вовсе. Вернее, она, конечно, имелась, но слишком жалкая, чтобы принадлежать великолепной Диане Раткевич.

Настя поняла, что сейчас последует разоблачение. И пистолет, как назло, слишком туго примотан к ноге! Ерасов не даст ей времени, чтобы достать его и прицелиться. Сквозь складки платья она нащупала отвертку и выдернула ее из чулка. Наставила на своего врага острие. И когда он потянулся к вуали, отвела руку и резко выбросила вперед.

Ерасов с криком отпрянул, и Настя, решив, что выиграла время, полезла-таки под платье за оружием. Однако расчет ее не оправдался. Ерасов прыгнул и повалил ее на пол. Одной рукой завел руки за голову, другой быстро пробежал по телу и сразу же обнаружил пистолет.

От удара шляпка вместе с париком свалилась с Настиной головы и отлетела в сторону. Голова тоже чуть не отлетела в сторону. Поняв, что она в нокауте, Ерасов поднялся на ноги и ударил по выключателю. Под потолком вспыхнула огромная люстра, одним махом проглотив темноту.

Стриженая Настина голова выдавала ее с потрохами. Она лежала и смотрела в перевернутое лицо своего врага затуманенным взором.

— Так вот кто пожаловал ко мне в гости! — протянул Ерасов.

Из бедра, которое Настя проткнула отверткой, на брюках выступила кровь и капала на белый ковер. Но он не обращал внимания ни на кровь, ни на боль. С яв-

ным удовольствием он рассматривал женщину, которая доставила ему столько беспокойства. И вот она тут, поверженная, с вырванным жалом. Она еще будет ползать перед ним на коленях! Она еще попросит у него пощады. Она еще поскулит, вымаливая легкую смерть!

— Ну, милая, — сказал он, — ты и озорница! — Закинул голову и громко, освобожденно рассмеялся. — Я должен был сразу догадаться, что ты охотишься именно на меня. И обязательно подберешься близко.

Он склонился над Настей, ошпарив ее взглядом:

— Теперь ты так близко, что я уже чувствую запах крови.

— Конечно, чувствуешь, — выдавила из себя Настя. — Это пахнет твоя кровь.

— Пустяк! — отмахнулся Ерасов. — Царапина.

Неожиданно он протянул руку и схватил Настю за волосы. Да так сильно, что у нее слезы брызнули из глаз, а кожа на висках натянулась до последнего болевого предела.

— Поднимайся, озорница! — велел он и почти волоком дотащил ее до дивана.

Когда Настя попыталась подняться, он резко ударил ее кулаком по скуле. Мир рассыпался на цветные кусочки, и Настя на некоторое время потеряла способность двигаться. Ерасов между тем похромал к двери и, распахнув ее, крикнул в гулкое пространство холла:

— Эй, Стас! Принеси антисептик и пластырь! — Ему никто не ответил, тогда он докрикнул: — У меня тут поломка!

Тем не менее никакой Стас не пришел, и Ерасов, чертыхнувшись, вынужден был сам идти за аптечкой.

— Куда все, к черту, подевались? — пробормотал он и, подтащив стул поближе к дивану, стал стаскивать с себя брюки. — Они думают, у меня тут романтическое свидание!

Когда Настя немного пришла в себя, она вспомнила, что на шее у нее вместо украшения висит отвес на прочной леске. Вдруг ей удастся накинуть леску на Ерасова и затянуть концы?

Настя схватилась рукой за горло, словно ей нечем было дышать, и осторожно потянула. Гирька поползла вверх, и вот она уже между ключицами. Настя наклонила голову, совсем чуть-чуть, совсем капельку, но Ерасов заметил и протянул руку:

— Дай сюда!

Настя замешкалась, тогда он подошел и ударил ее по второй скуле. Ей показалось, что под потолком расцвели корявые красные цветы. Ерасов посмотрел на то, что отнял, поцокал языком и спрятал в карман.

— Такое впечатление, что ты собиралась на охоту. Это, наверное, силки. Но я птица высокого полета. Тебе меня не поймать. Даже забавно, что ты подумала, будто можешь со мной тягаться.

Настя раздула ноздри, но Ерасову даже ее мимика казалась неуместной.

— Не мешай мне, озорница! — равнодушно пробормотал он, принимаясь за перевязку.

Справившись с этим, достал из встроенного шкафа спортивные брюки и быстро натянул, стараясь не выпускать Настю из виду. Потом, все так же следя за ней, сходил к камину и вернулся, держа в руке пистолет с глушителем.

— Дорогая! — позвал он. — Вот и я. Теперь мы можем поговорить. Знаешь, мне даже хочется с тобой поговорить! Ты должна рассказать мне о своих приключениях. Чтобы я сделал выводы на будущее, понимаешь?

— Нет у тебя никакого будущего, — заявила Настя, облизав пересохшие губы.

— Ладно, кончай! — ухмыльнулся тот. — Тоже мне, партизанка!

— Но у тебя действительно нет будущего, — пожала плечами Настя, едва чувствуя язык во рту.

— Это ты пытаешься убедить меня или себя? Будущее у меня есть, дорогуша. Я собираюсь еще долго жить. Чего не могу сказать о присутствующих здесь дамах. — Он сделал дурашливый реверанс в ее сторону.

— Сам меня убьешь? — спросила Настя, разглядывая его лицо, такое приятное, если оставить в стороне глаза.

— Если станешь дергаться, то сам.

— Прямо здесь? — с притворным испугом переспросила она. — В собственной каминной? Какая честь для меня!

— Все равно ковер испорчен. Так что пристрелю и глазом не моргну. А может, поручу кому и просто посмотрю со стороны. Вообще-то обычно я не присутствую при проведении операций, но тебя мне даже приятно проводить в последний путь.

— Расскажи мне про ваши «операции», — попросила Настя, стараясь не обращать внимания на дикую боль, разрывающую виски.

— А-а! — ухмыльнулся Ерасов и закинул ногу на ногу. — Зацепило?

— Я поражена и не скрываю этого.

— Что тебя особенно поразило? Фокус-покус с предсмертными записками? — Ерасов получал явное удовольствие от разговора.

— Да, — сказала Настя. — Конечно. Не могу понять, как вы это делали. Как вы заставляли писать предсмертные записки женщин, которые не думали о смерти, о самоубийстве?

— А они не знали, что пишут предсмертные записки, — с затаенной улыбкой пояснил Ерасов. — Душенька, на самом деле это все так просто, ты себе не представляешь! Ты ведь уже знакома с доктором Ясюкевичем?

Настя попыталась обидно усмехнуться, но Ерасова это не задело.

— Доктор у нас голова. Он такие ходы придумывает — закачаешься! Хочешь, я покажу тебе, как это выглядит на деле? Хочешь?

— Хочу.

Она действительно хотела. Несмотря на то, что боялась за свою жизнь. Она вспомнила, как Аврунин приказал Инге Харузиной: «Пойди и сделай это!» После чего Инга поднялась в свой номер, села за стол и, сосредоточившись, написала письмо, которое... Которое не было предсмертной запиской, но все его за таковую приняли!

Ерасов снова отошел и вернулся с пачкой стандартных листов и ручкой.

— Итак, — начал он, придвигая к себе круглый стеклянный столик и раскладывая на нем свое добро. — Слабая женщина, у которой куча проблем и горестей... А почти у всякой женщины есть проблемы, дорогуша. Муж изменяет, денег не хватает, талия не такая узкая, как хотелось бы... Ну, ты понимаешь! Так вот. Такая женщина случайно, в какой-нибудь компании, или на пляже, или еще где-нибудь знакомится с психологом. У него располагающая к доверию внешность...

— Как у Аврунина? — насмешливо спросила Настя.

— Располагающая или безобидная, — воздел указательный палец Ерасов. — Доктор сочувственно относится к проблемам, которыми женщине очень хочется с кем-нибудь поделиться. А уж с психологом-то сам бог велел! Он слушает, дает советы, сопереживает. А потом и говорит... Знаете, дорогая, говорит он, есть такая методика освобождения от всех неприятностей. Методика древняя, описана во многих книгах. Она проста, как апельсин. Ее может применить каждый. Попробуйте, не пожалеете! А я вам помогу. Называется методика, условно говоря, «Сожги неприятности».

Глубокой ночью, когда природа спит, вы должны взять лист бумаги, поставить на нем число — это важ-

но! — и выписать в столбик все то, что вам не нравится в вашей жизни. На сегодняшний день. Все, что вас волнует и мучает. Затем следует очень важный момент. Эту бумагу надо сжечь на огне свечи. Но сжечь умеючи, чтобы не сделать себе хуже. Если вы сами боитесь, моя милая, я вам помогу. Я приду к вам, когда вы все напишете, и мы сожжем эту бумагу, а пепел развеем по ветру. Еще хорошо бы после процедуры принять ванну или окунуться в водоем — что окажется под рукой.

Настя следила за Ерасовым расширенными, горячечными глазами. Все наконец стало на свои места. Вероятно, Любочка впустила Ясюкевича в квартиру, когда уже выплеснула на бумагу свое, наболевшее. Доктор велел ей приготовить ванну. Но листочек сжигать не стал. Вместо этого он убил Любочку, а ее список оставил на столе для милиции.

И Аврунин, утопивший Ингу Харузину! Он заранее «унавозил почву». Видимо, встречался с ней, разговоры разговаривал. А потом явился в пансионат и потребовал: «Сделайте это!» Инга пошла и сделала. Написала все свои горести. Готовилась расстаться с ними при помощи чудесной методики. Затем она со своим листочком вышла на берег реки и полезла в воду. Вероятно, перед сожжением письма Аврунин велел ей окунуться. Может быть, даже с головой.

— Как погиб муж Инги Харузиной? — спросила Настя.

— Его застрелили конкуренты. Но, поскольку он нам уже заплатил, Инга была обречена.

— Господи, какой цинизм! Вы могли просто взять эти деньги и оставить ее жить!

— А профессиональная репутация?

Ерасов спросил это совершенно серьезно, и Настя едва сдержалась, чтобы не отшатнуться.

Бедная наивная Инга! Она так горевала о своем муже! Именно этим и воспользовался мерзкий человек-поросенок.

— Людьми так легко манипулировать! — словно угадал ее мысли Ерасов. — Только пообещай им избавление от всех несчастий, как они, словно тупые овцы, побредут навстречу собственной гибели.

— А почему вы выпустили Макара? — Настя никак не могла угомонить свое любопытство. — Вы узнали, что он следил за Любочкой, видел кого-то из ваших людей. Вы забрали его к себе, вы засыпали его вопросами, а потом отпустили.

— Он пробыл на свободе всего ничего, — пожал плечами Ерасов.

— Однако успел записать видеокассету и передать ее Маслову.

— Да что ты говоришь? — протянул Ерасов. — И где же эта кассета?

— Уже в милиции. Я правду говорю, можешь не втыкать булавки мне под ногти.

— Фу, какие ужасы приходят тебе в голову. А что там на кассете?

— Ваши планы относительно убийства Наташи Кратовой.

— Господи, да ничего нельзя доказать!

— Так почему вы выпустили Макара?

— Потому что он у нас попадал в графу ДТП. Именно поэтому он должен был еще потолкаться среди людей. Мы его не боялись: Макар был запуган и не знал ничего опасного. Только контактный телефон.

— Он знал кое-кого из ваших в лицо.

— Это преступление, быть «нашими»? Наши — это вполне обычные люди, которые за деньги убирают квартиры и офисы. Что, съела?

Вопросы роились в Настиной голове, точно мухи, поднятые с места резким взмахом руки.

— К слову сказать, — продолжал распинаться Ера-

сов, — методика Ясюкевича очень перспективна. На этот крючок попадались уже не только женщины, но и мужчины. Да-да, мужчины, чтоб ты знала, существа даже более легковерные и внушаемые, чем женщины. Удивлена?

— Не слишком.

— Ясюкевич, когда только придумал этот фокус-покус с методикой «Сожги неприятности», испытал его на мне. Сидел, распинался, голову морочил. И я купился! — Он восторженно хлопнул ладонью по поджарой ляжке, той, которая не болела. — До этого я о своих неприятностях даже не задумывался. А этот стервец так все повернул, что я ахнул: грехов-то на мне! Грехов!

Ерасов рассмеялся. Он вообще смеялся теперь через каждую фразу — так ему нравилась ситуация.

— Вот я и взял лист бумаги. — Ерасов придвинул к себе лист, иллюстрируя, как это было. — Взял ручку и поставил число. Какое сегодня число? Двадцать четвертое? Отлично.

Он нарисовал в уголке дату, и Настя обратила внимание, что почерк у него под стать внешности — крупный, представительный, хоть сейчас показывай его младшим школьникам в качестве образца.

— Какие у меня до сегодняшнего вечера были неприятности? — вопросил он, хитро глядя на Настю. — Неприятность первая, — он коснулся кончиком ручки листа. — Некая Анастасия Шестакова сильно интересуется деятельностью моей фирмы. Абзац.

Он помолчал, дописывая фразу, потом начал снова:

— Факты говорят о том, что Анастасия Шестакова знает, чем на самом деле занимается моя фирма. Абзац.

Настя, словно завороженная, следила за его действиями.

— У Анастасии Шестаковой в руках находится список клиентов, которые обратились в мою фирму, заказав убийство кого-нибудь из своих родственников или знакомых.

Эту фразу он писал дольше, но не торопился и закончил ее столь же аккуратно, как начал.

— Из-за Анастасии Шестаковой мои люди вынуждены были раскрыть свое инкогнито клиенту Медведовскому. И теперь Медведовского тоже придется убить. — Он вскинул голову и добавил: — Бесплатно, представляешь? Ну, куда это годится? Со всех сторон виновата эта Анастасия Шестакова.

Он вскинул голову, и Настя поймала его взгляд, стараясь изо всех сил удержать его. Кажется, от этого усилия даже волосы на ее голове зашевелились.

— И последний абзац. Анастасия Шестакова никогда не выйдет из этого дома живой. Вот все.

Настя сидела неподвижно и старалась не моргать.

— Ну, что глядишь глазами грустной лани? — поддел ее Ерасов.

Он свернул листок вчетверо и, держа его в одной руке, потянулся за лежавшей на столике зажигалкой.

— Сейчас мы... — начал он.

И в этот момент листок из его пальцев — хоп! — и осторожно вынули. Ерасов резко обернулся, и тут же в затылок ему уперлось дуло пистолета.

— Вот спасибо! — с чувством сказал Самойлов, пряча листок в карман и забирая оружие, которое Ерасов положил рядом с собой, чтобы ему удобнее было писать. — Чистосердечное признание, выполненное собственноручно! Без подписи, правда, но с датой. Это ли не праздник для сотрудников милиции?

— Ты не сотрудник милиции, — буркнул, проходя мимо, один из представителей правоохранительных органов, которые очень быстро рассредоточились по комнате.

— Я имел в виду, что это праздник для вас.

Милиция давно уже находилась в доме. Поэтому-то

и не отзывался ни Стас, ни шофер по кличке Фернандо. Всех прихвостней и соратников Ерасова взяли одновременно, и некому было позвонить по секретной линии, чтобы предупредить босса о грозящей опасности.

— Кстати, Геннадий Витальевич! — сказала Настя, стараясь, чтобы голос у нее не дрожал и не срывался. — Папка Ясюкевича со списком клиентов лежит у него дома под диванной подушкой. Я ее не похищала.

Ерасов остекленел. В нем замерло все — казалось, он одним усилием воли остановил в себе жизнь, словно башмаком затушил пламя, оставив только крохотную искорку в глубине глаз.

Как только Ерасова увели, Самойлов тотчас же сбросил с лица насмешку и, подойдя к Насте, присел перед ней на корточки. Она заплакала.

— Я боялась посмотреть на тебя, — призналась она, позволяя ему гладить свои руки. — Я боялась, что он проследит за моим взглядом и догадается, что сзади кто-то есть. Что кто-то подходит к нему. Я старалась сделать так, чтобы он не отвел глаз.

— Ш-ш! — прошептал Самойлов, подсаживаясь к ней и прижимая ее голову к своей груди. — Ну и карнавал ты устроила, Настя Шестакова!

— Это я тебя спасала.

## 15

— И теперь мне можно вернуться в свою квартиру? — сонно спросила Настя, повиснув на локте Самойлова. После пережитого потрясения коньяк и валиум снова активизировались у неё внутри.

— Можно, но... не нужно, — ответил тот. — Во-первых, мы пропустили визит дока, и, думаю, он здорово злится на меня.

` — Но у меня уже все в порядке! — пробормотала Настя. — С тем местом.

— Да? А лицо?

— Мне его набили только что.

— Ну вот. К нему нужно прикладывать лед, а у тебя наверняка дома нет льда.

— Никак, ты приглашаешь меня к себе на дачу?

— Не то чтобы приглашаю... Хотя да — приглашаю. Дело в том, что нам нужно поговорить.

— Почему мы не можем поговорить не на даче? — заплетающимся языком спросила Настя.

— Надо, чтобы ты меня выслушала до конца. Чтобы не убежала.

— Можно, я здесь где-нибудь посижу?

— Нет уж, лучше ты посидишь в машине, — улыбнулся Самойлов и подхватил ее на руки.

— Твоя машина в лесу, — продираясь сквозь ватный сон, сообщила Настя.

— Не волнуйся, волки ее не съели.

Но Настя уже ничего не слышала — она крепко спала. Самойлов с боем отбил ее у милиции — ее и себя. Потребовалось даже вмешательство Зараева. Узнав об аресте Ерасова, об уликах, тот сделался чрезвычайно покладистым, и их отпустили.

Поэтому сейчас Самойлов вез свой живой груз в коттедж, поминутно протягивая руку и что-нибудь поправляя: то острую прядку волос, упавшую ей на глаза, то краешек куртки, которым он накрыл ее плечи.

Потом он внес ее в дом и устроил на диване. А сам полез в холодильник, потому что был страшно голоден, и наткнулся на курицу, которую Настя ковыряла несколько дней назад. Он подумал, что ей нужна свежая курица, и хотел уже рвануть в магазин, но потом спохватился, что ее не стоит оставлять одну, и остыл.

Сел на диван и долго вглядывался в узкое лицо с нахмуренными бровями. Подумать только, она угодила к

нему под колеса, и за это он ненавидел ее. Он и раньше ее ненавидел. Вернее, она его бесила.

Он был уверен, что утром, когда она окончательно придет в себя, устроит ему допрос, и случится несколько неприятных сцен. Надо будет как-то разруливать эту ситуацию, а как — он не знал.

Она открыла глаза, минуту лежала, глядя в потолок и соображая, где находится. Потом неожиданно оттолкнулась локтями от подушки и села. Прическа ее была похожа на игольницу, утыканную портновскими булавками. Увидев, что Самойлов стоит и смотрит, она зевнула и азартно потерла ладонь о ладонь.

— Ну, рассказывай!

— Тпру! — осадил ее он. — Сначала ты примешь душ, позавтракаешь, выпьешь чашку кофе, и только потом мы приступим.

Она в точности выполнила инструкции, а он все оттягивал разговор. Однако, тяни не тяни, объяснение неминуемо.

Настя начала его с того самого вопроса, на который ему больше всего не хотелось отвечать:

— Послушай, я так и не поняла: зачем Ерасову понадобилось подсылать ко мне всех этих... красавчиков?

Настя сидела на диване Самойлова, подобрав под себя ноги, и от этого старый диван казался ему ужасно уютным и симпатичным. «Почему я собирался его выбрасывать?» — мельком подумал он.

Заметив, что он не слушает, Настя схватила его за руку и, смеясь, потрясла.

— Олег! Зачем Ерасов подсылал...

— Он не подсылал, — ответил тот.

— А кто подсылал? — опешила Настя.

— Я.

— Ну что ты несешь?

— Как он мог к тебе кого-то подсылать, сама подумай. Если бы он только заподозрил, что ты вышла на Ясюкевича, или видела, как обыскивали дачу Мерлужиных, он бы сразу отправил к тебе убийц. При таких масштабах одним телом больше — одним меньше...

— Ты сказал: «Я», — напомнила Настя, глядя на него с недоверием.

— Сказал, — согласился Самойлов. — Ну и что? Могу объяснить, как было дело.

— Может, сначала объяснишь — кто ты?

— Я возглавляю службу безопасности человека по фамилии Зараев.

— Ого! — сказала Настя. — Так ты, значит, бывший профессионал?

— Я свой профессионализм никуда не дел, — заметил Самойлов, принимаясь ходить взад и вперед по комнате и хлопать себя по бокам.

— Сигареты на столе, — подсказала она, глядя на него во все глаза.

— Некоторое время назад, — подступился наконец к теме Самойлов, — погибла любовница Зараева. Оставила предсмертную записку. Но он не поверил в то, что она покончила с собой. Накануне они обсуждали его возможный развод и совместные перспективы, так что... Он знал, кто заказчик убийства, и хотел отомстить, но его враг предусмотрительно погиб в авиационной катастрофе. Тогда он стал искать исполнителей. Потратил много сил, задействовал свои связи, и в его руки в конце концов попала тонюсенькая ниточка. Ниточка вела к компании «Клин Стар».

Если на заказчика у него вначале были совсем иные виды, то исполнителей он твердо намеревался посадить в тюрьму. И поручил мне, как начальнику собственной службы безопасности, взять «КЛС» под колпак. Нарыть на них все, что только возможно, и преподнести ментам на блюдечке с голубой каемочкой.

Мы работали почти полгода, когда наконец вышли

на первого клиента. Это был Макар Мерлужин. Мы не знали, кого он заказал, не знали, как будут развиваться события, не знали ничего конкретно. И если в городе за Мерлужиным постоянно ходил наблюдатель, то в загородном доме он был предоставлен самому себе. Там ведь у вас на километры — одни поля. Ни деревца, ни кустика. Каждая машина на виду.

Но, проделав такую работу, мы просто не могли оставить Мерлужина безнадзорным.

— И тогда ты подумал, что хорошо бы кому-то из твоих людей окопаться в соседнем доме, — помогла ему Настя.

— Да, я так подумал, а что? — с вызовом спросил Самойлов.

— Ничего, — она пожала плечами. — Жутко интересно. Рассказывай дальше.

— Дальше ты знаешь, — буркнул он.

— Нет, ты рассказывай, рассказывай!

— Я подумал, что одинокую молодую женщину может заинтересовать красивый молодой мужчина.

— Ну, еще бы!

— По-моему, ничего сверхъестественного, нормальная психология.

— И физиология.

— И физиология, — с вызовом произнес Самойлов. Помолчал и добавил: — Я тогда никак к тебе не относился. Ты была просто объектом, к которому приставили наблюдателя.

— Теперь я понимаю, почему, напросившись ко мне в попутчики, Иван поднял вверх два пальца. Он показывал кому-то из своих — виктория, победа. И в ресторан, где Любочка ужинала с Ясюкевичем, мы ведь с ним не случайно попали?

— Тут вышла очень интересная история. Иван действительно повез тебя туда, где ужинала Любочка. Но тогда мы еще не знали, что Ясюкевич имеет какое-то отношение к «КЛС».

— Просто не верится, что в твоей службе безопасности работают такие красавцы! — насмешливо сказала Настя.

— Иван с нами только сотрудничает. Его внешность отвлекает женщин от всего остального, это ценно.

— А что за дурацкая история с его мамой, с его квартирой?

— Конечно, это не его мама, — пожал плечами Самойлов. — Весь тот вечер был инсценировкой.

— Но почему пьесу ставили в квартире Купцова? — спросила Настя.

— Купцов — двоюродный брат Ивана. У него есть ключи. Иван знал, что Купцов уехал в командировку, и использовал его квартиру в качестве... ну... конспиративной.

— Без его ведома.

— Да.

— Надо же, как вы постарались ради меня!

— Да ничего особенного. Пока вы там с Иваном... развлекались, мы поставили прослушку на твой телефон.

— Это я уже поняла и без тебя.

— Знаешь, как я разъярился, когда ты сказала, что не доверяешь Ивану и хочешь с ним расстаться. Получилось, все было зря! Кстати, он до сих пор в шоке, что ты его отвергла. Считает это пятном на своей репутации.

— А Купцов имеет к вам какое-нибудь отношение?

— Ровным счетом никакого.

— Но он врал мне, будто не знает никакого Ивана.

— Верно, врал. Купцов сразу догадался, что произошло. В его отсутствие кузен проворачивал на его площади какие-то делишки. Он решил во что бы то ни стало выяснить какие.

— Из любопытства?

— Не только. Купцов самолюбив, а Иван всегда его подавлял. И внешностью, и успехами.

— И он решил взять реванш?

— Ну да. Пытался хоть что-нибудь выдоить из этой ситуации, чтобы получить над кузеном хотя бы минимальную власть. Он ведь мог разоблачить его, рассказать все тебе, верно?

— Экий гаденыш, — снисходительно заметила Настя.

— Он тебе понравился?

— Мне не понравился никто из тех, кого ты для меня так тщательно выбирал.

— Когда ты сказала, что собираешься расстаться с Иваном, нам пришлось импровизировать буквально на ходу. Пока ты возилась на кухне, я позвонил ему на сотовый и велел убираться. Перед уходом он испортил компьютер. Ты ведь уже рассказала ему, что включаешь агрегат каждый день, что не можешь жить без Интернета и писем от друзей. Поэтому мы были уверены, что ты схватишься в тот же день.

— И я оправдала ваши ожидания. — Настя сохраняла спокойствие, которое Самойлову не очень нравилось.

— Из твоего разговора с подругой выяснилось, какой тип мужчин ты предпочитаешь. Брюнет, короткая стрижка, все такое... После твоего звонка на фирму мы тоже позвонили туда и отменили заказ. Вместо мастера к тебе приехал Владимир.

— Я позже поняла, чем от него пахло. От него пахло парикмахерской. Вот бы мне тогда догадаться!

— При чем здесь парикмахерская? — не понял Самойлов.

— Ну, как же? Вывод напрашивается сам собой. Он носил длинные волосы, а его срочно заставили стричься. Перед приездом ко мне.

— Верно. Он носил длинные волосы.

— Скажи, а родинка у него на щеке настоящая?

— Не знаю, не присматривался.

— Он тоже внештатник, так сказать?

— Нет, Вова — мой сотрудник.

— Передай ему большой привет, — тут же отреагировала Настя. — Кстати, он и в самом деле меня загипнотизировал?

— Да нет, конечно. Дал тебе снотворное с чаем.

— А для чего он соврал, что на визитке Ясюкевича было написано «КЛС»?

— Это была моя идея, — признался Самойлов. — К тому моменту ты уже обнаружила написанные Любочкиной рукой слова: «Меня хотят убить». Мы ведь тоже поначалу приняли их за чистую монету. Владимир решил, что ты обязательно ввяжешься в историю. Доложил, что ты собираешься искать того типа, который ужинал с Любочкой в ресторане. И я подумал: если ты уж так хочешь действовать, то хорошо бы тебе действовать с пользой и какой-никакой отдачей.

— То есть это я сама себя втянула в историю? — прежним насмешливым тоном уточнила она.

— Нет, конечно, если бы нам не надо было следить за Макаром...

— Послушай, пока не забыла: а зачем люди из «КЛС» обшаривали Любочкину спальню?

— Думаю, они проверяли, не оставила ли она каких-нибудь записей, касающихся Ясюкевича и его методики «Сожги неприятности». Подстраховывались. Ведь она могла вести дневник или упомянула о чем-нибудь таком в разговоре с Ясюкевичем.

— Я тебя перебила.

— А я уже все рассказал.

— Нет, не все. Был еще Артем, был Юхани. Впрочем, с Юхани мне и так все ясно. Я разговаривала с мамой.

Самойлов прикончил сигарету и, размазав окурок по всей пепельнице, сказал:

— Ох, как я злился на тебя за то, что ты вытурила Вовку!

— Могу себе представить. И чего дуре-бабе надо, верно? И такого ей предложили, и сякого! А она нос воротит. Так?

— Примерно. Нет, ну сама же просила брюнета с короткой стрижкой, с родинкой на щеке! — раздраженно воскликнул он.

Настя посмотрела на него злыми глазами и уточнила:

— Я разве у тебя просила?

Поскольку Самойлову нечего было ответить, он достал стакан, полез в холодильник и начал вытряхивать из ванночки кубики льда. Кубики летели в разные стороны.

— Ладно, давай уж доведем разговор до логического завершения, — вздохнула Настя. — Признайся, где ты раздобыл Артема? Честно тебе скажу, когда я его увидела, то была потрясена. Люся тоже была потрясена.

— Да уж, Киану Ривз! — закатил глаза Самойлов. — Он что, действительно такой потрясающий?

— Киану Ривз — да, Артем — нет.

— Но он на него похож, — оскорбился Самойлов, словно заправская сваха за любимого кандидата в женихи.

— В последние дни мне стало ясно, что красивое лицо только сбивает с толку, — заметила Настя, корябая диванную обивку ногтем.

Самойлов тут же подсел к ней и спросил:

— Можно я приму это на свой счет?

— Разве ты считаешь себя некрасивым? — удивилась Настя.

Самойлов напряженно посопел, потом ответил:

— Сам бы я никогда не стал набиваться тебе в приятели, полагая, что ты на меня не клюнешь.

— Вот, значит, как?

— Значит, вот так.

— Кстати, как это получилось, что я попала именно под твои «Жигули»?

— За тобой постоянно ходил мой наблюдатель, — ответил Самойлов. — И еще кто-нибудь на колесах находился на подстраховке. В тот раз на подстраховке был я. Просто крутился поблизости. Мне даже в страшном сне не могло привидеться, что ты выкинешь такой фортель.

— Я была в отчаянии.

— Я тоже. Представляешь, что я чувствовал? Чуть не убил человека.

— Поэтому так кидался на меня. Когда ты обнаружил меня в сарае, я думала, что умру от ужаса.

— Я с самого начала знал, что ты у меня в сарае.

— Знал?!

— Наблюдатель позвонил мне на сотовый, когда я покупал сигареты. Он сообщил, что ты снова влезла в мою машину.

— Так вот почему ты прикинулся переводчиком! Этот звонок был рассчитан на меня!

— Конечно. Все, что я делал, было рассчитано на тебя.

— Олег, я ведь находилась на грани! Почему ты был таким злым? Почему гнал меня прочь?

— Как почему, Настя? Ты что, ничего не поняла? Я работал. Я полгода разрабатывал операцию. И тут ты! Впуталась в нее совершенно бессовестным образом. Мы даже разработали под тебя сценарий, когда поняли, что «КЛС» начала охоту за тобой.

— И что мне полагалось по вашему сценарию?

— Ты должна была остаться одна и действовать по своему усмотрению. Конечно, мы тебя страховали.

— Но я об этом не знала.

— Но мы ведь страховали!

— Так вот почему ты стремился выкинуть меня из машины? Не потому, что ненавидел?

— Конечно, нет, — буркнул он. — Хорош бы я был, если бы открыто взял тебя под защиту. Ну, спрятал бы я тебя от «КЛС», и все дело затянулось бы еще неизвестно на какой срок. Ты же со своей непредсказуемостью играла в наши ворота, забивая гол за голом. Например, нашла видеокассету. Ты вышла на Медведовского, о котором мы ни сном ни духом. Кстати! — спохватился он. — Забыл тебе сказать: в офисном центре мои ребята тебя потеряли.

— Еще бы! — ехидно ответила Настя. — Они ведь мужчины, и ничто человеческое им не чуждо.

— Настя!

— Да?

— Может быть, мы закроем эту тему?

Он наклонил свою большую черную голову и стал разглядывать свои кроссовки.

— Почему это? — упрямо спросила она.

— Мне хочется поговорить с тобой о чем-нибудь другом.

— О чем-нибудь другом?

— О чем-нибудь принципиально другом.

— М-м... Но ты ведь еще не попросил у меня прощения.

— За что это?

— За то, что подсовывал мне мужчин, словно шоколадки ребенку.

— А ты не извинилась за то, что бросилась мне под колеса, — мгновенно парировал он.

Настя вскочила с дивана и стала наступать на него — босая, взволнованная и яростная.

— Почему ты не рассказал мне все еще тогда, когда мы у тебя дома смотрели видеокассету?

— А почему ты соврала доку, будто я тебя покусал?

— Ты относился ко мне хуже, чем к собаке!

— Я сварил для тебя курицу!

Настя некоторое время смотрела на него, раскрыв рот. Потом сказала:

— Да, это действительно серьезно.

— Я никогда еще ни для кого не готовил. Честное слово. И еще я очень боялся, что ты умрешь.

— Мне знакомо это чувство. Я вообще думала, что ты уже умер.

— Ну, в честь того, что я не умер, как ты думаешь, ты могла бы меня поцеловать?

— Поцелова-ать? — с притворным испугом протянула Настя. — Если это начало какой-то новой боевой операции, то я пас.

Самойлов подступил к ней ближе и признался:

— Это начало новой боевой операции. Только вести ее я собираюсь один.

— И в чем же цель операции? — пробормотала Настя, вдыхая его запах, потому что он уже ткнулся своим лбом в ее сливочный лоб.

— Цель — завоевание, — сообщил он и обозначил поцелуй первым тревожным прикосновением губ.

— И покорение? — подсказала Настя, взяв его за воротник рубашки двумя руками.

— Если только ты захочешь.

Самойлов наклонил голову и пошел в первое наступление.

Литературно-художественное издание

**Куликова Галина Михайловна**
**СИНДРОМ БОДЛИВОЙ КОРОВЫ**

Ответственный редактор *О. Рубис*
Редактор *Т. Семенова*
Художественный редактор *С. Курбатов*
Художник *Е. Рудько*
Технический редактор *Н. Носова*
Компьютерная верстка *Д. Мытников*
Корректор *И. Ларина*

ООО «Издательство «Эксмо».
127299, Москва, ул. Клары Цеткин, д. 18, корп. 5. Тел.: 411-68-86, 956-39-21.
**Интернет/Home page — www.eksmo.ru**
Электронная почта (E-mail) — info@ eksmo.ru
*По вопросам размещения рекламы в книгах издательства «Эксмо»*
*обращаться в рекламное агентство «Эксмо». Тел. 234-38-00.*

*Оптовая торговля:*
109472, Москва, ул. Академика Скрябина, д. 21, этаж 2.
Тел./факс: (095) 378-84-74, 378-82-61, 745-89-16.
Многоканальный тел. 411-50-74. E-mail: **reception@eksmo-sale.ru**

*Мелкооптовая торговля:*
117192, Москва, Мичуринский пр-т, д. 12/1. Тел./факс: (095) 411-50-76.

Книжные магазины издательства «Эксмо»:
Супермаркет «Книжная страна». Страстной бульвар, д. 8а. Тел. 783-47-96.
Москва, ул. Маршала Бирюзова, 17 (рядом с м. «Октябрьское Поле»). Тел. 194-97-86.
Москва, Пролетарский пр-т, 20 (м. «Кантемировская»). Тел. 325-47-29.
Москва, Комсомольский пр-т, 28 (в здании МДМ, м. «Фрунзенская»). Тел. 782-88-26.
Москва, ул. Сходненская, д. 52 (м. «Сходненская»). Тел. 492-97-85.
Москва, ул. Митинская, д. 48 (м. «Тушинская»). Тел. 751-70-54.
Москва, Волгоградский пр-т, 78 (м. «Кузьминки»). Тел. 177-22-11.

**Северо-Западная Компания представляет весь ассортимент книг издательства «Эксмо».**
Санкт-Петербург, пр-т Обуховской Обороны, д. 84Е.
Тел. отдела реализации (812) 265-44-80/81/82.

**Сеть книжных магазинов «БУКВОЕД».** Крупнейшие магазины сети:
Книжный супермаркет на Загородном, д. 35. Тел. (812) 312-67-34
и Магазин на Невском, д. 13. Тел. (812) 310-22-44.

**Сеть магазинов «Книжный клуб «СНАРК»** представляет самый широкий ассортимент книг
издательства «Эксмо». Информация о магазинах и книгах в Санкт-Петербурге по тел. 050.

*Всегда в ассортименте новинки издательства «Эксмо»:*
ТД «Библио-Глобус», ТД «Москва», ТД «Молодая гвардия»,
«Московский дом книги», «Дом книги в Медведково», «Дом книги на Соколе».

*Весь ассортимент продукции издательства «Эксмо»*
*в Нижнем Новгороде и Челябинске:*
ООО «Пароль НН», г. Н. Новгород, ул. Деревообделочная, д. 8. Тел. (8312) 77-87-95.
ООО «ИКЦ «ДИС», г. Челябинск, ул. Братская, д. 2а. Тел. (8512) 62-22-18.
ООО «ИнтерСервис ЛТД», г. Челябинск, Свердловский тракт, д. 14. Тел. (3512) 21-35-16.

*Книги «Эксмо» в Европе — фирма «Атлант». Тел. + 49 (0) 721-1831212.*

Подписано в печать с готовых монтажей 16.01.2004.
Формат 84×108 $^1/_{32}$. Гарнитура «Таймс». Печать офсетная.
Бум. тип. Усл. печ. л. 18,48. Уч.-изд. л. 15,6.
Доп. тираж 5100 экз. Заказ № 1105

Отпечатано в полном соответствии
с качеством предоставленных диапозитивов
в ОАО «Можайский полиграфический комбинат».
143200, г. Можайск, ул. Мира, 93.

# Дарья Калинина

в новой серии "Дамские приколы"

# Любовник для Курочки Рябы

Если за детектив берется Дарья Калинина,
впереди вас ждет встреча с веселыми и обаятельными героинями,
умопомрачительные погони за преступниками
и масса дамских приколов!

Также в серии:
Д. Калинина «Сглаз порче не помеха»
«Шустрое ребро Адама»

Литературно-художественное издание

**Куликова Галина Михайловна**
**СИНДРОМ БОДЛИВОЙ КОРОВЫ**

Ответственный редактор *О. Рубис*
Редактор *Т. Семенова*
Художественный редактор *С. Курбатов*
Художник *Е. Рудько*
Технический редактор *Н. Носова*
Компьютерная верстка *Д. Мытников*
Корректор *И. Ларина*

ООО «Издательство «Эксмо».
127299, Москва, ул. Клары Цеткин, д. 18, корп. 5. Тел.: 411-68-86, 956-39-21.
**Интернет/Home page — www.eksmo.ru**
Электронная почта (E-mail) — info@ eksmo.ru
*По вопросам размещения рекламы в книгах издательства «Эксмо»*
*обращаться в рекламное агентство «Эксмо». Тел. 234-38-00.*

*Оптовая торговля:*
109472, Москва, ул. Академика Скрябина, д. 21, этаж 2.
Тел./факс: (095) 378-84-74, 378-82-61, 745-89-16.
Многоканальный тел. 411-50-74. E-mail: **reception@eksmo-sale.ru**

*Мелкооптовая торговля:*
117192, Москва, Мичуринский пр-т, д. 12/1. Тел./факс: (095) 411-50-76.

**Книжные магазины издательства «Эксмо»:**
Супермаркет «Книжная страна». Страстной бульвар, д. 8а. Тел. 783-47-96.
Москва, ул. Маршала Бирюзова, 17 (рядом с м. «Октябрьское Поле»). Тел. 194-97-86.
Москва, Пролетарский пр-т, 20 (м. «Кантемировская»). Тел. 325-47-29.
Москва, Комсомольский пр-т, 28 (в здании МДМ, м. «Фрунзенская»). Тел. 782-88-26.
Москва, ул. Сходненская, д. 52 (м. «Сходненская»). Тел. 492-97-85.
Москва, ул. Митинская, д. 48 (м. «Тушинская»). Тел. 751-70-54.
Москва, Волгоградский пр-т, 78 (м. «Кузьминки»). Тел. 177-22-11.

**Северо-Западная Компания** представляет весь ассортимент книг издательства «Эксмо».
Санкт-Петербург, пр-т Обуховской Обороны, д. 84Е.
Тел. отдела реализации (812) 265-44-80/81/82.

**Сеть книжных магазинов «БУКВОЕД».** Крупнейшие магазины сети:
Книжный супермаркет на Загородном, д. 35. Тел. (812) 312-67-34
и Магазин на Невском, д. 13. Тел. (812) 310-22-44.

**Сеть магазинов «Книжный клуб «СНАРК»** представляет самый широкий ассортимент книг
издательства «Эксмо». Информация о магазинах и книгах в Санкт-Петербурге по тел. 050.

*Всегда в ассортименте новинки издательства «Эксмо»:*
ТД «Библио-Глобус», ТД «Москва», ТД «Молодая гвардия»,
«Московский дом книги», «Дом книги в Медведково», «Дом книги на Соколе».

*Весь ассортимент продукции издательства «Эксмо»*
*в Нижнем Новгороде и Челябинске:*
ООО «Пароль НН», г. Н. Новгород, ул. Деревообделочная, д. 8. Тел. (8312) 77-87-95.
ООО «ИКЦ «ДИС», г. Челябинск, ул. Братская, д. 2а. Тел. (8512) 62-22-18.
ООО «ИнтерСервис ЛТД», г. Челябинск, Свердловский тракт, д. 14. Тел. (3512) 21-35-16.

*Книги «Эксмо» в Европе — фирма «Атлант». Тел. + 49 (0) 721-1831212.*

Подписано в печать с готовых монтажей 16.01.2004.
Формат 84×108 $^1/_{32}$. Гарнитура «Таймс». Печать офсетная.
Бум. тип. Усл. печ. л. 18,48. Уч.-изд. л. 15,6.
Доп. тираж 5100 экз. Заказ № 1105

Отпечатано в полном соответствии
с качеством предоставленных диапозитивов
в ОАО «Можайский полиграфический комбинат».
143200, г. Можайск, ул. Мира, 93.

# Дарья Калинина

в новой серии "Дамские приколы"

# Любовник для Курочки Рябы

Если за детектив берется Дарья Калинина,
впереди вас ждет встреча с веселыми и обаятельными героинями,
умопомрачительные погони за преступниками
и масса дамских приколов!

Также в серии:
Д. Калинина «Сглаз порче не помеха»
«Шустрое ребро Адама»